Wolff, R.

Grammatik der Kinga-Sprache

Wolff, R.

Grammatik der Kinga-Sprache

Inktank publishing, 2018

www.inktank-publishing.com

ISBN/EAN: 9783750109049

All rights reserved

Archiv für das Studium deutscher Kolonialsprachen.

Band III.

ɕ

Grammatik
der Kinga-Sprache

(Deutsch - Ostafrika,   Nyassagebiet)

nebst Texten und Wörterverzeichnis

von

R. WOLFF,

Missionar (Berlin I) in Tandala.

Kommissionsverlag von Georg Reimer.
Berlin 1905.

Inhaltsverzeichnis.

VI

Einleitung.

Vorliegende Arbeit beschäftigt sich mit der Sprache des Kingavolkes, welches das Livingstonegebirge bewohnt. Sie ist der Erfolg einer siebenjährigen Tätigkeit unter diesem Volke. Der Gedanke, die in dieser Zeit gemachten Erfahrungen aufzuzeichnen, kam mir auf einem schweren Krankenlager; sie sind also nicht gemacht, nur um etwas zu schreiben, sondern damit sie von Nutzen seien für solche, die sich mit Bantusprachen überhaupt und insonderheit mit der Kingasprache beschäftigen wollen. Diese Aufzeichnungen erheben auch nicht den Anspruch auf Vollkommenheit — es bleibt noch vieles zu erforschen übrig — sondern bringen nur das mir bisher Bekannte.

Was die Anordnung betrifft, so habe ich mich dem System des P. Meinhof im großen ganzen angeschlossen und teilweise mit demselben gemeinsam die draußen gemachten Aufzeichnungen zusammengestellt. Für die mir bei dieser Arbeit geleistete freundliche Hilfe sage ich ihm auch an dieser Stelle meinen Dank. Leid tat es mir und tut es mir noch, daß ich sein Buch »Grundriß einer Lautlehre der Bantusprachen« nicht früher in die Hände bekam als Ende des Jahres 1902; mir wäre wohl manches eher klar geworden, wozu ich ohne dasselbe erst nach Jahren kam, da ich keine andere Hilfe hatte als zuvor die etwa $2\frac{1}{2}$jährige Erfahrung im Kondelande. Die Schreibweise ist im ganzen streng phonetisch, doch nach Möglichkeit vereinfacht. So wird z. B. »v« mit »v«, ph, kh, th mit p, k, t usw. bezeichnet überall da, wo Irrtümer ausgeschlossen sind. Auch ist die Sprache gewählt, die im Zentrum des Landes gesprochen wird, also in der Gegend, von der aus das Volk sich ausgebreitet hat, ohne auf etwaige Dialekte Bezug zu nehmen. Letztere Gegend ist auch heute noch der Sitz des größten Häuptlings der Vakiṅga, Umwimutsi oder Uṅkwama mit Namen.

Das Kiṅgaland ist sehr gebirgig, erreicht in seinen höchsten Spitzen etwa 2400 Meter ü. M. und hat eine große Ausdehnung. Wie groß es ist. und wieviel Einwohner es hat, läßt sich bisher noch nicht sagen, da Messungen und Zählungen noch nicht vorgenommen worden sind. Schätzungen täuschen immer, daher werden sie unterlassen.

Die Grenzen des Landes sind: von SW. nach W. der Nyassasee von Alt-Langenburg bis zum Kondelande, dann dieses. Nach NW. folgt Vwaṅyi, im N. Saṅgoland. Von dort im NO. bis zur Breite von Alt-Langenburg das Bena- und Heheland. Im S. das Zwischenland zwischen Vukiṅga und Vupaṅgwa.

In diesen Grenzen wohnt das Kiṅgavolk unter fünf großen und unzähligen kleinen Häuptlingen.

Die Sprachen der angrenzenden Völker im NW. nach O. herum bis zum S. sind der Kiṅgasprache verwandt; die Kondesprache dagegen weicht bedeutend von dieser ab. (Vgl. Schumann, Grundriß einer Grammatik der Kondesprache. Berlin. 1899.)

R. Wolff,
Missionar der Mission Berlin I.

I. Lautlehre.

§ 1. Vokale.

Die Sprache hat folgende Vokale:

a ę e i o o u u

ę ist das weite (offene) e, franz. è, deutsch in »Bett«;
e ist das enge (geschlossene) e, franz. é, deutsch in »geh«;
i ist ähnlich dem deutschen i in »bin«;
i ist das deutsche i in »Biene«;
o ist gleich a im engl. »all« und o im franz. »encore«, ähnlich
dem deutschen o in »voll«;
o ist deutsches o in »ohne«;
u ist gleich dem deutschen u in »Bund«;
u ist gleich dem deutschen u in »Blume«.

Sämtliche Vokale, also auch ę, i, o, u, können lang sein; alle,
auch e, i, o, u, können kurz sein.

Wir bezeichnen die Kürze durch einen darüber gesetzten Bogen,
z. B. ă, ĕ, die Länge durch einen darüber gesetzten Strich, z. B. ō, ē.

Von den Vokalen, die doppelt vorhanden sind, wird der mit
weiter Aussprache durch einen darunter gesetzten Strich, der mit
enger Aussprache gar nicht bezeichnet.

Die zweite Silbe der zweisilbigen Präfixe, der anlautende Vokal
der Nomina nach Kl. 3 und die vorletzte Silbe eines jeden Wortes
sind der Regel nach lang, die übrigen Silben dagegen kurz. Wir
bezeichnen deshalb die Quantität nur da, wo sie von dieser Regel
abweicht.

§ 2. Veränderung von Vokalen.

1. Elision.

Das u der Vorsilbe von Kl. 1 und 2 fällt vor folgenden Konsonanten stets aus, ebenso das u des Präfixes mu »ihn«.

Auch das i des Präfixes ni Kl. 3 und das i von ni »mich« fällt
vor Konsonanten stets aus.

2

a fällt vor Vokalen oft aus, z. B.:

n*u*munu mit dem Menschen statt *na umunu*
nel*i*ǧanga mit dem Steine statt *na el*iǧ*anga*
namih*o* mit den Augen statt *na ama-ih*o
amin*o* Zähne statt *ama-in*o
emits*e* er hat aufgestellt statt *a-emits*e von *-emya*
akemba er sang statt *aka-emba*, Imperf. von *-emba* singen.

2. Kontraktion.

Gleiche oder sehr ähnliche Vokale werden zusammengezogen und sind lang.

z. B.: el*i*h*o* Auge statt el*i-ih*o
el*i*n*o* Zahn statt el*i-in*o
-t*u*la Last ablegen statt *-tu-u*la
-s*u*la entkleiden statt *-su-u*la
avana Kinder statt *avaana*
al*i*l*e* er hat ausgebreitet statt *a-al*il*e*.

3. Hervortreten von Semivokalen.

Die *o*- und *u*-Laute werden vor Vokalen, die ihnen unähnlich sind, zu *w* (unsilbisches *o* bzw. *u*), die *e*- und *i*-Laute in demselben Falle zu *y* (unsilbisches *e* bzw. *i*); z. B.:

kya Genitiv der Klasse 4 statt k*i*a
lya   »   »   »   6 statt l*i*a
*u*mwana das Kind statt *umu-ana*
*u*mwe *l*e*lo* die Spreu statt *umu-e*l*e*l*o*
*u*mwaka das Jahr statt *umu-aka*
*u*mwitsitsi der Schatten statt *umu-itsitsi*
*u*mwot*o* das Feuer statt *umu-ot*o
el*ye*la die Asche statt el*i-e*la
ekyuma das Eisen statt ek*i-u*ma
*u*lwitsi die Tür statt *ulu-itsi*

Bei *-pia* »brennen« und den davon abgeleiteten Formen bleibt *i* Vokal.

Das *y* der Kausativendung *ya* fällt weg nach allen Konsonanten mit Ausnahme von *m* und *n* (s. § 4, 1 a).

Wenn das Präfix *e* der reflexiven Verba vor einen Vokal zu stehen kommt, so wird zur Vermeidung eines Hiatus ein *j* eingeschoben, z. B.:

-ejibata sich halten von *-ibata* halten, fassen
-ejisa sich erniedrigen von *-isa* herablassen.

10

§ 3. Die Konsonanten.

b   d   g   ǰ   h   j   k   l   ḷ   m   n   ṅ   ń   p   s   t   v   w   y   z

h, l, m, n sprich wie im Deutschen;

b, d sind stets stimmhaft zu sprechen wie in engl. »bird, down«;

g ist stets explosiv und stimmhaft wie in engl. »good« zu sprechen, niemals wie das frikative *g* der Norddeutschen;

ǰ wird mit Kehlverschluß gesprochen, man lasse es sich vorsprechen;

j klingt wie ein deutsches *j* mit sehr leisem *d* davor;

k klingt zuweilen ähnlich dem deutschen *ch* in »ach«, zuweilen wie mit folgendem *h* oder *ch*;

l klingt ähnlich dem *r* in engl. »very«, der Deutsche glaubt zunächst ein *d* oder deutsches *r* zu hören;

ṅ klingt wie *ng* in »singe« (velares *n*);

ń klingt wie *gn* in franz. »ignorer« (palatales *n*);

p ist aspiriertes *p* der Nordostdeutschen (*p* mit folgendem *h*);

s ist immer scharf (stimmlos);

t ist aspiriertes *t* der Nordostdeutschen (*t* mit folgendem *h*);

v ist mit beiden Lippen gesprochenes *w* wie das *w* der Sachsen und Westdeutschen;

w ist unsilbisches *o* oder *u*; ähnlich dem engl. *w* (s. § 2);

y ist unsilbisches *e* oder *i*, ähnlich dem engl. *y*;

z weiches (stimmhaftes) *s* wie in franz. »zèle«; es kommt nur in Verbindung mit *n* vor, z. B. *hanza*, Kaus. von -*hanga* »mischen« (s. unten § 22 II b).

(Merke die festen Lautverbindungen *nd*, *mb*, *ṅg*, *nz*; *ṅg* sprich wie *ng* in »Kongo«.)

ts sprich wie deutsches *z*.

§ 4. Die Veränderungen der Konsonanten.

1. Durch Vokale.

a) Durch *i*, wenn es dem von Meinhof »schweres *i*« benannten Vokal andrer Bantusprachen entspricht, werden viele Konsonanten und Konsonantenverbindungen verändert, und zwar werden *k*, *t*, *p*, *v*, *ṅ*, (wenn letzteres aus *k* entstanden ist, s. unten 2a) zu *s*, z. B.:

k -*teleka* kochen, *untelesi* der Koch

-*hyuka* zerreiben, gerben, *unhyusi* der Gerber

-*heka* lachen, freundlich sein, *umesi* freundlich (Mensch)

1*

p -*ŋpa* kundschaften, *unsesi* der Kundschafter; -*dapa* zuteilen, *undasi* der Austeiler;

v -*tsgva* reden, *untsosi* der Redner; -*dova* bitten, betteln, *undosi* der Bettler;

n -*nwana* fälschlich verklatschen, *unnwasi* Lügner;

d, ɟ und *ʃ* wird *ts*, z. B.:

    -*dwada* fürchten, *undwatsi* der Furchtsame

    -*buɟa* aufsteigen, *isitutsi* schmackhaftes Essen (das gehobene Stimmung verursacht)

    -*ɟaʃa* betrinken, *unɟatsi* der Betrunkene

    -*ɟuʃa* kaufen, *unɟutsi* der Käufer

    -*tskʃla* opfern, *untskstsi* der Priester

    -*tandéʃa* kundschaften, *untandétsi* der Kundschafter

nd wird *nz*, z. B.:

    ɟenda gehen, *unɟenzi* Fremdling, Herumläufer

    -*ponda* schmieden, *umponzi* Schmied.

Alle diese Veränderungen treten jedoch nur in älteren Wortformen auf, in jüngeren Formen bleiben die Konsonanten unverändert, z. B.:

    undovi Fischer von -*lova* fischen

    unkongi Nachfolger von -*konga* folgen

    umbumbi Töpfer von -*rumba* formen

    untsengi Erbauer von -*tsenga* bauen usw.

So entstanden auch die Stämme:

Ki[1]:	*ilyosi* Rauch.	*unsipa* Sehue	
Su:	*moshi*	*mshipa*	»
Ko:	*ilyosi*	*unsipa*	»
Ms. B:	-*yoʃi*	-*hipa*	»

Ki:	-*siɟala* unterbleiben.	*ekisima* Schöpfloch	
Su:	-*saa*	*kisima*	»
Ko:	-*syala*	—	
Ms. B:	-*tiryala*	-*tima*	»

Ki:	-*sika* ankommen.	-*siha* verstecken	
Su:	-*fika*	-*ficha*	»
Ko:	-*fika*	-*fisa*	»
Ms. B:	-*pika*	-*pika*	»

<hr>

[1] Ki bedeutet Kinga, Su = Suaheli, Ko = Kondesprache. Meinhofs **B** das Urbantu (vgl. »Grundriß einer Lautlehre der Bantusprachen«).

Ki: _umwetsi_ Mond, _-simba_ schwellen
Su: _mwesi_   »   _-vimba_   »
Ko: _umwesi_   »   _-fimba_   »
Ms. B: _-yeli_   »   _-vimba_   »

Pluralpräfixe der 3. Klasse   dieselben der 4. Klasse

Ki:	_tsi_	_si_
Su:	_zi_	_vi_
Ko:	_si_	_fi_
Ms. B:	_li_	_ri_

In derselben Weise werden die Konsonanten verändert durch die Kausativendung _ya_, deren _y_ dabei immer ausfällt; so werden:
$k + ya$, $t + ya$, $p + ya$, $v + ya$, $h + ya$ und $\dot{n} + ya$, wenn das Kausativ gebräuchlich, zu _sa_;
$\dot{g} + ya$, $\underset{.}{l} + ya$, $j + ya$ zu _tsa_, z. B.:

$k + y$: -_deka_ zum Brechen reizen von _deka_ sich übergeben
     -_duluka_ befestigen, stark machen von _duluka_ fest, stark sein;

$t + y$: -_pagasa_ in den Arm legen von -_pagata_ auf dem Arm halten
     -_ijusa_ sättigen von -_ijuta_ satt sein;

$p + y$: -_dasa_ zuteilen von -_dapa_ in Empfang nehmen
     -_desa_ beugen von -_depa_ sich neigen;

$v + y$: -_lesa_ unterwerfen von -_leva_ sich ergeben
     tsosa zum Reden bringen von -_tsova_ sprechen;

$h + y$: -_pugusa_ waschen von -_pugusa_ sich waschen (Hände);
     (Formen mit _h_ sehr selten.)

$\dot{n} + y$: -_osa_ säugen von -_gna_ saugen
     -_nusa_ riechen von -_nuna_ stinken
     -_hogosa_ nachlassen von -_hogona_ schlaff sein (vom Strick usw.);

$\dot{g} + y$: -_detsa_ füllen von -_dega_ voll sein
     -_totsa_ erhöhen von -_toga_ hinaufsteigen;

$\underset{.}{l} + y$: -_valatsa_ reinigen von -_valala_ rein sein
     -_hegeletsa_ nähern von -_hegelela_ sich nähern;

$j + y$: -_vutsa_ zurückbringen von -_vuja_ zurückkehren;
     (häufig wird bei _j_ die recipr. kausative Form -_anya_ gebraucht).

Die Lautverbindung -_mya_ bleibt unverändert, in -_nya_ wird das _n_ palatal, wir schreiben darum -_nya_.

$m + y$: -_tomya_ feuchten von -_toma_ feucht sein
     -_humya_ hinausbringen von -_huma_ herauskommen;

$n + y$: -_linanya_ ausgleichen von -_linana_ gleich sein
     -_lekenanya_ auseinanderbringen von -_lekenana_ sich gegenseitig
       verlassen;

    b) durch _u_.

Wenn das *u* dem *u* anderer Bantusprachen entspricht, welches Meinhof »schweres *u*« nennt, werden sämtliche Konsonanten und Konsonantenverbindungen zu *s*; ausgenommen sind lediglich ursprüngliches *ṅ*, *n*, *m*. So entstanden die Stämme:

<table>
<tr><td align="center">*k*</td><td align="center">*k*</td></tr>
<tr><td>Ki: *amasuta* Fett</td><td>Ki: *-supi* klein</td></tr>
<tr><td>Su: *mafuta* »</td><td>Su: *-fupi* »</td></tr>
<tr><td>Ko: *amafuta* »</td><td>Ko: —</td></tr>
<tr><td>Ms. B: *makúta* »</td><td>Ms. B: *-kúpi* »</td></tr>
</table>

<table>
<tr><td align="center">*p*</td><td align="center">*ḷ*</td></tr>
<tr><td>Ki: *umbosu* Blinder</td><td>Ki: *ululesu* Bart</td></tr>
<tr><td>Su: *kipofu* »</td><td>Su: *madevu* »</td></tr>
<tr><td>Ko: —</td><td>Ko: *indefu* »</td></tr>
<tr><td>Ms. B: *-popú* »</td><td>Ms. B: *malelú* »</td></tr>
</table>

<table>
<tr><td align="center">*v*</td><td align="center">*v*</td></tr>
<tr><td>Ki: *esula* Regen</td><td>Ki: *-sula* entkleiden</td></tr>
<tr><td>Su: *mvua* »</td><td>Su: *-vua* »</td></tr>
<tr><td>Ko: *ifula* »</td><td>Ko: *-fula* »</td></tr>
<tr><td>Ms. B: *-vúla* »</td><td>Ms. B: *-viula* »</td></tr>
</table>

Ebenso bei Bildung der Adjektiva, z. B.:

-golosu gerade, gerecht von *-goloka* gerade sein

-mosu reich von *-mota* reiche Ernte haben

-vosu faul (von Holz) von *-vola* faulen

-kisu mutig von *-kiva* mutig sein (vgl. auch Ko: *-kifu* von *-kiva* mutig sein)

-valasu weiß von *valala* weiß, rein sein

-kaṅgasu fest von *-kaṅgala* fest sein

-temesu dienstbereit von *-temeka* dienen, ferner

-olosu viel von *-oloka* viel sein, usw.

2. Veränderung der Konsonanten durch vortretende Nasale.

a) Nach den Präfixen in der 3. Klasse der Nomina und nach *ni* »mich«, dem objektiven Pronomen im Verbum, werden die Konsonanten in folgender Weise verändert, unter gleichzeitiger Veränderung der Präfixe.

$ni + k > \acute{n}$ $ni + \acute{g}$ $> \acute{n}g$

$ni + p > m$ $ni + l$ (und l) $> nd$ $ni + d > nd$

$ni + t > n$ $ni + v$ $> mb$ $ni + b > mb$

$ni + ts > nz$ $ni + h$ $> \acute{n}y$ unter Ausfall des h

$ni + j > nz$ (dialektisch) oder $\acute{n}y$ unter Ausfall des j

$ni + s > s$.

$ni + k$: *eṅolo* Schaf, Stamm *kolo*

     eṅgve Schakal, Stamm *keve*

     eṅanu Wild, Stamm *kanu*

     aṅopile er hat mich geschlagen, Perf. von *kopa* statt *ani-kopile*

     aṅadile er hat mich getreten, Perf. von *kada* statt *ani-kadile*

     aṅetile er hat mich geschoren, Perf. von *keta* statt *ani-ketile*;

$ni + p$: *emuṅgo* Fieber, Stamm *-puṅgo*

     emondelo Hammer, Stamm *-pondelo*

     emene Ziege, Stamm *-pene*

     amye er hat mir gegeben, Perf. von *-pa* statt *ani-pye*

     amembile er hat mich getragen, Perf. von *-pemba* statt *ani-pembile*

     amokile er hat mich gerettet, Perf. von *-poka* statt *ani-pokile*;

$ni + t$: *enumbula* Herz, Stamm *-tumbula*

     enuta Wildtaube, Stamm *-tuta*

     enuje Eule, Stamm *-tuje*

     anaǵile er hat mich verworfen, Perf. von *-taja* statt *ani-tajile*

     anekile er hat mich betrogen, Perf. von *-teka* statt *ani-tekile*

     anovile er hat mich geschlagen, Perf. von *-tova* statt *ani-tovile*;

$ni + \acute{g}$: *aṅgavye* er hat mir zugeteilt, Perf. von *-ǵava* Rel. statt *ani-ǵavye*

     aṅgedye er hat mir gebracht, Perf. von *-ǵeǵa* Rel. statt *ani-ǵedye*

     aṅgoǵile er hat mich gewürgt, Perf. von *-ǵoǵa* Rel. statt *ani-ǵoǵile*;

$ni + l$: (und l) *andetile* er hat mich gebracht, Perf. von *-leta*

     andusitse er hat mich verführt, Perf. von *-lusa*

     andolelye er hat mich beobachtet, Perf. von *-lolela*

     endama Färse, Stamm *-lama*

     endata unfruchtbares Vieh, Stamm *-lata*

     endulu unreife Frucht, Stamm *-lulu*;

ni + v: *embẹlavẹla* Schwalbe, Stamm *-vẹlavẹla*
imbọndọ Vogelbeine, Stamm *-vọndọ* s. *elivọndọ*
embụmbẹ Kloß, Wespennest, Stamm *-vụmbẹ* von *vụmba*
pikụmbava es schmerzt mich, Präs. von *-vava*
vikụmbụla sie sagen mir, Präs. von *-vụla*
ambalịtsẹ er hat mich gereinigt, Perf. von *-valatsa*;

ni + d: *indaḍalẹkọ* kleine Muscheln, Stamm *-daḍalẹkọ* (vgl. *utudaḍalẹkọ*)
andidilẹ er hat mich gedrückt, Perf. von *-dida* drücken
andọmẹlịtsẹ er hat mich auf den Weg gebracht, Perf. von *-dọmẹlatsa*
andūkilẹ er hat mich beschimpft, Perf. von *-dūka*;

ni + b: *imbọḍa* Gemüse, Stamm *-bọḍa* (vgl. *ulubọḍa* Kl. 7)
embọḍọ Büffel, Stamm *-bọḍọ* (vgl. *elibọḍọ* Kl. 6)
embẹva Ratte, Stamm *-bẹva* (vgl. *elibẹva* Kl. 6)
ambakilẹ er hat mich gesalbt, Perf. von *-baka*
ambọsụitsẹ er hat mich geblendet, Perf. von *-bọsọtsa*
ambudilẹ er hat mich getötet, Perf. von *-buda*;

ni + ts: *enzusi* Floh, Stamm *-tsusi*
inzụlụlụ Schellen (eiserne), Stamm *-tsụlụlụ*
enzọvẹlọ Sprache, Stamm *-tsọvẹlọ*
anzangilẹ er hat mich betrogen; Perf. von *-tsanga*
anzẹṅgyẹ er hat für mich gebaut, Perf. von *-tsẹṅgẹla*
anzäbyẹ er hat für mich eingetaucht, Perf. von *tsäbẹla*;

ni + h: *iṅyaḍala* Brennholz, sing. *uluhaḍala*, Stamm *-haḍala*
eṅyẹṅgọ Haumesser, 4. Klasse *ekihẹṅgọ*, Stamm *-hẹṅgọ*
aṅyombilẹ er hat mir gezahlt, Perf. von *-họmba*
ikuṅyẹka er lacht mich aus, Präs. von *-hẹka*;

ni + s: *esajọ* Tabak
isẹṅga Rinder
asakilẹ er hat mich geschmäht, Perf. von *-saka*
asyẹkyẹ er hat mir vergeben, Perf. von *-syẹkẹla*;

ni + j: *inzavu* (dialektisch) die Süßkartoffeln, sonst *amajavu*, auch
iṅyavu, von *java* graben, verletzen
kịṅyavilẹ es hat mich verletzt
aṅyavyẹ elịḍuli er hat für mich ein Loch gegraben
aṅyatsitsẹ er hat mich irregeführt, kaus. Perf. von *-jaḍa* ver-
irrt, verloren sein.

Bei den Wörtern der *ulụ*-Klasse sing. wird das *j* in der Regel
ganz verflüchtigt; der Plural hat *nz*, aber auch *ṅy*, z. B.:

uhoitsi die Tür, das Tor, pl. *inzitsi*
uhoajo der Fuß, pl. *inzajo*
uhoiko der Löffel, pl. *inziko*; aber:
uhoaje das Tierhaar, pl. *inyaje*; ferner:
uhoembo der Gesang, pl. *inyembo*.

Bei den Wörtern der 3. Klasse, welche mit *enz* beginnen, wird statt *nz* ein *j* gesetzt, wenn Wörter andrer Klassen von ihnen gebildet werden sollen, z. B.:

enzala der Hunger, *elijala*
enzasi der Blitz, *ufujasi*
enzelo der Wassertopf, *ekijelo*
enzila der Weg, *uhujila*
enzoka die Schlange, *ulujoka* (dialektisch, sonst *enyandalue*)
inzuke die Bienen, *utujuke*.

Merke: *enyumba* das Haus, *isijumba*.

b) α) Die Vorsilbe *umu* der 1. und 2. Klasse der Nomina und *mu* »ihn« als Objekt bei Verben wird vor Konsonanten in der Weise verändert, daß es vor den velaren Lauten (*k*, *g*, *ṅ*) zu *ṅ*, vor den lingualen Lauten (*t*, *ḷ*, *l*, *d*, *s*, *ts*, *n*) zu *n* wird.

β) Vor den labialen Lauten (*b*, *m*, *p*, *v*) bleibt *m* erhalten unter Ausfall des *u*.

Die genannten Konsonanten, außer *ḷ*, *l*, *v*, werden nicht dabei verändert.

$$mu + ḷ \text{ (und } l) \text{ gibt } nd$$
$$mu + v \text{ gibt } mb.$$

γ) Mit folgendem *h* verschmilzt *mu* zu *m*.

Beispiele:

Zu α:

mu + *k*: *uṅkuṅge* 1 der Gefangene
uṅkisa 2 das Blut
aṅkoṅgile er ist ihm gefolgt, Perf. von *-koṅga*
aṅkavile er hat ihn erworben, Perf. von *-kava*;

mu + *g*: *uṅgosi* 1 der Mann
uṅgunda 2 der Garten
aṅgegile er hat ihn gebracht, Perf. von *gega*
aṅgatitse er hat ihn ermüdet, Perf. von *-gatatsa*;

mu + *ṅ*: *aṅṅekoise* er hat ihn bestäubt, Perf. von *-ṅelusa*;

10

mu̯ + t: *unt̮uni* 1 der Brautwerber
unt̮uńańya 1 der Arzt, der Zauberdoktor
unt̮o ẏel̮o 2 die Leiter
unt̮ange hilf ihm, Imp. von *-tańga*
ant̮ekil̮e er hat ihn betrogen, Perf. von *-t̮eka*;

mu̯ + l (und *l*): *undum̮e* der Knabe, Bursche, pl. *avalum̮e*
undas̮o der Pfeil, pl. *emilas̮o*
undol̮e du mögest ihn sehen, Konj. Präs. von *-lol̮a*
andumil̮e er hat ihn gebissen, Perf. von *-lum̮a*;

mu̯ + d: *undāla* die Frau, Gattin, pl. *avadāla*
unduńu die rote (Medizin) von *-duńu* rot
andidil̮e er hat ihn gedrückt, Perf. von *-dida*
andi̮etsitse̮ er hat ihn ferngehalten, Perf. von *-di̮etsa*;

mu̯ + s: *unsuńwa* der Gesandte
unsuńgul̮o das Tragnetz
ansajil̮e er hat ihn gesegnet, Perf. von *-saja*
anselil̮e er hat ihn begraben, Perf. von *-sel̮a*;

mu̯ + ts: *unts̮eńgi* der Erbauer
untsitsimila der Schatten
antsusitse̮ er hat ihn auferweckt, Perf. von *-tsusa*
vantsivitse̮ sie haben ihn betäubt (durch Reden), Perf. von *-tsivatsa*;

mu̯ + n: *unnūna* der Jüngere (Bruder oder Schwester)
ungunda unńyesu der feuchte Garten, von *-ńyesu* feucht
annwanil̮e er hat ihn verklatscht, Perf. von *-nwańa*
annunatsitse̮ er hat ihn beruhigt, Perf. von *-nunatsa* zum Schweigen bringen.

Zu b:

mu + b: *umbos̮u* der Blinde, pl. *avabos̮u*
undyańg̮o umbad̮ebad̮e die flache Tür, von *-bad̮ebad̮e*
ambuńgilye amiḫo er hat ihm die Augen verbunden, von *-buńgilila*
amb̮etsitse̮ er hat ihm widersprochen, Perf. von *-b̮etsa*;

mu̯ + m: *ummańyisi* der Lehrer, der Meister
ummáj̮e das Messer
ammalye er hat für ihn vollendet, rel. Perf. von *-mal̮a*;

mu̯ + p: *ump̮onzi* der Schmied
umpako der Sack
vampembil̮e sie haben ihn getragen
vampat̮wo̮ sie haben ihn ausgesondert, Perf. von *-pātula*;

$m\underline{u} + v$: *umbanda* Untertan, Stamm -*vanda* (vgl. *araranda*)
umbulamongo eine Baumart, Stamm -*rulamongo*
ambekile kwonu er hat ihn irgendwo untergebracht
ambulile er hat ihm gesagt.

Zu c:

$m\underline{u} + h$: *umenza* der Fremdling, Stamm *henza* (vgl. *avahenza*)
umanga die Erde, der Lehm, Stamm *hanga* (vgl. *emihanga*)
amendime er hat ihn verleumdet, Perf. von -*hendama*
amagile er hat ihn geimpft, von -*haja*.

3. Assimilation der Konsonanten.

Wenn an drei oder mehrsilbige Verba, die auf *ka* ausgehen, die reziproke Endung *ana* angehängt wird, so wird das *k* durch das folgende *na* beeinflußt und, entsprechend den Regeln § 4, 2. b) zu *ṅ*

-*badiṅana* angrenzen, von -*badika* nebeneinander setzen, stellen, legen
-*geleṅana* aufeinander sein, von *geleka* aufeinander legen
-*geluṅana* überkreuz sein, von -*jeluka* übersteigen
-*jubiliṅana* zugedeckt, aufeinander gedeckt sein, von -*jubikila* zudecken, etwas darauf decken
-*gujiliṅana* in Falten gelegt sein, von -*juja* in Falten legen

In den beiden letzten Formen ist die relative Endung unmittelbar an den Stamm gehängt; das zu *ṅ* werdende *k* der Endung *ika* folgt.

4. Dissimilation.

Folgt auf einen der stimmlosen Laute *k*, *p*, *t* in der Stammsilbe ein *k*, *p*, *t* in der nächsten Silbe, so wird der erste Laut zuweilen stimmhaft (vgl. Meinhof, das Dahlsche Gesetz, Z.D.M.G. 1903 p. 299).

z. B. -*datu* drei *umbeki* der Baum
Ko: -*tatu* Ko: *umpiki* .
Su: -*tatu* -*ibata* Su: -*pata* ergreifen

Die Zahl *ntanatu* geht zurück auf *um-tatu na tatu* mit Ausfall des vokalischen Anlauts und der oben beschriebenen Verwandlung des *m* in *n* und ist halbe Reduplikation[1], *nta- na tatu*.

___
[1] Ganze Reduplikation liegt vor z. B. in
utu-ṅeleṅete kleine Farrenart
ama-kele große Farren.

n und t ist zu n geworden nach § 4, 2. a). Dadurch daß das mittlere t zu n geworden ist, ist die Aufeinanderfolge von zwei vermieden und das erste t ist erhalten, während es in *datu* drei dissimiliert und nach obiger Regel zu d geworden ist.

Wenn die Endung *etsa* zusammengesetzt aus *ela* + *ya*, also rel. kaus., hinter die Endung *ka* tritt, so wird das k regelmäßig zu h (vgl. § 23), z. B. *puleka* hören, kaus. nicht gebräuchlich, *pulehetsa* gehorchen, aufmerken.

II. Wortlehre.

§ 5. Die Nominalklassen.

Die Kingasprache hat 13 ausgeprägte Nominalklassen, die im folgenden der Reihe nach angeführt sind.

Klasse 1. Die Menschenklasse, da sie den Menschen in seinem Gewerbe und Beruf darstellt. Das Präfix dieser Klasse lautet:

sing.: *umu*	pl.: *ava*
umunu der Mensch	*avanu* die Menschen

Beginnt der Stamm mit einem Konsonanten, so fällt das *u* der Vorsilbe *mu* aus, und *m* wird nach den im § 4, 2. b) der Lautlehre gegebenen Regeln verändert, z. B.

unkongi der Nachfolger	*ungosi* der Mann
unteketsi der Priester	*undemi* der Hirt
undimi der Ackerer	*unsangutsi* der Zöllner
untsivatsi die Taube	*unnwasi* der Lügner
umbangi der Grausame (St. *b*)	*umbangi* der Erlöser (St. *v*)
ummosi der Reiche	*umpoki* der Erretter
umenza der Fremdling (St. *h*)	

Beginnt der Stamm mit einem Vokal, so wird *u* zur Semivokalis (§ 2, 3), z. B.

umwana das Kind	*umwehe* die Häuptlingsfrau
umwimi der Geizhalz	*umwotsi* der Täufer

Einige Verwandtschaftsformen haben nur den Anlaut *u* im Singular als Präfix; im Plural sind sie regelmäßig, z. B.

udada mein Vater
ujuva meine Mutter
ukuku mein Großvater
upapa meine Großmutter

20

ujaja mein Onkel (d. h. Bruder der Mutter)
uṣoṅgi meine Tante (d. h. Schwester des Vaters) usw.
aber _avadada_ usw.

Siehe auch die Verwandtschaftsbezeichnungen bei den besitzanzeigenden Fürwörtern, § 17.

Im Plural wird das _a_ des Präfix _va_ mit _a_ zusammengezogen, vor andern Vokalen fällt es aus nach § 2, z. B.

  avana die Kinder _aveḥe_ die Häuptlingsfrauen

Klasse 2 bezeichnet Belebtes, aber nicht Persönliches, als Bäume, Glieder usw. Das Präfix lautet:

    sing.: _umu_ pl.: _emi_

 undomo der Mund, die Lippe _emilomo_
 umana der Leib, der Körper _emiḥana_
 uṅkoṅgo der Rücken _emikoṅgo_
 umbeki der Baum _emibeki_
 umbulamono eine Baumart

Über die lautlichen Veränderungen von _umu_ s. Kl. 1 und Lautlehre § 4, 2. b)

Das _i_ von _mi_ verschmilzt vor ähnlichen Vokalen mit diesen, vor den andern wird es Semivokal, z. B.

 umwaka das Jahr _emyaka_
 umwoto des Feuer _emyoto_
 umwembo das Brenneisen _emyembo_
 umwitsitsi der Schatten _emitsitsi_

Klasse 3 bezeichnet vornehmlich Tiere. Die Präfixe sind:

    sing.: _eni_ pl.: _ini_

Diese Präfixe treten in ihrer ursprünglichen Form überhaupt nicht mehr auf. Vor Vokalen werden sie zu _eṅy_ bzw. _iṅy_; vgl. Lautlehre § 2, 3.

Mit den Konsonanten, welche den Stamm beginnen, verschmelzen sie sich nach den Regeln § 4, 2. a)

     Beispiele:

 embodo der Büffel _embumbe_ der Kloß
 eṅolo das Schaf _eṅgasiṅga_ der große Adler
 emene die Ziege _eṅyeṅgo_ das Haumesser
 esomba der Fisch _inzululu_ die Schellen
Merke: _eboba_ der Aussatz _ekanu_ der Söller, der Boden
  ehula leichtes Haumesser _etsuṅgwa_ der Elefant
Bei diesen Wörtern ist der Nasal des Präfix ausgefallen.

14

Klasse 4 bezeichnet: Sitte, Gebrauch, Werkzeug usw. und dient teilweise zur Bezeichnung von Diminutiven. Die Präfixe dieser Klasse sind:

sing.: eki   pl.: isi

Über Behandlung des *i* vor Vokalen s. Lautlehre § 2. Vor Konsonanten erleiden die Präfixe keine Veränderung, führen auch keine Veränderung des Stammkonsonanten herbei.

Beispiele:

ekyanga die Scheune des Häuptlings
ekibana die (gewöhnliche) Scheune
ekivanda das Maisbrot, der Maisbrei
ekidenge ⎫
ekideli ⎬ Bierkalabassen, Kürbisflaschen
       ⎭

usw.

Diminutiva:

ekyana kleines Kind von *-ana*   *ekihenza* kleines Mädchen
ekidala kleine Frau   *ekidosi* kleiner Mann usw.

•Kleiner Mensch• wird gewöhnlich in der Weise gebildet, daß das Präfix *eki* vor das verkürzte Präfix der 1. Klasse im Singular, also *mu*, gesetzt wird. Die Form lautet dann:

ekimunu der kleine Mensch.

Klasse 5 bezeichnet Diminutiva; die Präfixe lauten:

sing.: aka   pl.: utu

Über Behandlung von *a* und *u* s. Lautlehre § 2.
Die Präfixe kommen vor den unveränderten Stamm, z. B.:

akahengo Haumesserchen, pl. utuhengo

Wenn von anderen Klassen Diminutiva gebildet werden sollen, so wird deren Präfix abgeworfen und statt dessen *aka* vorgesetzt, z. B.:

ummaje das Messer   akamaje das Messerchen

Bei den Wörtern der 3. Klasse und beim Plural der 7. Klasse müssen die durch das Präfix veranlaßten Lautveränderungen aufgehoben und der ursprüngliche Stamm wieder hergestellt werden, z. B.:

embwa der Hund   *akavwa* das Hündchen
enyengo das Haumesser   *akahengo* das Haumesserchen
inzuke die Bienen   *utujuke* die Bienchen
imene die Ziegen   *utupene* die kleinen Ziegen

Klasse 6. Die Präfixe dieser Klasse sind:

sing. *eli*, pl. *ama*

eli ist Eins von Zweien, z. B. *eliho* das Auge; dann Ausdruck der Verachtung: *elinu eli* dieser Kerl.

ama ist alter Dual, dann auch Bezeichnung von etwas Großem, ferner wird es auch als Ausdruck der Verachtung gebraucht im Plural, z. B.:

amabeki aǧa diese Riesenbäume
amanu aǧa diese Kerle

Als Dual bezeichnet *ama* doppelt vorhandene Dinge

amiho die Augen
amavoko die Arme, die Hände
amalunde die Beine

ferner Sammelnamen, Flüssigkeiten usw.

amajavu die Süßkartoffeln
amavwolo die Erbsen
amaǧasi das Wasser usw.

Über Vokalveränderung s. Lautlehre § 2.

Merke: 1. Die Flüssigkeiten, die mit der Vorsilbe *ama*- gebildet werden, sind im Deutschen mit dem Singular, nicht mit dem Plural zu übersetzen; 2. Von *amaboko* und *amalunde* geht der Singular nach Klasse 4, also

ekioko die Hand
ekilunde das Bein.

Klasse 7. Die Präfixe lauten:

sing. *ulu*, pl. *ini*.

Über Lautveränderung s. § 2 der Lautlehre.

1. *ulu* bezeichnet Eins von Vielen, überhaupt etwas, das besonders hervorgehoben werden soll, auch scherzhafterweise, z. B.:

uluhaǧala das (eine) Stück Brennholz, von *inyaǧala* das Brennholz

ulutuǧuva und *ulubeki* der Stock oder die Rute, die zum Schlagen, Strafen gebraucht wird

uluǧosi Haupt- oder Prachtjunge

Zuweilen tritt auch *va* vor *lu* = *avaluǧosi*

2. Ferner bezeichnet diese Klasse Abstrakta und Konkreta, namentlich Sammel- und Stoffnamen, daher ist der Singular vorherrschend.

3. Die Formen des Plurals sind mit dem Plural der 3. Klasse identisch.

Klasse 8 bezeichnet die übrigen Abstrakta und Konkreta. Das Präfix ist *ṵvṵ*. Der Plural wird selten gebildet und zwar mit dem Pluralpräfix der 2. Klasse.

Über *ṵ* s. Lautlehre § 2.

Beispiele:

ṵvṵvalalọ Reinheit *ṵvṵǵembe* Bier
ṵvweja Abgrund, Abhang *ṵvṵhevetẹ* Mehl
ṵvṵǵoǵolọ Alter *ṵvṵletsi* kleine Kafferhirse usw.

Klasse 9. Diese Klasse substantiviert den Infinitiv. Präfix: *ṵkṵ*. Veränderung des *ṵ* s. Lautlehre.

Beispiele:

ṵkṵvala das Zählen
ṵkṵhọmba das Zahlen
ṵkṵsṵra das Sterben, der Tod

Klasse 10. Will man die Größe oder auch die Nichtigkeit oder Verächtlichkeit eines Dinges bezeichnen, so gebraucht man statt des Präfixes der anderen Klassen das Präfix dieser Klasse, welches *ṵǵṵ* lautet.

Über *ṵ* s. Lautlehre § 2.

Beispiele:

ṵǵṵnu der (widerwärtige) Mensch
ṵǵṵjala der (große) Hunger
ṵǵṵlela ṵǵṵ diese (niederträchtige) Wurzel

Der 10. Klasse eigentümlich sind

ṵǵwańyińgiḷitsa das Hemd
ṵǵwalọnda das Tierblut

Eigentlich sind dies wohl Genitive von verlorenen Nomen.

Klasse 11. *mṵ* Lokativ »in«. Dieses *mṵ* verschmilzt mit dem Konsonanten nach den Regeln der Lautlehre § 4, 2. b), bleibt aber auch öfter unverändert erhalten, z. B.:

mbanu in, unter Menschen
mṵńǵṵnda im Garten
aḷẹ́ ńńyumba neben *aḷẹ́ mṵńyumba* er ist im Hause

mit verstärktem Lokativ:

aḷẹ́ mṵńńyumba er ist drin im Hause
ekịnu kịḷẹ́ ńkịbekị es ist etwas im Holze
inanu tsiḷẹ́ mwińyasi das Wild lebt im Grase (auf dem Felde)

Das Präfix *eḳi* der 6. Klasse wirft also oftmals *eḷ* nach *mu̯* ab, so daß *mu̯* nun mit *i* verbunden wird und das *u̯* den Regeln § 2, 3 unterliegt; also *mu̯iñyaʃi* statt *mu̯ eḷiñyaʃi*, aber *ndiḷọ* im Auge statt *mu̯ eḷiḷọ* usw.

Klasse 12. *pa* Lokativ »bei«.

Beispiele:

paḷu̯ǧaʃi beim, am Flusse   *paḷiḳọtʃi* beim, am Feuerherd

pantu̯e beim, auf dem Kopfe   *piḳọtʃi*   •   •   •

(vgl. § 2 und Kl. 11 mit Singular der 6. Klasse).

Klasse 13. *ku̯* »außer« (also was weder in, noch bei einem Orte oder Gegenstande liegt, sondern weiter entfernt ist). Die Bewegung nach oder von dem betreffenden Orte und die Ruhe an dem betreffenden Orte muß stets durch das Verbum ausgedrückt werden, z. B.:

    avu̯kiḷe ku̯ñku̯ḷu̯ḍeva er ist zum Häuptling gegangen

    ahu̯miḷe ku̯vu̯kiñga er ist aus Kingaland gekommen

    vatʃeñgiḷe ku̯ḳihu̯ḷu̯ sie haben im Tale gebaut, d. h. sie wohnen dort

§ 6.

Im Vokativ und in prädikativer Stellung des Substantivs fällt der Anlaut des Präfixes aus. Im letzteren Falle ist dann »das ist« pl. »das sind« zu übersetzen, z. B.

Vokativ:

valu̯me! Kinder! Knaben!   *dada!* Mein Vater!

vaǧoʃi! Männer! Leute!   *ju̯ra!* Meine Mutter!

    vajañgo! Freunde!

(Vgl. § 5 Kl. 1 Verwandtschaftsnamen und § 17.)

Prädikativ:

mu̯nu̯ das ist ein Mensch   *señga* das sind Rinder

mpako » • » Sack   *tu̯vu̯a* » • Hündchen

ñyu̯mba » » » Haus   *mani* » • Blätter usw.

§ 7. Zusammengesetzte Präfixe der Substantiva.

Schon bei Kl. 4 und 7 wurde darauf hingewiesen, daß einige Substantiva doppelte Präfixe haben, z. B.:

    ekịmu̯nu̯ kleiner Mensch

    avakiḷu̯me die kleinen Knaben

    avaḷu̯ǧoʃi die (ausgezeichneten) Männlein oder Knaben

Arohiv f. d. Stud. deutscher Kolonialsprachen. Bd. III.   2

25

Auch durch die Silbe -*ńya* werden in Verbindung mit Abstrakten, Konkreten und Infinitiven im Aktiv und Passiv solche zusammengesetzten Präfixe gebildet. Bei der Bildung dieser Doppelpräfixe wird vor *ńya* das Präfix der in Frage kommenden Klasse gesetzt; die vorhandene Vorsilbe aber verliert den Anlaut, z. B.: *uńyaluhala* statt *uńya uluhala*.

1. *uńyaluhala* der Weise, 1. Kl., *uluhala* Weisheit
2. *avańyalukolo* die Freunde, 1. Kl., *ulukolo* Freundschaft
3. *uńyanzala* der Hungrige, 1. Kl., *enzala* der Hunger
4. *uńyahwotsi* der Künstler, 1. Kl., *uhwotsi* Kunst
5. *eńyandahwe* die Schlange, 3. Kl., *endahwe, elilahwe* die Schlange
6. *ekińyamadeha* das Bunte, von *amadeha* Buntheit
7. *uńyakutova* der Schläger, von *ukutova* schlagen
8. *uńyakutovwa* der zu Schlagende, von *ukutovwa* geschlagen
   werden

(1, 4, 6 und 7 können auch adjektivisch gebraucht werden.)

§ 8. Die Nominalendungen.

1. auf *a*: *umwana* 1 das Kind

   undjunda 2 der Garten
   eseńga 3 das Rind
   ekyuma 4 das Eisen, der Reichtum
   eliduma 6 der Panther
   uhwala 7 der Mahlstein

2. auf *e*: *undume* 1 der Knabe

   unkombe 2 die Zange, von -*komba* am Handgelenk erfassen?
   engalape 3 das Kriegshorn
   ekideńge 4 die Kürbisflasche
   amakete 6 die Farren
   elihove 6 die Krähe

   vom Verb:

   uńyave 2 der Gegrabene, von -*java* graben
   unsele 1 der Begrabene, von -*sela* begraben
   isihańge 4 das Gemisch, von -*hańga* gemischt sein

3. auf *i* ohne Veränderung des vorhergehenden Konsonanten:

   untuni der Brautwerber, von -*tuna*
   umbańgi der Erlöser, von -*vańga*
   unkońgi der Nachfolger, von -*końga*
   ekideli 4 Bierkalabasse, Kürbisflasche

4. auf *i* mit Veränderung des Konsonanten vor *i* nach § 4, 1:

<u>undwatsi</u> der Furchtsame, von -*hcada* fürchten
<u>unnwasi</u> der Lügner, von -*nwana* lügen, eigtl. klatschen
<u>untsosi</u> der Redner, von -*tsqva* reden

5. auf *o*: <u>undodolo</u> 1 der Greis, die Greisin

<u>untodelo</u> 2 die Leiter, von -*toda* hinaufsteigen
enono 3 Wunde
ekibeto 4 Tor, Tür, am Dorfeingange
ekivengo 6 die Wolke
<u>uluvedo</u> 7 der Zaun

6. auf *u* ohne Veränderung des vorhergehenden Konsonanten:

<u>untsimu</u> 1 der Narr, vgl. *tsimuka*
<u>unkulu</u> 2 Gemeinschaft, Stamm
enanu 3 Tier, Wild
ekisumbu 4 flache Schlafgrube (<u>ulusumbu</u> Schmiede)
elimenyu 6 das Wort, die Rede (pl.)
<u>uvutamu</u> 8 die Krankheit

7. auf *u* mit Veränderung des vorhergehenden Konsonanten (vgl. § 4):

<u>ummosu</u> der Reiche, von -*mota*
<u>unsangalusu</u> der Glückliche, von -*sangaluka*
<u>untemesu</u> der Dienstbereite, von -*temeka*
<u>undolosu</u> der Gerechte, von -*doloka*
<u>uvuvalasu</u> das Weiße, die Helligkeit
<u>uvusindamasu</u> Mut, Furchtlosigkeit, von *sindamala*
<u>unsokosu</u> der Magere, von -*sokoka*.

§ 9. Adjektivum.

1. Die Eigenschaftswörter nehmen die Vorsilbe des regierenden Hauptwortes an, machen dieselben Veränderungen mit und
unterliegen denselben Regeln wie die Hauptwörter.
Man beachte besonders in der 3. Klasse die Verschmelzung der
Präfixe mit dem ersten Buchstaben des Adjektivstammes, desgleichen
im Plural der 7. Klasse.

2. Der Regel nach stehen die Eigenschaftswörter nach
dem Hauptworte, zu welchem sie gehören, und ohne welches
sich der Kinga auch kein Eigenschaftswort denken kann; ist es nicht
ausgesprochen, so ist es doch stets gedacht und wird durch die
Vorsilbe angedeutet, z. B.:

2*

umunu unnonu der schöne Mensch
undunda umbaha der große Garten
esenga endebe das kleine Rind

usw.

(*ekihava*) *ekidebe* das kleine (Gefäß)
(*uluvanza*) *ulutale* der lange (Hof)
(*inyagala*) *inzito* das schwere (Brennholz)

3. Soll die Eigenschaft ganz besonders betont werden, so kann das Adjektiv auch vor dem Hauptwort stehen, z. B.:

umbaha umunu der große Mann

4. Auch das Eigenschaftswort kann prädikativ gebraucht werden; es wirft dann wie das Hauptwort den Anlaut ab (s. § 6) und ist wie dieses mit »das ist«, »das sind« zu übersetzen, z. B.:

umsabwa ntitu das Zeug ist schwarz
inyumba mbaha die Häuser sind groß
ekibeki kisekele das Holz ist schmal (od. dünn)
amaganga matsito die Steine sind schwer

5. Auch kann zugleich Hauptwort und Eigenschaftswort prädikativ gebraucht werden, z. B.:

maganga matsito das sind Steine, sie sind schwer
tsungwa mbaha das ist ein Elefant, er ist groß

6. Die Sprache hat sehr wenig Eigenschaftswörter; zum Ersatz nimmt man oftmals ein Substantiv im Genitiv: statt starker Mann Mann der Kraft, der Stärke.

umunu va maka der starke Mann, eigtl. Mann der Stärke
ekitamelo kya kyuma der eiserne Stuhl, eigtl. der Stuhl von Eisen
ekisanza kya kibeki der hölzerne Tisch, eigtl. der Tisch von Holz

usw.

Diese *va maka*, *kya kyuma*, *kya kibeki* usw. können auch substantiviert werden durch Vorsetzung des betreffenden vokalischen Anlauts, z. B.:

uvamaka der Starke od. der der Kraft
ekyakyuma das Eiserne od. das des Eisens
ekyakibeki der Hölzerne od. der des Holzes

7. Statt des einfachen Genitivs braucht man auch die Vorsilbe *nya* (s. auch § 7), die man vor das Haupt- oder Zeitwort im Infinitiv setzt, und zwar mit dem betreffenden vokalischen Anlaut, z. B.:

ụmụnụ ụ́nyaluhala der weise Mensch
esẹnga enyamadẹha die bunte Kuh
ụn̄jọsi ụn̄yakụtọva der schlagende Mann
ụn̄jọsi ụnyakụtọvwa der zu schlagende Mann
usw.

Diese Formen werden genau so behandelt wie die eigentlichen Adjektiva.

Alleinstehend werden diese Formen substantiviert:

ụ́nyaluhala der Weise
ụ́nyakụtọva der Schläger
ekịnyamadẹha das Gefleckte (s. auch § 7)
usw.

8. Ebenso bedient man sich des **Präfixes** *kị* zur Bezeichnung ·iner **Eigenschaft**, und zwar gewöhnlich prädikativ

kịsụngu das ist europäisch
kikịnga das ist Kingaweise

9. Vielfach wird die **Eigenschaft** auch durch ein **Zeitwort** ausgedrückt, z. B.:

ụmụnụ aḍakịlẹ   der Mensch ist betrunken = der betrunkene Mensch

ekịḍoha kịsupyẹ   der Speer ist stumpf geworden = der stumpfe Speer

amakọvọ ḍavẹswẹ die Bananen sind reif geworden = die reifen Bananen

10. Bei manchen Adjektiven läßt sich die **Abstammung** vom **Verbum** (s. § 4., 1. b) nachweisen, z. B.:

-valasu weiß, von *-valala* weiß, hell werden
-dulusu stark, fest, ausgewachsen, von *-duluka* fest, ausgewachsen sein
-dwatsi feige, von *-dwada* sich fürchten
-ḍolọsu gerecht, gerade, von *-ḍolọka* gerade sein
-kangasu hart, fest, von *-kangala*
-nyasu feucht, vom Land, von *-nyẹka* feucht sein, beschlagen
-olọsu viel, von *-olọka* sich vermehren
-omu trocken, fest, von *-oma* trocknen
-sọkọsu mager, von *-sọkọka* mager sein
-talamu streng, grausam, von *-talama* grausam sein, verfolgen usw.
-tamu krank, von *-tamwa* krank sein
-tsitsimu kalt, von *-tsitsima* sich abkühlen

Hierher gehören auch die partizipienähnlichen Bildungen auf _e_, die aber stets nur Notbehelf sind z. B.:

-_husuǵe_ gewaschen, rein, von -_husuja_ waschen
-_jave_ gegraben, gepflückt, von -_java_ graben, pflücken
-_ṭove_ geschlagen, von _ṭova_ schlagen
-_simike_ aufgestellt, aufrecht, von -_simika_ aufstellen, aufrichten

usw.

Diese haben stets passive Bedeutung und sind eigentlich zu übersetzen: das gewaschen, gegraben, geschlagen, aufgestellt usw. ist; prädikativ: es ist gewaschen usw. Präfigiert werden sie wie die eigentlichen Adjektive.

§ 10. Die Pronominalstämme der 13 Klassen.

1. Kl. sing.: _ju_ (_u_ bzw. _ve_)	pl.: _va_
2. » » _ǵu_	» _ǵi_ (_i_)
3. » » _ji_ (_i_)	» _tsi_ (_i_)
4. » » _ki_	» _si_
5. » » _ka_	» _tu_
6. » » _li_	» _ǵa_
7. » » _lu_	» _tsi_ (_i_)
8. » » _vu_	
9. » » _ku_	
10. » » _ǵu_	
11. » » _mu_	
12. » » _pa_	
13. » » _ku_	

Durch Anfügung von _o_ an den Pronominalstamm ergeben sich Formen, die man im Deutschen mit •das ist• übersetzen kann. _ji_ Kl. 3 sing. und _tsi_ 3. u. 7. Kl. pl. werfen das _i_ ab; wo _i_ erhalten ist, wird es zu _y_; ebenso wird _u_ zu _w_, _a_ verschmilzt mit folgendem _o_ zu _o_ (vgl. auch § 2, 2 u. 3).

Im Singular von Klasse 1 wählt man _ve_.

Das Hilfszeitwort •ist• darf dabei nicht übersetzt werden, sondern wird durch diese Form gleich mit ausgedrückt, z. B.:

1. Kl. sing. _ve munu_	das ist ein Mensch
pl. _vo vanu_	• sind Menschen
2. • sing. _ǵwo ntoǵelo_	» ist eine Leiter
pl. _ǵyo mitoǵelo_	» sind Leitern
3. • sing. _jo mene_	» ist eine Ziege
pl. _tso seṅga_	• sind Kühe

4. Kl.	sing.	*kyọ kįhẹlọ*	das ist ein kleiner Korb
	pl.	*syọ sihẹlọ*	· sind kleine Körbe
5. ·	sing.	*kọ kabekį*	· ist ein Stückchen Holz
	pl.	*tuọ tụbekį*	· sind Stückchen Holz
6. ·	sing.	*lyọ ḷinọ*	· ist ein Zahn
	pl.	*g̣ọ minọ*	· sind Zähne
7. ·	sing.	*kuọ ḷuhaḷa*	· ist Weisheit
	pl.	*tsọ nyag̣aḷa*	· ist Brennholz
8. ·	sing.	*vwọ vụhg̣vg̣ẹ*	· ist Mehl
9. ·	·	*kwọ kụswa*	· ist Sterben
10. ·	·	*g̣wọ g̣unu*	· ist ein Unmensch
11. ·	·	*mwọ mụ nyumba*	· ist im Hause
12. ·	·	*pọ pa ḷug̣asi*	· ist am Flusse
13. ·	·	*kwọ kụ vukịnga*	· ist Kingaland

§ 11. Demonstrativa.

a) Durch Vorsetzung eines Vokales, welcher dem Vokal des Pronominalstammes gleich oder ähnlich lautet, entsteht die Bedeutung ·dieser·, bei den Lokativen: ·hier drin·, ·hier bei·, ·da draußen·, z. B.:

1. Kl.	sing.	*ụmunu ụjụ*	dieser Mensch
	pl.	*avag̣osi dvã*	diese Männer
2. ·	sing.	*ụmmag̣ẹ ụg̣u*	dieses Messer
	pl.	*emịmag̣ẹ eg̣i*	diese Messer
3. "	sing.	*enyaḷutsi eji*	dieses Rehchen
	pl.	*inovụ itsi*	diese Bananen
4. "	sing.	*ekịvọkọ ekị*	diese Hand
	pl.	*isidọtọ isi*	diese großen Körbe
5. "	sing.	*akavwa aka*	dieses Hündchen
	pl.	*utuvwa ụtu*	diese Hündchen
6. "	sing.	*eḷihg̣vẹ eḷẹ*	diese Krähe
	pl.	*amasụlukẹ ag̣a*	diese Wolken
7. "	sing.	*ụhwaḷa ụlu*	dieser Mahlstein
	pl.	*inzajọ itsi*	diese Füße
8. ·	sing.	*ụvụmọsu ụvu*	dieser Reichtum
9. ·	·	*ụkụswa ụku*	dieses Sterben
10. ·	·	*ụg̣ubọg̣ọ ụg̣u*	dieser (große) Büffel
11. ·	*akaḷẹ ụmu*		er war hier drin
12. ·	*vaḷụtịlẹ apa*		sie gingen hier vorbei
13. "	*kụvukịnga kụḷị ụku*		Kingaland ist da hinten, draußen

b) Durch Anfügung eines *a* nach *u̲* oder eines *o̲* nach *i*, *i̲* und *a* wird eine zweite Form gebildet, die mit »der Besprochene« oder »der Erwähnte« zu übersetzen ist. Betreffs *ji̲*, *tsi* werden dieselben Regeln befolgt wie bei der Form »das ist« (§ 10), z. B.:

1.	Kl. sing.	*u̲jwa*	dieser erwähnte —
	pl.	*avo̲*	diese erwähnten —
2.	- sing.	*u̲ǵwa*	dieser erwähnte —
	pl.	*eǵyo̲*	diese erwähnten —
3.	» sing.	*ejo̲*	dieser erwähnte —
	pl.	*ise̲ṅga itso̲*	diese erwähnten Rinder
4.	» sing.	*ekyana ekyo̲*	dieses erwähnte Kindchen
	pl.	*isibeki̲ isyo̲*	diese erwähnten Balken
5.	- sing.	*akake̲ve̲ ako̲*	dieser (kl.) erwähnte Schakal
	pl.	*utuke̲ve̲ utwa*	diese (kl.) erwähnten Schakale
6.	- sing.	*eli̲ǵaṅga elyo̲*	dieser erwähnte Stein
	pl.	*amaǵaṅga aǵo̲*	diese erwähnten Steine
7.	» sing.	*ulu̲ǵasi u̲lwa*	dieser erwähnte Fluß
	pl.	*iṅgasi itso̲*	diese erwähnten Flüsse
8.	» sing.	*u̲vu̲ǵale̲ u̲vwa*	dieser erwähnte Brei
9.	» »	*u̲ku̲swa u̲kwa*	dieses erwähnte Sterben
10.	- »	*u̲ǵunu̲ u̲ǵwa*	dieser erwähnte Unmensch
11.	- »	*nǹyumba u̲mwa*	in dem erwähnten Hause
12.	- »	*pa lu̲vanza apo̲*	auf dem erwähnten Hofe
13.	» »	*ku̲ nsi̲to̲ u̲kwa*	dort an dem erwähnten Walde

c) Durch Anhängung von *lya* an obigen Pronominalstamm (§ 10) wird ein drittes Pronomen gebildet in der Bedeutung von »jener dort«.

Wenn zwei Pronominalstämme angegeben sind, nimmt man den oben in Klammern gesetzten verkürzten Stamm.

1.	Kl. sing.	*u̲lya* jener dort	pl.	*valya* jene dort		
2.	»	» *ǵulya*	»	»	» *i̲lya* (auch *ǵi̲lya*) jene dort
3.	»	» *elya*	»	»	» *i̲lya* (auch *tsilya*) » »
4.	»	» *ki̲lya*	»	»	» *silya* jene dort
5.	»	» *kalya*	»	»	» *tu̲lya* » »
6.	»	» *li̲lya*	»	»	» *ǵalya* » »
7.	»	» *lu̲lya*	»	»	» *i̲lya* (auch *tsi̲lya*) » »
8.	»	» *vu̲lya*	»	»		
9.	»	» *ku̲lya*	»	»		
10.	»	» *ǵu̲lya*	»	»		
11.	»	» *mu̲lya*	»	»		
12.	»	» *palya*	»	»		
13.	»	» *ku̲lya*	»	»		

d) Von obigen Formen können eine Anzahl Reduplikationen gebildet werden, z. B.: *juju* für *uju* usw.

   1. Kl. *juju* gerade dieser   *vava* gerade diese

2.	» *juju*	»	»	*jeji*	»	»	auch *jejeji*
3.	» *jeji*	»	»	*tsitsi*	»	»	» *tsitsitsi*
4.	» *keki*	»	»	*sisi*	»	»	» *sisisi*
5.	» *kaka*	»	»	*tutu*	»	»	
6.	» *leli*	»	»	*gaga*	»	»	
	auch *leleli*						
7.	» *lulu*	»	»	*tsitsi*	»	»	» *tsitsitsi*
8.	» *vuvu*	»	»				
9.	» *kuku*	»	»				
10.	» *gugu*	»	»				
11.	» *mumu* gerade darin						
12.	» *baha* auch *bahapa* gerade dabei						
13.	» *kuku* gerade dort						

Es tritt also für die 1. Stufe (a) der Demonstrativa Verdoppelung der Pronominalstammsilbe ein, bei denen auf *i* und *i* und *bahapa* sogar dreifache Setzung derselben.

Zu den Formen *baha* für *papa* und *bahapa* für *papapa* vgl. Dahlsches Gesetz.

e) Die Reduplikationen der zweiten Reihe (b) werden gebildet, indem der Pronominalstamm vor die Pronomen der zweiten Reihe tritt.

   1. Kl. sing. *jujwa* eben dieser erwähnte   pl. *vavo* eben diese erwähnten

2.	»	» *jujwa*	»	»	»	» *jejyo*	»	»	»
3.	»	» *jejo*	»	»	»	» *tsitso*	»	»	»
4.	»	» *kekyo*	»	»	»	» *sisyo*	»	»	»
5.	»	» *kako*	»	»	»	» *tuhoa*	»	»	»
6.	»	» *lelyo*	»	»	»	» *gajo*	»	»	»
7.	»	» *luhoa*	»	»	»	» *tsitso*	»	»	»
8.	»	» *vuvwa*	»	»	»			
9.	»	» *kukwa*	»	»	»			
10.	»	» *gugwa*	»	»	»			

   11. » *mumwa* eben darin ⎫
   12. » *baho* eben dabei   ⎬ meint die erwähnte Örtlichkeit
   13. » *kukwa* eben dort ⎭

Es gelten bei diesen Formen dieselben Regeln wie bei b vgl. § 10 (»das ist«).

f) In der 3. Reihe (c) wird der Pronominalstamm vor das oben unter c aufgeführte Demonstrativ gesetzt. Die Bedeutung ist: »eben jener dort«.

Die *pa*-Klasse hat *bahalya* statt *papalya*; s. a. Anm. zu d).

1. Kl. sing. *julya*	eben jener dort	pl. *vavalya* eben jene dort
2. „ „ *ǧuǧulya*	„ „ „	„ *ǧiǧilya* „ „ „
3. „ „ *jiṅlya*	„ „ „	„ *tsitsilya* „ „ „
4. „ „ *kekilya*	„ „ „	„ *sisilya* „ „ „
5. „ „ *kakalya*	„ „ „	„ *tutulya* „ „ „
6. „ „ *lelilya*	„ „ „	„ *ǧaǧalya* „ „ „
7. „ „ *lululya*	„ „ „	„ *tsitsilya* „ „ „
8. „ „ *vuvulya*	„ „ „	
9. „ „ *kukulya*	„ „ „	
10. „ „ *ǧuǧulya*	„ „ „	

11. „ „ *mumulya* eben in jenem
12. „ „ *bahalya* eben bei jenem (auch eben damals)
13. „ „ *kukulya* eben dort hinten, draußen usw.

Die Formen ohne Stern werden sehr selten gebraucht. 1. Kl. sing. *julya* statt *jujulya*.

g) Durch Vorsetzung von *ṅg* vor die nicht verdoppelten Demonstrativa wird eine Form gebildet, die die Bedeutung hat: »das ist es ja, das Erwähnte — oder Besprochene«.

Beispiele:

1. Kl. *ṅguju* das ist er ja der Besprochene
    ṅgava das sind sie ja die Besprochenen
2. „ *ṅguǧu* das ist er ja der Besprochene
    ṅgeǧi das sind sie ja die Besprochenen
3. „ *ṅgeji* das ist er ja der Besprochene
    ṅgitsi das sind sie ja die Besprochenen
4. „ *ṅgeki* das ist er ja der Besprochene
    ṅgisi das sind sie ja die Besprochenen
5. „ *ṅgaka* das ist er ja der Besprochene
    ṅgutu das sind sie ja die Besprochenen
6. „ *ṅgeli* das ist er ja der Besprochene
    ṅgaǧa das sind sie ja die Besprochenen
7. „ *ṅgulu* das ist er ja der Besprochene
    ṅgitsi das sind sie ja die Besprochenen
8. „ *ṅguvu* das ist er ja der Besprochene
9. „ *ṅguku* das ist er ja der Besprochene
10. „ *ṅyuǧu* das ist er ja der Besprochene
11. „ *ṅgumu* das ist ja hierdrin
12. „ *ṅgapa* das ist ja hierselbst
13. „ *ṅguku* das ist ja dortselbst

Bei substantivischem Gebrauch wird der entsprechende Anlaut davor gesetzt. 1. Kl. sing. u. plur. *y*.

h) Durch Anhängung von *ene* an die Pronominalstämme wird eine Form gebildet zum Ausdruck des deutschen »selber« oder »derselbe«, auch steht diese Form in der Bedeutung von »allein«. Für den Singularis der 1. Klasse braucht man unregelmäßig *umwene*.

1. Kl. sing. *umwene* er selbst	pl. *avene*	sie selber
er selber		sie selbst
er allein		sie allein
2. » » *ugwene*	» *ejyene*	
3. » » *ejene*	» *itsene*	
4. » » *ekyene*	» *isyene*	
5. » » *akene*	» *utwene*	
6. » » *elyene*	» *ajene*	
7. » » *ulwene*	» *itsene*	
8. » » *uvwene*		
9. » » *ukwene*		
10. » » *ugwene*.		

Die Lokative kommen nur ohne Anlaut vor.

mwene nur darin
pene nur dabei
kwene nur dort

Diese Formen Kl. 1 bis 10 werden gebraucht, wenn die Person oder der Gegenstand besonders betont werden soll.

Bei prädikativem Gebrauch und in Verbindung mit andern Nomen oder Pronomen fällt der Anlaut ab, z. B.:

1. Kl. sing. *umwene vē ntwa* er selber er ist der Herr
  avene vo vatwa sie selber sind Herren
  aber *untwa utsile mwene* der Herr ist gekommen er selber
  oder er allein
  mwene oder *vē mwene* das ist er selber *vene vo vene* das
  sind sie selber

2. Kl. *gwo gwene* das ist er selber
  gyo gyene

3. » *jo jene*
  tso tsene usw.

§ 12. Der, die, das, (betont).

Die Formen »das ist« (§ 10) werden auch nach Relativsätzen gebraucht, um das stark betonte Demonstrativ zu bezeichnen; in diesem Falle hat das *o* den Hochton und wird *o*, z. B.:

1. Kl. _uve ikwitsa kwane_, _vé nandikumbenga_
   wer zu mir kommt, den stoße ich nicht hinaus
   avitsile lino, _vǒ vatame tanzi_
   die jetzt gekommen sind, die mögen erst ruhen
2. » _umbeki ugó ndevavulile_, _gwǒ ndumula lino_
   den Baum, welchen ich euch bezeichnet habe, den fällt jetzt
3. » _isenga itsitsile igolo_, _tsǒ tsijagile_
   die Rinder, die gestern ankamen, die sind verloren gegangen
7. » _ululalo ulǒ ndalike_, _lwǒ luvivi_
   usw.

§ 13. Relativa.

a) Aus den Fürwörtern § 12 werden die Relativpronomen gebildet, indem die Pronominalpräfixe (§ 10) davor treten.

Bei _gu_, _lu_, _vu_ usw. fällt das _u_ vor dem _o_ aus; die mit _a_ an-
lautenden verwandeln dieses _a_ in _u_, z. B. _avanu uvó_ die Leute, welche.

Die Formen lauten also:

	1. Kl. sing. _uvé_	pl. _uvó_
2.	» » _ugo_	» _egyo_
3.	» » _ejo_	» _itso_
5.	» » _ekyo_	» _isyo_
5.	» » _uko_	» _uto_
6.	» » _elyo_	» _ugo_
7.	» » _ulo_	» _itso_
8.	» » _uvo_	
9.	» » _uko_	
10.	» » _ugo_	
11.	» » _umo_	
12.	» » _upo_	
13.	» » _uko_	

Beispiele:

1. Kl. _umunu uvé vambudile_ der Mensch, welchen sie getötet haben
   avanu uvó tuvavwene die Leute, welche wir sehen
3. » _emene ejó vahenzile_ die Ziege, welche sie geschlachtet haben
5. » _utuvwa utó ngulile_ die Hündchen, welche ihr gekauft habt
6. » _amagasi ugó tunegile_ das Wasser, welches wir geschöpft haben

b) Ist das Relativum Subjekt zu dem folgenden Verbum, so
setzt man das Demonstrativpronomen (§ 11 a) als Präfix vor das betreffende Verbum, z. B.:

avanu avalutile die Leute, die vorübergegangen sind.

Steht das Verbum aber mit Negation, so wird stets die Form a)
angewendet, z. B.:

avanu uvó navikwitsa die Leute, die nicht kommen

Der Sing. der 1. Klasse bleibt stets unverändert, z. B.:

umunu uvé vantovile der Mensch, den sie geschlagen haben
oder *umunu uvé atovile* der Mensch, welcher geschlagen hat

doch merke:

avanu avanávikwedika die Leute, welche nicht glauben
und *avanu avatáva vikwedika* die Leute, die nicht glauben.

§ 14. Pronomen personale.

1. Absolute Form.

| a) | 1. Pers. sing. *une* | 1. Pers. pl. *uvwe* |
| | 2. » » *uve* | 2. » » *unye* |

Für die 3. Pers. sing. und pl. werden die Demonstrativa auf *-ene*
gebraucht (s. § 11 b):

3. Pers. sing. *umwene* er   3. Pers. pl. *avene* sie

b) Bei prädikativer Stellung und im Vokativ werden die
verkürzten Formen gebraucht; diese lauten:

1. Pers. sing. *ne*	1. Pers. pl. *vwe*
2. » » *ve*	2. » » *ńye*
(3. » » *mwene*	3. » » *vene*)

Beispiele:

ne ńgosi ich bin ein Mann
ve dada! du o Vater!
vwe twitsile wir sind es, die wir gekommen sind
ńye vagosi! O, ihr Männer!

c) Wird die Person bei prädikativem Gebrauch besonders
hervorgehoben, so wird die verkürzte Form verdoppelt:

| 1. Pers. sing. *nene* | 1. Pers. pl. *vwevwe* |
| 2. » » *veve* | 2. » » *ńyeńye* |

d) Bei nicht prädikativem Gebrauch werden im gleichen
Falle a) und b) zusammengezogen. Die Formen lauten dann:

| *unene* | *uvwevwe* |
| *uveve* | *uńyeńye* |

e) In der Bedeutung »das bin ich« usw. wird *j*, verkürzt aus *ju̱* (§ 10), vor die Pronomina gesetzt; sie lauten dann:

    1. Pers. sing. *ju̱ne̱*   1. Pers. pl. *ju̱vwe̱*
    2. »   » *ju̱ve̱*   2. » » *ju̱ńye̱*

f) In Verbindung mit *na* »und, auch, mit« lauten die Formen a), b) und e):

    1. Pers. sing. a) *nu̱ne̱*   b) *nane̱*   e) *naju̱ne̱*
    2. »   »   *nu̱ve̱*   *nave̱*   *naju̱ve̱*
    (3. »   »   *nu̱mwe̱ne̱*   *namwe̱ne̱*)

       1. Pers. pl. a) *nu̱vwe̱*   b) *navwe̱*   e) *naju̱vwe̱*
       2. »   »   *nu̱ńye̱*   *nańye̱*   *naju̱ńye̱*
       (3. »   » *nave̱ne̱*)

Merke noch: *navo̱* mit ihnen.

g) Auch das demonstrative *ńg* (§ 11, g) in der Bedeutung »da bin ich ja« usw. tritt vor die Form a); sie lautet dann:

           1. Pers. sing. *u̱ńgu̱ne̱* da bin ich ja
           2. »   »   *u̱ńgu̱ve̱* da bist du ja
           1. » pl. *u̱ńgu̱vwe̱* da sind wir ja
           2. »   »   *u̱ńgu̱ńye̱* da seid ihr ja

Für die 3. Pers. sing. und pl. werden die dort (§ 11, g) angeführten Formen gebraucht:

       u̱ńgu̱ju̱ da ist er ja   *u̱ńgava* da sind sie ja

h) Als höfliche Anrede braucht man die Form *vave̱ne̱* 3. Pers. pl., z. B.:

       nda vago̱nile̱ vave̱ne̱ wenn Sie (3. Pers. pl.) nur geruht haben.
Sonst wird in der 1. bzw. 2. Pers. pl. geredet, z. B.:

       twiḷuta ich gehe, eigtl. wir gehen
       ndutiḷe̱? bist du gegangen? eigtl. seid ihr gegangen?

Nur im ganz gewöhnlichen und vertraulichen Umgange heißt es *u̱ne̱*, *u̱ve̱* ich, du usw.

2. Pronomen conjunctum.

     1. Pers. sing. *nde (ndy)*   1. Pers. pl. *tu (tw)*
     2. »   » *u̱ (vu̱, vw)*   2. »   » *mu (m, n)*

nde wird vor ungleichartigen Vokalen *ndy*, vor gleichartigen verschmilzt das *e* mit diesen, z. B.:

       ndyo̱tile̱ ich habe mich gewärmt, von -*o̱ta*
       ndemile̱ ich habe gestanden, von -*ema*
       ndikile̱ ich bin hinabgegangen, von -*ika*

u̯ hält sich nur vor Konsonanten in allen Temporibus außer im Präsens;

im Präsens steht stets *vu̯*;

vw steht statt *u̯* bzw. *vu̯* vor Vokalen. z. B.:

> *u̯dudile* du hast ausgeschüttet
> *vu̯kungva kekj?* was schlägst du mich? von *-tora*
> *vwemileku̯?* wo hast du gestanden?

tu̯ wird vor ungleichartigen Vokalen zu *tw*, z. B.:

> *tu̯vu̯kile* wir sind gegangen
> *twavu̯kile* wir waren gegangen

mu̯ erhält sich im Präsens, wenn ein Objektspronomen folgt, in den übrigen Zeiten vor dem Objektspronomen der 1. und 3. Pers. sing.

Vor ungleichartigen Vokalen wird es zu *mw*.

Mit Konsonanten verschmilzt es nach den Regeln § 4, 2. b).

Für die 3. Person werden regelmäßig die Pronominalstämme (§ 10) verwandt; jedoch wird für den Singular der 1. Klasse für *ju̯* stets *a* gesetzt.

a vor *i* fällt regelmäßig aus (s. § 2):

3. Aus den Pronomina personalia und den Formen *mu̯ene* für Singular und *vene* für Plural entsteht ein Fürwort zum Ausdruck des deutschen »ich selber, ich allein« usw.

Die Formen sind wegen ihrer unregelmäßigen Bildung besonders zu merken:

1. Pers. sing.		*ndemwene*	ich selber, ich allein			
2.	»	»	*vemwene*	du	»	du »
3.	»	»	*vemwene*	er	»	er »
1.	»	pl.	*twivene*	wir	»	wir »
2.	»	»	*ńyivene*	ihr	»	ihr »
3.	»	»	*vene*	sie	»	sie »

Anmerkung: *mu̯ene!* antwortet man auf Anruf oder wenn man eine Frage nicht verstanden hat.

4. Das Objektspronomen.

1. Pers. sing. *ni*, *ńy*		1. Pers. pl. *tu̯* (*tw*)	
2. » » *ku̯* (*kw*)		2. » » *va*	
3. » » *m* (*mw*)		3. » » *va*	

ni wird vor Vokalen *ńy*, sonst wirft es das *i* stets ab und bewirkt vor Konsonanten deren Veränderung wie der *i*-haltige Nasal der 3. Klasse (s. diese und § 4, 2. a).

Beispiele:

anyibitę er hat mich gefaßt, von *-ibata*
ambukyę er hat mich angefallen, von *-vukęla*
anętilę er hat mich geschoren, von *-kęta*
amǫkilę er hat mich errettet, von *-pǫka*
anangilę er hat mir geholfen, von *-tanga*

Akkusativ und Dativ werden in der Form nicht unterschieden.

ku wird vor Vokalen *kw*, z. B.:

vakwibitę sie haben dich ergriffen.

mu wird *mw* vor Vokalen; die folgenden Konsonanten verändert es in derselben Weise wie die andern *u*-haltigen Nasale (s. § 4, 2. b) und Anmerkung zur 1. Kl. sing. § 5).

tu wird vor Vokalen *tw*.

va ist Objekt für 2. und 3. Pers. pl. und nur aus dem Zusammenhange zu unterscheiden. Für die 3. Person in den anderen Klassen werden die Pronominalstämme verwendet (§ 10).

§ 15. Genitiv.

Um das deutsche Genitivverhältnis wiederzugeben, nimmt man den Pronominalstamm, welcher zu der Klasse des regierenden Nomen gehört, hängt die Genitivpartikel *a* daran und stellt das so entstandene Wort hinter das regierende Nomen. Dann folgt das abhängige Wort, das im Deutschen im Genitiv steht, und zwar ohne vokalischen Anlaut, z. B.:

enyumba ja ntwa das Haus des Herrn oder Häuptlings.

Es ergeben sich also aus der Verbindung der Pronominalstämme mit dem genitivischen *a* folgende Formen:

1. Kl. sing. $ve + a > va$ pl. $va + a > va$
2. » » $\dot{g}u + a > \dot{g}wa$ » $\dot{g}i + a > \dot{g}ya$
3. » » $ji + a > ja$ » $tsi + a > tsa$
4. » » $ki + a > kya$ » $si + a > sya$
5. » » $ka + a > ka$ » $tu + a > twa$
6. » » $li + a > lya$ » $\dot{g}a + a > \dot{g}a$
7. » » $lu + a > lwa$ » $tsi + a > tsa$
8. » » $vu + a > vwa$
9. » » $ku + a > kwa$
10. » » $\dot{g}u + a > \dot{g}wa$
11. » » $mu + a > mwa$
12. » » $pa + a > pa$
13. » » $ku + a > kwa$

Dabei wird das *e* vom Singular der 1. Klasse und das ị bzw. *i* vom Singular und Plural der 3. Klasse sowie vom Plural der 7. Klasse abgeworfen; sonst wird ị bzw. *i* zu *y* (s. Lautlehre § 2); ụ wird *w* (siehe ebenda).

Die auf *a* auslautenden Stämme verschmelzen dieses mit dem angehängten *a*.

§ 16. Pronomen possessivum.

a) Um »mein, dein, unser, euer« zu bezeichnen, setzt man die Genitivform, § 15, vor das verkürzte Personalpronomen: *nẹ, vẹ, vwẹ, ńyẹ.* So entstehen in Verbindung mit den verschiedenen Klassen folgende Formen:

Mit der 1. Kl. (in der sing. u. pl. gleichlautend ist, vgl. § 15)

vanẹ	= mein	bzw.	meine	(Menschen)
vavẹ	= dein	»	deine	»
vavwẹ	= unser	»	unsre	»
vańyẹ	= euer	»	eure	»

Mit der 2. Kl. sing. *gwanẹ* mein pl. *gyanẹ* meine (Gärten)

 » *gwavẹ* dein » *gyavẹ* deine »

 pl. *gwavwẹ* unser » *gyavwẹ* unsre »

 » *gwańyẹ* euer » *gyańyẹ* eure »

Mit der 3. Kl. sing. *janẹ* pl. *tsanẹ* (Rinder)
 usw.

Mit der 4. Kl. sing. *kyanẹ* pl. *syanẹ* (Essen)
 usw.

Mit der 5. Kl. sing. *kanẹ* pl. *twanẹ* (Hündchen)
 usw.

Mit der 6. Kl. sing. *lyanẹ* pl. *ganẹ* (Schulter)
 usw.

Mit der 7. Kl. sing. *kwanẹ* pl. *tsanẹ* (Brennholz)
 usw.

Mit der 8. Kl. sing. *vwanẹ* (Mehl)
 usw.

Mit der 9. Kl. sing. *kwanẹ* (*kuswa* Sterben)
 usw.

Mit der 10. Kl. sing. *gwanẹ* (Unmensch)
 usw.

Mit der 11. Kl. sing. *mwanẹ* bei mir drin
 usw.

Mit der 12. Kl. sing. *panǥ* bei mir (zu Hause)

usw.

Mit der 13. Kl. sing. *kwanǥ* zu mir

usw.

b) Neben diesen Endungen sind auch noch·folgende E
dungen gebräuchlich:

    1. Pers. sing. *-n̄go* pl. *itu*

    2. ▪ ▪ *-kǫ* ▪ *in̄yo*

Die obigen Formen lauten mit diesen Endungen dann:

Mit der 1. Kl. sing. *van̄go*		pl. *van̄go* (Mensch)		
	▪ *vakǫ*		▪ *vakǫ*	
	pl. *vitu*		▪ *vitu*	
	▪ *vin̄yo*		▪ *vin̄yo*	
Mit der 2. Kl. sing. *ǥwan̄go*		pl. *ǥyan̄go*		
	▪ *ǥwakǫ*		▪ *ǥyakǫ*	
	pl. *ǥwitu*		▪ *ǥyitu (ǥitu)*	
	▪ *ǥwin̄yo*		▪ *ǥyin̄yo (ǥin̄yo)*	
Mit der 3. Kl. sing. *jan̄go*		pl. *tsan̄go* (Rinder)		
	▪ *jakǫ*		▪ *tsakǫ*	
	pl. *jitu*		▪ *tsitu*	
	▪ *jin̄yo*		▪ *tsin̄yo*	
Mit der 4. Kl. sing. *kyan̄go*		pl. *syan̄go* (Essen)		
	▪ *kyakǫ*		▪ *syakǫ*	
	pl. *kyitu (kitu)*		▪ *syitu (situ)*	
	▪ *kyin̄yo (kinyo)*		» *syin̄yo (sin̄yo)*	
Mit der 5. Kl. sing. *kan̄go*		pl. *twan̄go* (Hündcher		
	▪ *kakǫ*		▪ *twakǫ*	
	pl. *kitu*		▪ *twitu*	
	▪ *kin̄yo*		▪ *twin̄yo*	
Mit der 6. Kl. sing. *lyan̄go*		pl. *ǥan̄go* (Schulter)		
	▪ *lyakǫ*		▪ *ǥakǫ*	
	pl. *litu*		▪ *ǥitu*	
	▪ *lin̄yo*		▪ *ǥin̄yo*	
Mit der 7. Kl. sing. *hwan̄go*		pl. *tsan̄go* (Brennholz)		
	▪ *hwakǫ*		▪ *tsakǫ*	
	pl. *hwitu*		▪ *tsitu*	
	▪ *hwin̄yo*		» *tsin̄yo*	
Mit der 8. Kl. sing. *vwan̄go* (Mehl)				
	▪ *vwakǫ*			
	pl. *vwitu*			
	▪ *vwin̄yo*			

In gleicher Weise Kl. 9 *kwaṅgo* usw., Kl. 10 *gwaṅgo* usw.

Von Kl. 11 sind diese Formen nicht gebräuchlich.

Von Kl. 12 bis 13 werden nur folgende Pluralformen gebraucht:

> *pamitu* eigtl. bei uns zu Hause
> *kumitu*

Hierbei ist zu merken, daß neben *gyitu* 2. Kl. pl. auch die Form *gitu* mit Wegfall des *y* gebräuchlich ist. Ebenso in der 4. Kl. sing. u. pl. *kitu* und *situ* usw. neben *kyitu* und *syitu* usw. Beim Singular der 6. Klasse fällt *y* immer aus. Ebenso fällt das *a* vor dem *i* stets aus.

c) Für die Bildung der Possessiva der 3. Pers. sing. und pl. wird die Endung *-ene* verwandt.

Vor diese Silbe treten zunächst die Pronominalstämme, welche zur Klasse des in Rede stehenden Besitzers gehören.

Für den Singularis der 1. Klasse braucht man jedoch stets die Form *mwene*.

Ist der Besitzer also ein Mensch, so lautet die Form *-mwene*; sind es mehrere Menschen, so lautet sie *-vene*, also:

1. Kl. sing.			*mwene*	pl.	*vene*
2.	»	»	*gwene*	»	*gyene*
3.	»	»	*jene*	»	*tsene*
4.	»	»	*kyene*	»	*syene*
5.	»	»	*kene*	»	*twene*
6.	»	»	*lyene*	»	*gene*
7.	»	»	*lwene*	»	*tsene*
8.	»	»	*vwene*		
9.	»	»	*kwene*		
10.	»	»	*gwene*		
11.	»	»	*mwene*		
12.	»	»	*pene*		
13.	»	»	*kwene*		

Vorstehende Formen sind ähnlich den in § 11 h und § 14, 3. aufgeführten Formen.

Vor diese Formen treten die in § 15 aufgeführten Formen, welche in Übereinstimmung mit der Klasse des besessenen Gegenstandes stehen müssen, z. B.:

> *ekitamelo kya mwene* sein Stuhl.

Der Besitzer ist ein Mensch, 1. Kl. sing., aus diesem Grunde steht *mo-ene*.

Der besessene Gegenstand, *ekitamelo*, gehört der 4. Kl. sing. an, daher die Genitivform dieser Klasse = *kya*.

3*

Plural davon ist: *isitamelo̧ sya mwȩnȩ* seine Stühle.

Ferner: *und̦unda d̦wa vȩnȩ* ihr (der Leute) Garten ›ihr‹ Plural der 1. Kl., daher *va-ȩnȩ* — *vȩnȩ*.

Der besessene Gegenstand *und̦unda* ist 2. Kl. sing., daher die Genitivform *d̦wa*.

Wird von Gärten *emid̦unda* geredet, so heißt dann die Genitivform *d̦ya*, 2. Kl. pl. usw. (vgl. die nachstehende Tabelle).

So lautet also »sein« (besitzanzeigend) in Verbindung mit der 1. Kl. sing.

und Kl. 1 sing. *umunu va mwȩnȩ* sein Mann
          pl. *avanu va mwȩnȩ* seine Leute
" " 2 sing. *unsabwa d̦wa mwȩnȩ* sein Zeug
          pl. *emisabwa d̦ya mwȩnȩ* seine Kleider
" " 3 sing. *esȩnga ja mwȩnȩ* sein Rind
          pl. *isȩnga tsa mwȩnȩ* seine Rinder
" " 4 sing. *ekipȩpȩlo̧ kya mwȩnȩ* seine Tabakspfeife
          pl. *isipȩpȩlo̧ sya mwȩnȩ* seine Tabakspfeifen
" " 5 sing. *akavwa ka mwȩnȩ* sein Hündchen
          pl. *utuvwa twa* » seine Hündchen
" " 6 sing. *ekived̦a lya* » seine Schulter
          pl. *amaved̦a ga mwȩnȩ* seine Schultern
" " 7 sing. *ulu̧ajo̧ lwa mwȩnȩ* sein Fuß
          pl. *inzajo̧ tsa mwȩnȩ* seine Füße
" " 8 *uvuhȩvȩtȩ vwa mwȩnȩ* sein Mehl
" " 9 *ukuswa kwa mwȩnȩ* sein Sterben
" " 10 *ud̦unu d̦wa mwȩnȩ* sein Untier
" " 11 *mwo̧ mwa mwȩnȩ* das ist hier bei ihm drin
" " 12 *po̧ pa mwȩnȩ* hier wohnt er
" " 13 *kwo̧ kwa mwȩnȩ* das ist bei ihm zu Hause
          = dort wohnt er

In Verbindung mit der 2. Kl. sing. (*und̦unda* der Garten) und Kl. 1 sing. *umunu va d̦wȩnȩ* sein Mann = der Gärtner
          pl. *avanu va d̦wȩnȩ* seine (des Gartens) Leute
          = die Gärtner
" " 2 sing. *umbeki d̦wa d̦wȩnȩ* sein (des Gartens) Baum
          pl. *emibeki d̦ya* » seine » » Bäume
" " 3 sing. *en̄anu ja* » sein » » Tier
          pl. *in̄anu tsa* » sein » » Wild
" " 4 sing. *ekiheki kya* » sein » » Baumstumpf
          pl. *isiheki sya* » seine » » Baumstümpfe
" " 5 sing. *akalyan̄go ka* » sein » » Türchen
          pl. *utulyan̄go twa* » seine » » »

und Kl. 6 sing. *ekilanzi lya gwene* sein (des Gartens) Bambus, einzeln
. pl. *amalanzi ga* . sein . . . . , Menge
. . 7 sing. *uluboja kwa* . sein . . Gemüse, einzeln
. pl. *imboja tsa* . seine . . . .
. . 8 *uvukwa vwa* - seine . . Blumen
. . 9 *uku lima kwa* . seine . . Umackerei
. . 10 *ugunu gwa* . seine . . Riesenwurzel

Die Kl. 11 bis 13 fallen bei dieser und den folgenden Formen
fort, weil ungebräuchlich.

In Verbindung der 3. Kl. sing.

und Kl. 1 sing. *untwa va jene* sein (des Rindes) Herr
. pl. *avatwa va* . seine . . Herren
. . 2 sing. *unkila gwa* . sein . . Schwanz
. pl. *emilomo gya* . seine . . Lippen
. . 3 sing. *embulukutu ja jene* sein . . Ohr
. pl. *imbulukutu tsa* . seine . . Ohren
. . 4 sing. *ekipaso kya jene* sein . . Buckel, Höcker
. pl. *isinu sya* . seine . . Nahrung, Futter
. . 5 sing. *akasuja ka* . sein . . Hörnchen
. pl. *utusuja twa* . seine . . .
. . 6 sing. *elino lya* . sein . . Zahn
. pl. *amino ga* . seine . . Zähne
. . 7 sing. *ululimi lwa* . seine . . Zunge
. pl. *inyage tsa* . seine . . Haare
. . 8 *voyvaha vwa* . seine . . Größe
. . 9 *ukuswa kwa* . sein . . Tod
. . 10 *ugunu gwa* . sein . . Quälgeist

In Verbindung mit der 4. Kl. sing.

und Kl. 1 sing. -*va kyene* pl. -*va kyene* (*ekibeki* Holz)
. . 2 . -*gwa* . . -*jya* .
. . 3 . -*ja* . . -*tsa* .

usw.

In Verbindung mit der 5. Kl. sing.

und Kl. 1 sing. -*va kene* pl. -*va kene* (*akavwa* Hündchen)
. . 2 . -*gwa* . . -*jya* .
. . 3 . -*ja* . . -*tsa* .

usw.

In Verbindung mit der 6. Kl. sing.

und Kl. 1 sing. -*va lyene* pl. -*va lyene*
. . 2 . -*gwa* . . -*jya* .
. . 3 . -*ja* . . -*tsa* .

usw.

e) In der Bedeutung »das bin ich« usw. wird *j*, verkürzt aus *ju* (§ 10), vor die Pronomina gesetzt; sie lauten dann:

1. Pers. sing. *june*   1. Pers. pl. *juvwe*
2. » » *juve*   2. » » *junye*

f) In Verbindung mit *na* »und, auch, mit« lauten die Formen a), b) und e):

1. Pers. sing. a) *nune* b) *nane* e) *najune*
2. » »   *nuve*   *nave*   *najuve*
(3. » » *numwene* *namwene*)

 1. Pers. pl. a) *nuvwe* b) *navwe* e) *najuvwe*
 2. » » *nunye* *nanye* *najunye*
 (3. » » *navene*)

Merke noch: *navo* mit ihnen.

g) Auch das demonstrative *ng* (§ 11, g) in der Bedeutung »d. bin ich ja« usw. tritt vor die Form a); sie lautet dann:

1. Pers. sing. *ungune* da bin ich ja
2. » » *unguve* da bist du ja
1. » pl. *unguvwe* da sind wir ja
2. » » *ungunye* da seid ihr ja

Für die 3. Pers. sing. und pl. werden die dort (§ 11, g) angeführten Formen gebraucht:

unguju da ist er ja   *ungava* da sind sie ja

h) Als **höfliche Anrede** braucht man die Form *vavene* 3. Pers. pl., z. B.:

nda vagonile vavene wenn Sie (3. Pers. pl.) nur geruht haben. Sonst wird in der 1. bzw. 2. Pers. pl. geredet, z. B.:

twiluta ich gehe, eigtl. wir gehen
ndutile? bist du gegangen? eigtl. seid ihr gegangen?

Nur im ganz gewöhnlichen und vertraulichen Umgange heißt es *une*, *uve* ich, du usw.

2. **Pronomen conjunctum.**

1. Pers. sing. *nde* (*ndy*)   1. Pers. pl. *tu* (*tw*)
2. » » *u* (*vu*, *vw*)   2. » » *mu* (*m*, *n*)

nde wird vor ungleichartigen Vokalen *ndy*, vor gleichartigen verschmilzt das *e* mit diesen, z. B.:

ndyotile ich habe mich gewärmt, von -*ota*
ndemile ich habe gestanden, von -*ema*
ndikile ich bin hinabgegangen, von -*ika*

u̱ hält sich nur vor Konsonanten in allen Temporibus außer im Präsens;

im Präsens steht stets *vu̱*;

vo steht statt *u̱* bzw. *vu̱* vor Vokalen, z. B.:

> *udu̱dile̱* du hast ausgeschüttet
> *vu̱ku̱ngva ke̱ki̱?* was schlägst du mich? von -*tgva*
> *vvemile̱ku̱?* wo hast du gestanden?

tu̱ wird vor ungleichartigen Vokalen zu *tw*, z. B.:

> *tu̱vu̱kile̱* wir sind gegangen
> *twavu̱kile̱* wir waren gegangen

mu̱ erhält sich im Präsens, wenn ein Objektspronomen folgt, in den übrigen Zeiten vor dem Objektspronomen der 1. und 3. Pers. sing.

Vor ungleichartigen Vokalen wird es zu *mw.*

Mit Konsonanten verschmilzt es nach den Regeln § 4, 2. b).

Für die 3. Person werden regelmäßig die Pronominalstämme (§ 10) verwandt; jedoch wird für den Singular der 1. Klasse für *ju̱* stets *a* gesetzt.

a vor *i* fällt regelmäßig aus (s. § 2):

3. Aus den Pronomina personalia und den Formen *mu̱e̱ne̱* für Singular und *ve̱ne̱* für Plural entsteht ein Fürwort zum Ausdruck des deutschen ‹ich selber, ich allein› usw.

Die Formen sind wegen ihrer unregelmäßigen Bildung besonders zu merken:

1. Pers.	sing.	*ndemu̱e̱ne̱*	ich selber,	ich allein		
2.	»	»	*ve̱mu̱e̱ne̱*	du	»	du	»
3.	»	»	*ve̱mu̱e̱ne̱*	er	»	er	»
1.	»	pl.	*tu̱ive̱ne̱*	wir	»	wir	»
2.	»	»	*n̄yive̱ne̱*	ihr	»	ihr	»
3.	»	»	*ve̱ne̱*	sie	»	sie	»

Anmerkung: *mu̱e̱ne̱!* antwortet man auf Anruf oder wenn man eine Frage nicht verstanden hat.

4. Das Objektspronomen.

1. Pers. sing.	*ni, n̄y*			1. Pers. pl.	*tu̱ (tw)*	
2.	»	»	*ku̱ (kw)*	2.	»	» *va*
3.	»	»	*m (mw)*	3.	»	» *va*

ni wird vor Vokalen *n̄y*, sonst wirft es das *i* stets ab und bewirkt vor Konsonanten deren Veränderung wie der *i*-haltige Nasal der 3. Klasse (s. diese und § 4, 2. a).

α) *kyang ekitamelo* der Stuhl ist der meinige, der Stuhl gehört mir
β) *kyango* •　•　»　»　»　»　»　»　»　»

aber *ekitamelo kyang* bzw. *kyango* mein Stuhl.

e) Werden die Pron. poss. substantivisch gebraucht, so erhalten sie den betreffenden Vokalanlaut.

1. Kl. sing.	*uvang*	der Meinige	pl. *avang*	die Meinigen
		usw.		
2. » »	*ugwang* » »		» *egyang* » »
		usw.		
3. » »	*ejang* » »		» *itsang* » »
		usw.		
4. » »	*ekyang* » »		» *isyang* » »
		usw.		
5. » »	*akang* » »		» *uhvang* » »
		usw.		
6. » »	*elyang* » »		» *agang* » »
		usw.		
7. » »	*uhvang* » »		» *itsang* » »
		usw.		
8. »	*uvwang*		
9. »	*ukwang*		
10. »	*ugwang*		

11.—13. Kl. ist in dieser Weise nicht gebräuchlich.

f) **Prädikativ** stehen diese Formen ohne Anlaut (vgl. § 6), also:

Kl. 1	*vang* das ist mein	Kl. 6	*lyang* »　»　»
	vang •　•　»		*gang* »　»　»
» 2	*gwang* »　»　»	» 7	*hvang* »　»　»
	gyang •　•　»		*tsang* »　»　»
» 3	*jang* »　»　»	» 8	*vwang* »　»　»
	tsang »　»　»	» 9	*kwang* »　»　»
» 4	*kyang* »　•　»	» 10	*gwang* •　•　•
	syang »　•　»	» 11	*mwang* das ist bei mir drin
» 5	*kang* »　•　»	» 12	*pang* •　•　•　•
	hvang •　•　»	» 13	*kwang* »　•　»　»

g) *eng* mit den Nominalpräfixen kann auch mit »Besitzer oder Eigentümer von« oder »es gehört dazu« oder »hinein« übersetzt werden. Die Präfixe haben stets vokalischen Anlaut, das folgende Wort nie; z. B.:

1. 1. Kl. sing. *ymwoene nyumba* der Besitzer oder Eigentümer
    des Hauses
    pl. *aoene nyumba* die Besitzer oder Eigentümer des
    Hauses
2.   • sing. *ymwene ngunda* Besitzer des Gartens = er (der
    Baum) gehört in den Garten
    pl. *emyene ngunda* sie (die Bäume) gehören in den
    Garten
3.   • sing. *enyene luvaga* sie (die Ziege) gehört in den Stall
    pl. *inyene luvaga* sie (die Ziegen) gehören in den Stall
4.   •   *ekyene nyumba* es (das Holz) gehört zum Hause
              usw.

Die 2. Klasse und die folgenden Klassen, bei denen die Nominalpräfixe von den Pronominalstämmen verschieden sind, können
statt mit den Nominalpräfixen auch mit den Pronominalstämmen
präfigiert werden, die dann den entsprechenden Vokal zum Anlaut
annehmen, z. B.:

2.   2. Kl. *ugwene ngunda* er (der Baum) gehört in den Garten
            edyene ngunda sie (die Bäume) gehören in den Garten
3.   •   *ejene luvaga* sie (die Ziege) gehört in den Stall
            itsene luvaga sie (die Ziegen) gehören in den Stall

In der 4. und 5. Klasse sing. und pl. sind die Formen unter 1
und 2 identisch, ebenso im Singular der 6. und 7. Klasse.

6. Kl. pl. *agene luvanza* sie (die Steine) gehören zum Hofe
7.   •   • *itsene senga* sie (die Hörner) gehören dem Rinde
Prädikativer Gebrauch ist bei beiden Formen zulässig.

§ 17. Verwandtschaftsnamen mit Pronomen possessivum.

Die Namen, die eine Verwandtschaft bezeichnen, haben eine
eigene Beugung. Sie gehen alle nach der 1. Klasse; doch haben
einige keinen Nasal im Präfix, sondern nur den vokalischen Anlaut.
Der Plural ist, wo er vorhanden, regelmäßig *ava*. Die einzelnen
Formen sind besonders zu merken; sie lauten mit dem Pron. poss.
wie folgt:
                                        [unsere Väter

1 *udada* mein Vater, neben *udada*	pl. *avadada* meine Väter, auch
udadadyo dein Vater [*vango*	*avadadadyo* deine Väter
udadadye sein Vater	*avadadadye* seine Väter
udada vitu oder *jitu* unser Vater	*avadada vitu* unsere Väter
udada viniyo oder *jiniyo* euer	*avadada viniyo* eure Väter
udada javo ihr Vater [Vater	*avadada javo* ihre Väter

2. *ujwa* meine Mutter
   wanyoko deine Mutter
   wanyina seine Mutter
   ujwa witu unsere Mutter
   wanyininyo eure Mutter
   wanyinavo ihre Mutter

    avajwa meine Mütter
    avanyinavo deine Mütter
    avanyinave seine Mütter
    avajwa witu unsere Mütter
    avanyininyo eure Mütter
    avanyina vavo ihre Mütter

3. *unswambango* mein Sohn
   unswambo dein Sohn
   unswambe sein Sohn
   unswambitu unser Sohn
   unswambinyo euer Sohn
   unswambavo ihr Sohn

    vambango meine Söhne
    usw. regelmäßig wie neben-
    stehend

4. *umwale vango* meine Tochter
   umwalevo deine Tochter
   umwaleve seine Tochter
   umwale witu unsere Tochter
   umwale vinyo eure Tochter
   umwale vavo ihre Tochter

    avale vango meine Töchter
    usw. regelmäßig wie neben-
    stehend

5. *unjango* mein Freund, Ge-
   nosse
   unino dein Freund usw.,
   dial. auch *unjako*
   unine sein Freund
   unjitu unser Freund
   unjinyo euer Freund
   unjavo ihr Freund

    avajango meine Freunde usw.
    avanino avajako deine Freunde
    avanine seine Freunde
    avajitu unsere Freunde
    avajinyo eure Freunde
    avajavo ihre Freunde

mein, dein usw. jüngerer Bruder oder Schwester, wenn zwei oder mehrere vorhanden sind:

6. *unnūna vango* oder *umwani*
   unnūnavo
   unnūnave
   unnūna witu
   unnūna vinyo
   unnūna vavo

    avanūna vango usw. **regelmäßig**
    wie nebenstehend

mein, dein usw. älterer Bruder oder Schwester, wenn zwei oder
mehrere vorhanden sind:

7. *ummama*   *avamama* usw. regelmäßig wie
   ummamadyo   nebenstehend
   ummamadye
   ummama vitu oder *jitu*
   ummama vinyo oder *jinyo*
   ummama javo

Bruder der Schwester oder Schwester des Bruders:

8. *umatsa vango* mein —   *avahatsa vango* mein —
   umatsavo dein —   *avahatsavo* dein —
   umatsave sein —   *avatsave* sein —
   umatsa vitu unser —   *avahatsa vitu* unser —
   umatsa vinyo euer —   *avahatsa vinyo* euer —
   umatsa vavo ihr —   *avahatsa vavo* ihr —

Schwager = der Bruder
    der Frau: Ebenso heißen:

9. *undambango*   a) des Mannes Schwestermann,
   undambo   b) der Frau Schwester als Schwägerin
   undambe   c) der Frau Bruderfrau •   •
   usw.   d) des Mannes Bruderfrau •   •
mit den Endungen von 8

10. Schwager als der Frau Schwestermann:
    untegutsi njango) usw. mit Anhängung der Form 5 ohne
    untegutsi nino   ∫   Anlaut an *untegutsi*

11. Onkel als Vaterbruder *udada* (s. 1)
12.   •   • Mutterbruder:
    ujaja jango oder *vango*
       usw. mit den Endungen unter 1 und 7 (s. diese)

13. Tante als Mutterschwester *ujuva* (s. 2)
14.   •   • Vaterschwester:
    usongi jango
       usw. mit den Endungen unter 1. 7. 12 (s. diese)

15. Schwiegervater:
    uniku vango   *uniku vitu*
    unikwivo   *uniku vinyo*
    unikwive   *uniku vavo*

16. Schwiegermutter in bezug auf den Mann der Tochter wie 15
17. Schwiegersohn wie 15
18. Schwiegertochter wie 15
19. • in bezug auf die Mutter des Mannes:
unikamwana
unikamwanavo } usw. wie die Endungen unter 6
unikamwanavo
20. Neffe oder Nichte als Kinder der Schwester des Bruders:
umbena vango, *umbenavo* usw. wie 6 und 19 (s. diese)
21. Kinder des Bruders als Neffe oder Nichte der Schwester:
umgngetsana vango usw. wie 6. 19. 20 (s. diese)
pl. *avahengetsana vango* usw.
22. Neffe als Sohn des Schwagers des Mannes:
untegutsi njango wie 10 (s. dieses)
23. Neffe als Sohn des Bruders des Mannes:
unnwambango wie 3 (s. dieses)
24. Nichte als Tochter des Bruders des Mannes:
umwale vango wie 4 (s. dieses)
25. Nichte als Tochter des Schwagers des Mannes wie 4 und 24
(s. diese)
26. Cousin zur Cousine und umgekehrt sagen:
umetsi vango
umetsivo } usw. wie die Endungen unter 6. 19. 20. 21
umetsivo
pl. *avahetsi vango* usw.
27. die gleichen Geschlechter sagen zueinander:
ummama vango bzw. *unnūna vango* usw. wie 7 bzw. 6
28. Großvater:
ukuku usw. mit den Endungen 1. 7. 12 (s. diese)
29. Großmutter:
upapa mit den Endungen 1. 7. 12. 28 (s. diese)
30. *umwitsukulu* Enkel
31. *untengutsi* Urgroßvater, -großmutter, -enkel oder -enkelin
hängen regelmäßig die Pron. poss. *vango* bzw. *vang* usw.
an (vgl. § 16 a, b, c).

Der prädikative Gebrauch der Verwandtschaftsnamen geht nach
den § 6 gegebenen Regeln.

§ 18. Pronomina interrogativa.

Die Pron. inter. stehen der Regel nach am Schlusse des Satzes.

a) Das persönliche Fragepronomen wird gebildet durch den Stamm *ni*.

Vor diesen Stamm tritt in der Einzahl *ve*, in der Mehrzahl *ro* (vgl. § 10), z. B.:

sing. *nene vani?* wer bin ich?   pl. *vogove vani?* wer sind wir?
     ogve vani? wer bist du?   *nyenye vani?* wer seid ihr?
     vo vani?   wer ist er?   *vo vani?*   wer sind sie?

Die Form fragt also immer nur nach der 1. Klasse. Für die 2. Pers. sing. und pl. wird außerdem auch die unveränderliche Form *ani* gebraucht, vor deren anlautendem Vokal der Schlußvokal des Pronomen zu *y* wird bzw. ausfällt, wie bei der 2. Pers. pl., also:

      ogoyani?   wer bist du?
      nyenyani? wer seid ihr?

»Mit wem?« heißt *nani*, entstanden aus *na* und *ani*.

»Wessen?« wird ausgedrückt durch *ani*, vor das die in § 14 aufgeführten Genitivformen treten, z. B.:

1. Kl. sing.	*vani?*	wessen ist —?		pl.	*vani?*	wessen sind —?			
2. »	»	*gwani?*	»	»		»	*gyani?*	»	»
3. »	»	*jani?*	»	»		»	*tsani?*	»	»
4. »	»	*kyani?*	»	»		»	*syani?*	»	»
5. »	»	*kani?*	»	»		»	*twani?*	»	»
6. »	»	*lyani?*	»	»		»	*jani?*	»	»
7. »	»	*lwani?*	»	»		»	*tsani?*	»	»
8. »	»	*vwani?*	»	»					
9. »	»	*kwani?*	»	»					
10. »	»	*gwani?*	»	»					
11. »	»	*mwani?*	in wessen Ort?						
12. »	»	*pani?*	an wessen Ort?						
13. »	»	*kwani?*	»	»	Statt oder Ort?				

Bei diesen Formen kann das regierende Substantiv, wenn es selbstverständlich oder aus dem Vorhergehenden zu ergänzen ist, weggelassen werden. Die Formen bekommen dann den vokalischen Anlaut, z. B.:

1. Kl. sing.	*uvani?*		pl.	*avani?*	wessen?
2. »	»	*ujwani?*	»	*ejyani?*	»
3. »	»	*ejani?*	»	*itsani?*	»
4. »	»	*ekyani?*	»	*isyani?*	»
5. »	»	*akani?*	»	*utwani?*	»

6. Kl. sing. *elyani?*   pl. *aǵani?* wessen?
7. » » *uḫwani?*   » *itsani?*   »
8. » » *uvwani?* wessen?
9. » » *ukwani?*   »
10. » » *uǵwani?*   »

Bei den Kl. 11—13 sind nur die obigen Formen gebräuchlich.

b) In ganz allgemeiner Weise fragt das Wort *-vuli* welcher? welche? welches? (beim Verbum) was?, das an Substantiv und Verbum gehängt werden kann.

-vuli bleibt stets unbetont, und der Wortton rückt auf das vorhergehende Wort, und zwar zumeist auf die letzte Silbe, z. B.:

ndehenze emenévuli? welches Schaf soll ich schlachten?
vitsile avanúvuli? welche Leute sind gekommen?
avukile nekivydvuli? mit welchem Wassertopf ist er gegangen?
vuǵdhavuli? was machst du da?
uǵdhevuli? was willst du tun?
uǵahilévuli? was hast du getan?

c) Eine bestimmtere Frage wird ausgedrückt durch *-liku* mit dem Pronominalstamm der betreffenden Klasse. Kl. 1 hat *a = aliku* (Mensch) welcher? = wo ist er?, also:

1. Kl. sing. *aliku?* welcher (Mensch)? wo ist er?
       pl. *valiku?* welche (Menschen)? wo sind sie?
2. » sing. *ǵuliku?* welcher (Baum)? wo ist er?
       pl. *ǵiliku?* welche (Bäume)? wo sind sie?
3. » sing. *jiliku?* welches (Rind)? wo ist es?
       pl. *tsiliku?* welche (Rinder)? wo sind sie?
4. » sing. *kiliku?* welches (Essen)? wo ist es?
       pl. *siliku?* welche (»)? wo sind sie?
5. » sing. *kaliku?* welches (Hündchen)? wo ist es?
       pl. *tuliku?* welche (»)? wo sind sie?
6. » sing. *liliku?* welcher (Stein)? wo ist er?
       pl. *ǵaliku?* welche (Steine)? wo sind sie?
7. » sing. *luliku?* welches (Brennholz)? wo ist es?
       pl. *tsiliku?* welche (Brennhölzer)? wo sind sie?
8. »   *vuliku?* welches (Mehl)? wo ist es?
9. »   *kuliku?* welches (Sterben)? wo ist es?
10. »   *ǵuliku?* welches (Unding)? wo ist es?

Kl. 11—13 s. unter i).

Kl. 2 pl., Kl. 3 sing. und pl. und Kl. 7 pl. können auch die Anfangskonsonanten abwerfen (vgl. § 10).

d) Die Frage »was für ein?«, »von welcher Art?« wird ausgedrückt durch *ki* mit dem Nominalpräfix ohne vokalischen Anlaut. Von Kl. 3 sing. und pl. und Kl. 7 pl. sind die Formen *ńyiki* und *ńi* in Gebrauch (s. Lautlehre § 4, 2. a), z. B.:

1. Kl. sing.	*umunú ńki?*	was für ein Mensch?		
pl.	*avanu vaki?*	» »	Menschen?	
2. » sing.	*uńgundá ńki?*	» »	ein Garten?	
pl.	*emiǵunda miki?*	» »	Gärten?	
3. » sing.	*eseńga ńyiki?*	» »	ein Rind?	
oder »	*eseńgáńi?*	» » » »		
pl.	*iseńga ńyiki?*	» »	Rinder?	
oder »	*iseńgańi?*	» » »		
4. Kl. sing.	*ekinu keki?*	» »	ein Ding?	
pl.	*isinu siki?*	» »	Essen?	
5. » sing.	*akanu kaki?*	» »	ein Ding?	
pl.	*utunu tuki?*	» »	Dinge?	
6. » sing.	*elihove liki?*	» »	eine Krähe?	
pl.	*amahove maki?*	» »	Krähen?	
7. » sing.	*uluhala luki?*	» »	eine Weisheit?	
pl.	*inyagala ńyiki?*	» »	Brennholz?	
8. »	*uvuhevele vuki?*	» »	ein Mehl?	
9. »	*ukuswa kuki?*	» »	ein Sterben?	
10. »	*uǵunu ǵuki?*	» »	ein Unding?	

Kl. 11—13 ungebräuchlich.

e) Zum Ausdruck des allgemeinen »was?« gebraucht man die obige Form in Kl. 4 (s. diese). *keki?* was ist das? Sie bleibt unverändert.

f) Der Genitiv dieses *keki* wird gebraucht, um nach Zweck oder Ursache zu fragen, z. B.:

> *umunu va keki?* was soll dieser Mensch? zu welchem Zweck ist er gekommen?
> *avanu va keki?* wozu sind diese Menschen da?
> *umbeki ǵwa keki?* wozu dient dieser Baum?
> *emimaǵe ǵya keki?* zu welchem bestimmten Zweck sollen die Messer?

usw.

Doch lassen manche Fragen eine verschiedene Deutung zu und müssen daher ausführlicher ausgedrückt werden.

Will man z. B. von einem Steinhause wissen, zu welchem Zweck es dient, so darf man nie fragen: *eńyumba eji ja keki?*, sonst erhält man die Antwort: *ja mapamba* »es ist aus Steinen«; sondern man fragt dann etwa: *muṅyumba eji̱ mo vi̱jaha keki?* usw. »in diesem Hause, was wird darin getan?« usw. und erhält dann sicher die befriedigende Antwort.

g) *eki* an die Pronominalstämme gehängt, fragt nach dem Grunde, »warum?« »weshalb?« und nach dem Zwecke »wozu?«

>   *umunu u̱ju̱*, *u̱nto̱vi̱le̱ veki?* weshalb hast du diesen Menschen geschlagen?
>
>   *vitsile̱ veki?* wozu sind sie gekommen?
>
>   *jeki eṅyumba?* wozu soll dieses Haus? weshalb wird erwähnt?
>
>   *ne̱ne̱ veki?* was seht ihr auf mich? was ist an mir gelegen
>
>   *ise̱ṅga tseki?* wozu die Rinder? was soll ich damit?
>
>   usw.

h) *-li̱ṅgi* »wieviel« erhält die Pronominalstämme aus § 10 zum Präfix. Bei Kl. 2, 3, 7 wird die dort in Klammern gesetzte Form gebraucht.

1. Kl.	*vali̱ṅgi?*	wieviel?	(Menschen)
2. »	*i̱li̱ṅgi?*	»	(Bäume)
3. »	*i̱li̱ṅgi?*	»	(Rinder)
4. »	*sili̱ṅgi?*	»	(Balken)
5. »	*tuli̱ṅgi?*	»	(Hündchen)
6. »	*ǵali̱ṅgi?*	»	(Steine)
7. »	*i̱li̱ṅgi?*	»	(Brennholz)
8. »	*vuli̱ṅgi?*	»	(Bier)

Kl. 9—11 und 13 wird nicht gebraucht; Kl. 12 *pali̱ṅgi?* »wie oft?« s. auch bei den Zahlwörtern, vgl. auch dort *kali̱ṅgi?* »wie oft? wievielmal?«

i) als weitere Fragewörter merke: *ndali̱?* wann? *nde̱ti?* wie? wieso? *ndamu?* worin? *ndapi?* wo? *ndaku?* wo überhaupt? wohin? woher? Letztere drei im Anschluß an Kl. 11—13.

Ferner *uli̱ku* wo bist du?! } nur beim Rufen.
ndi̱ku wo seid ihr?! }

Die gewöhnliche Frage lautet: *uli̱ ndaku?* wo bist du?
usw.

In Verbindung mit dem Verbum wird statt *ndaku* oft die kürzere Form *-ku* gebraucht und als Suffix an das Verbum gehängt.

>   *vubehaku?* wo gehst du hin?
>
>   *uhu̱mi̱le̱ku?* wo kommst du her? eigtl. wo bist du hergekommen?

§ 19. Pronomina indefinita.

-_oni_ ganz, alle, jedermann, jeder wird nicht als Adjektiv mit den Nominalpräfixen zusammengesetzt, sondern mit den Pronominalstämmen; ebenso:

-_olonu_ viele, und

-_nge_ einige, einer, andere, etwas.

-_onu_ in Verbindung mit Kl. 11—13 »irgendwo«, z. B.:

> _ingye muonu_ er ist irgendwo hineingegangen
> _avekile ponu_ er hat es irgendwo hingelegt
> _avukile kuonu_ er ist irgendwo hingegangen.

§ 20. Numeralia.

1. Die Grundzahlwörter:

1	-_pamato_	11	_kitsigo na - pamato_
2	-_veli_	12	» » -_veli_
3	-_datu_	13	» » -_datu_
4	-_ni_	14	» » -_ni_
5	-_hano_	15	» » -_hano_
6	_ntanatu_	16	» » _ntanatu_
7	_lekelakupamato_	17	» » _lekelakupamato_
8	_nana_	18	» » _nana_
9	_budikakupamato_	19	» » _budikakupamato_
10	_kitsigo_	20	» » _kaveli_

> 30 _kitsigo kadatu_   50 _kitsigo kahano_
> 40 » _kani_   usw.
> 100 _emilevulo kitsigo_ von _undevulo_ Zehner, zehn.

Von diesen Zahlwörtern nehmen 2—5 die Pronominalstämme ls Präfix an, auch in der Verbindung von 12—15, z. B.:

> _amalunde dani_ 4 Beine
> _isinu kitsigo na sini_ 14 Dinge

»1« hat Nominalpräfixe und dementsprechend besondere prädikative Form, z. B.:

> _mpamato_ es ist einer (Mensch), aber
> _umunu umpamato_ ein Mensch

Beim Plural der Kl. 2, 3 und 7 dient nur der betreffende Vokal s Präfix, z. B.:

> _emibeki iveli_ 2 Bäume
> _isenga idatu_ 3 Rinder
> _imbeki ini_ 4 Stäbe

Archiv f. d. Stud. deutscher Kolonialsprachen. Bd. III.   4

57

Die Stellung des Zahlwortes ist in der Regel nach dem Hauptwort, wenn ein Eigenschaftswort vorhanden ist, auch nach diesem. Soll jedoch die Zahl mehr betont werden, so rückt das Zahlwort nach vorn, z. B.:

> *isenga iveli* 2 Rinder
> *isenga imbalasu iveli* 2 weiße Rinder
> *isenga iveli imbalasu* 2 Rinder und zwar weiße
> *isenga iveli mbalasu* 2 Rinder sind weiß
> *iveli isenga mbalasu* zwei Rinder sind weiß
> usw.

Die Zahlen von 6 an bleiben unverändert (d. h. sie nehmen kein Präfix an), z. B.:

> *avanu ntanatu* 6 Leute   *emibeki nana* 8 Bäume
> *isenga ntanatu* 6 Rinder   usw.

Also 1 usw. mit den verschiedenen Klassen lautet:

> Kl. 1 *umunu umpamato* ein Mensch
> » 2 *umbeki* » ein Baum
> aber: *umunu mpamato* der Mensch ist einer
> *umbeki* » der Baum » »
> Kl. 3 *emene emamato* eine Ziege
> » *mamato* die Ziege ist eine
> » 4 *ekihava ekipamato* ein Gefäß
> » *kipamato* das Gefäß ist eins
> usw.

avanu vaveli 2 Menschen	*imbeki nana* 8 Stäbchen
emibeki idatu 3 Bäume	*isenga budikakupamato* 9 Rinder
imene ini 4 Ziegen	*molo kitsijo na ini* 14 Schafe
isihava sihano 5 Gefäße	*ingube* » » *ihano* 15 Schweine
isihava sidatu 3 »	*isidoto* » » *ntanatu* 16 Körbe
utuvwa ntanatu 6 Hündchen	usw.
amakenze lekelakupamato 7 Ratten	*yuyluva kitsijo kaveli* 20 Blumen

Zu addierende Zahlen über 10 werden mit *na* verbunden, *avanu kitsijo na vani* 14 Menschen (s. auch oben).

Zu multiplizierende Zahlen werden durch Nebeneinanderstellung der Zahlen gebildet; man bedient sich dazu der Silbe *ka* »mal«, also:

> *kitsijo kaveli* 20, eigtl. 10, 2 × oder 2 × 10
> *kitsijo kadatu* 30, » 10, 3 × » 3 × 10
> *kitsijo kani* 40, » 10, 4 × » 4 × 10
> usw.

milevuli kitsijo kaveli 200, eigtl. 10 × 10 × 2

2. Die Ordnungszahlen setzen die Genitivform des Substantivs vor die unveränderte Grundzahl.

> *umunu va veli* der zweite Mensch
> *umbeki gwa datu* der dritte Baum
> *emene ja ni* die vierte Ziege
> usw.

Eine Ausnahme macht »der erste« *-loñgotsi*, z. B.:

> *umunu undoñgotsi* der erste Mensch
> *avanu avaloñgotsi* die ersten Menschen

Es wird also wie ein Adjektiv behandelt, da es Nominalpräfix hat.

Stehen die Ordnungszahlen allein, werden sie also substantiviert, so nehmen sie den betreffenden Anlaut an, z. B.:

> *uwa veli* der Zweite (Mensch)
> *ugwa datu* der Dritte (Baum)
> *eja ni* der Vierte (Ochs)
> *ekya hano* der Fünfte (Stuhl)
> *aka ntanatu* das Sechste (Hündchen)
> *elya lekelakupamato* der Siebente (Panther)
> usw.
> *ava veli* die Zweiten (Menschen), aber auch die Zweie
> *egya datu* » Dritten (Bäume)
> *itsa ni* » Vierten (Ochsen)
> *itsya hano* « Fünften (Stühle)
> usw.

3. Unbestimmte Zahlwörter.

-ñge eigtl. »andre«, aber auch »einige, etliche, manche, etwas«. Es wird mit dem Pronominalstamm präfigiert (vgl. auch § 19).

Das deutsche »-erlei« oder »-fach« wird durch Vorsetzung der Silbe *pa* vor die Grundzahlen gebildet.

> *paveli* zweifach oder zweierlei
> *padatu* dreifach » dreierlei
> *pani* vierfach » viererlei
> *pahano* fünffach » fünferlei

Was darüber ist, heißt »vielfach« oder »vielerlei« und wird mit *-olosu* »viel«, von *oloka* »sich vermehren«, und *pa* gebildet; also *polosu* »vielerlei« oder »vielfach«.

-olosu »viele« hat Nominalpräfix ohne vokalischen Anlaut:

> *avanu volosu* viele Menschen
> *iseñga ñyolosu* viele Rinder
> *uvuhevete vwolosu* viel Mehl

4*

substantiviert steht es jedoch mit vokalischem Anlaut:

    avolosu viele (Menschen)

    inyolosu • (Rinder)

    uvwolosu viel (Mehl)

-oni •alle, sämtliche, ganz• mit Pronominalpräfix:

    voni Kl. 1, *ǵyoni* Kl. 2, *syoni* usw. alle

    voni Kl. 1, *ǵwoni* Kl. 2, *joni* usw. ganz

-dębę •wenig, wenige• mit Nominalpräfixen ohne Anlaut ähnlich wie *-olosu*:

    vadębę Kl. 1, *midębę* Kl. 2, *ndębę* Kl. 3, *sidębę* Kl. 4 usw.

-dębę ist aber auch Adjektiv und hat dann wie diese vokalischen Anlaut, aber auch prädikativen Gebrauch (s. § 6 und 9).

Merke daher:

            avanu vadębę wenig Leute

   als Adj. *avanu avadębę* die kleinen Leute

   präd. *avanu vadębę* die Leute sind klein

§ 21. Verbalstämme.

1. Es gibt einige **einsilbige Verbalstämme**, die zum Teil ursprünglich einsilbig (1), zum Teil durch Kontraktion einsilbig (2) geworden sind, z. B.:

    (1) *-ḳ*   sein }
        -va sein } defektiv

       -pa geben

       -ta sagen

    (2) *-ǵwa* 1. fallen, 2. heiraten (vom Mann gesagt)

       -kwa Morgengabe geben

       -kya hell werden

       -ḳwa kämpfen, streiten

       -ḷya essen

       -ńywa trinken

   vgl. *-ḳia* mit den Augen winken

       -pia verbrennen, heiß sein, brennen

2. Im übrigen sind die **Verbalstämme zweisilbig**, die erste Silbe kann mit einem Vokal beginnen, z. B.: *-ala*, *-ema*, *-ika*, *-ota*; meist jedoch beginnt sie mit einem Konsonanten, (*ts* gilt als ein Konsonant), z. B.: *-bada*, *-dāḷa*, *-ǵaḷa*, *-hāḷa*, *-jaǵa*, *-kava*, *-loḷa*, *-ḷava*, *-maḷa*, *-noǵa*, *-ńaḷa*, *-ńyaḷa*, *-paka*, *-saǵa*, *-tsāba*.

Die zweite Silbe kann mit einem Konsonanten beginnen; s.
oben *-ba-da*, *-da-ba* usw. oder mit den Lautverbindungen *mb*, *nd*,
ṅg, *nz*, z. B.: *-ha̯-mba*, *-ge̯-nda*, *-he-ṅga*, *-ha-nza*.

3. Außer diesen ursprünglichen Stämmen gibt es eine große
Anzahl von abgeleiteten Stämmen, die durch Endungen gebildet
werden, z. B.:

-ka bildet intransitives Verbum vom Nomen, z. B.:

    -dwibuka quellen, von *-dwibudwibu* Quelle
    -galuka sich vergehen, von *u̯vu̯-yalo* 8 Vergehen
    -tsimuka dösen, von *u̯n-tsimu* 1 Narr, Träumer

-e̯ka, *-eka*, *-ika* mit intransitiver Bedeutung; *e̯ka* wird angewendet, wenn in der Vorsilbe *e̯* oder *o̯* steht, z. B.:

    -de̯ñye̯ka zerbrochen sein, von *-de̯ñya* zerbrechen
    -vo̯ne̯ka sichtbar werden, von *-vo̯na* sehen

eka, wenn vorher *a* (*ɐ*) *i* (*o*) *u̯* steht, z. B.:

    -dáleka herausfordernde Stellung einnehmen, von
      -dála eigensinnig sein
    -valeka erscheinen, vom Monde, von *-vala* scheinen
    lu̯ndeka aufgehäuft sein, von *lu̯nda* aufhäufen
    pu̯lekeka bekannt sein, von *pu̯leka* hören

ika, wenn vorher *i* oder *u* steht, z. B.:

    -dudika ausgeschüttet sein, von *-duda* ausgießen
    -kunika ausgefegt sein, von *-kuna* fegen
    -vinika voll Neid sein, von *vina*

-o̯ka, *-u̯ka*, *-uka* mit intransitiver inversiver Bedeutung:
-o̯ka, wenn in der Vorsilbe *o̯*, *e̯* steht, z. B.:

    -vo̯po̯ka aufgelöst sein, von *-vo̯pa* binden

-u̯ka nach *a*, *e*, (*o̯*), (*i̯*), (*u̯*), z. B.:

    -dendu̯ka offen sein, von *-denda* schließen
    -inámu̯ka Kopf aufheben, von *-indma* Kopf beugen
    -matu̯ka abplastern, von *-mata* bewerfen, verputzen, von
                      Wänden
    -paku̯ka herausfallen, von *-paka* einpacken
    -paṅgu̯ka zusammenfallen, von *-paṅga* aufbauen, aufschichten

-uka nach *i* und *u*, z. B.:

    -twiviluka auftauchen, von *-twivilila* untertauchen

Bei vielen hierher gehörenden Verben läßt sich das Simplex
nicht mehr nachweisen, z. B.:

- -*batsuka* gespalten, geborsten sein
  -*lovoka* Fluß überschreiten
  -*duluka* fest, ausgewachsen sein
  -*sumuka* entgleiten

Eine mit der oben angeführten Endung -*eka*, -*ika*, *ika* gleich-
lautende Endung wird in kausaler Bedeutung gebraucht, wenn
diese Kausative von Verben auf *ama* bzw. *ma* oder *ala* gebildet sind.

-*emeka* stellen (neben -*emya*), von -*ema* stehen
-*kelamika* zum Stillstand bringen, von -*kelama* stehen (vom
    Wasser, Vieh)
-*simika* aufrichten, von -*simama* aufgerichtet sein
-*swika* jemand kleiden, von *swala* sich kleiden
-*twika* Last auf Kopf oder Schulter legen, von dem un-
    gebräuchlichen -*twala*
-*lambalika* strecken, von -*lambalala* gestreckt sein (von
    der Sonne) untergehen

Diese Endung ist von der intransitiven scharf zu unterscheiden
und wahrscheinlich nicht mit ihr verwandt.

Kausativ ist diese Endung ferner bei:

-*loveka* einweichen, ins Wasser legen
-*teleka* aufs Feuer setzen, kochen
-*hëleka* hinbringen zu jemand (wie herbringen)
-*tandeka* auslegen, ausbreiten, von Matte, Tuch
                    usw.

-*ata* hat oft stative Bedeutung, doch ist der Nachweis
schwierig, da die Stammformen nicht mehr vorhanden sind.

-*ekumbata* Arme kreuzen
-*ibata* festhalten
-*kumbata* umarmen
-*ovata* brüten
-*pajata* auf dem Arme tragen
-*swavata* etwas unter dem Arme tragen

Auch auf -*ta* finden sich einige Verba:

-*hoveta* mahlen
-*ijuta* satt sein
-*sujuta* Blasebalg treten

-kujuta Kratzen im Halse
-vukouta summen, brummen
-hologota durchstoßen (Wand oder Tür)
-kujuta Brausen des Windes
-pukujuta Durchstoßen der Knoten beim Rohr usw.

-pa bildet Verba vom Nomen, z. B. von Substantiven:

-gosipa alt werden, von ụń-gọsi 1 Mann
-kijupa huren, von wọụ-kiju 8 Hurerei

Von Adjektiven usw.:

-angupa schnell sein, Stamm unklar in ńyańgu schnell
-dẹkẹpa schwach, weich werden, von -dẹkẹ schwach, weich
-gatsupa arm werden, von -gatsu arm
-vipa erregt, böse, traurig usw. werden, von -vivi schlecht,
   (wird stets mit ǵu konstruiert [un$ḳima$]))

Oftmals wird pa und ala verbunden, z. B.:

-dunupala rot, gelb, welk werden, von -dunu rot
-jejepala nicht reif werden, von -jeje unreif, verkümmert
-lalapala alt, schlecht werden, von -lala alt, schlecht.

-ǵa. In folgenden Beispielen läßt sich die Bedeutung der
Endung nicht feststellen:

-dieǵa sich fern halten
-ekuǵa außer sich sein über ein Geschehnis
-hoaǵa treiben, Vieh usw.
-hwaǵa Bellen der Hunde
-hweǵa Bellen der Schakale, Singen der Gottesgesandten
-husuǵa waschen, reinigen mit Wasser
-kiliǵa umrühren
-kukuǵa drängen, stoßen, schieben
-tsuriǵa einweichen von Hirse, etwas ins Wasser werfen.

Über ǵa in der Konjugation s. §§ 31, 32, 33c, 35, 15. 16. 17a.

-ya kausative Endung; sie ruft die in § 4, 1. besprochenen
Veränderungen des vorangehenden Vokals hervor; z. B.: ǵenza von
ǵenda, hasa von hamba, hanza von hanga usw. s. auch am Schluß
des Paragraphen sowie § 22 und 23.

-wa, -vwa, -ivwa Passivendung s. § 36.

-la, denominativ in vẹǵala auf der Schulter tragen, von
eli-vẹǵa 6 Schulter.

63

-aḷa hat m e d i a l e Bedeutung und bildet seine Kausativa gewöhn
lich auf *-ika, -eka, -ẹka* (s. oben).

-ḷambalaḷa gestreckt sein, sich strecken, kaus. *-ḷambaḷika*
-oḷuḷaḷa zerschlagen sein, *-oḷuḷeka* zerschlagen jemand
-tambalaḷa sich ausstrecken, *-tambaḷika*
-tẹsẹḡaḷa flach sein, von Teller usw., *-tẹsẹḡeka* etwas flach
    machen
-tsutsuwaḷa verdorben sein (vom Essen), *-tsutsuvika* verderben
    durch Zugießen von kaltem Wasser usw.
-swaḷa sich ankleiden, *-swẹika* jemand ankleiden

Über Verbindung mit *»-pa«* s. oben.

-ẹḷa, -eḷa, -iḷa hat r e l a t i v e Bedeutung. Über Gebrauch der
Vokale s. bei *-ẹka* usw.

-kẹ̈lẹ̈ḷa einkerben für, von *-kẹ̈la*
-tẹkeḷa jemand belügen, von *-tẹka* lügen
-koṗeḷa schlagen für usw., von *-koṗa* schlagen
-toḷeḷa holen zu usw., von *-toḷa* holen
-kaveḷa erwerben für, von *-kava* erwerben
-tameḷa sitzen auf, von *-tama* sitzen
-vekeḷa legen auf usw., von *-veka* legen
-hẹ̈ḡeḷa richten für usw., von *-hẹ̈ḡa* richten, rechtspreche
-koveḷa jemand falsch anklagen, von *-kova* anklagen
-oveḷa sich verstecken in, von *-ova* sich verbergen
-hu̧meḷa wo herausgehen, von *-hu̧ma* hinausgehen
-tu̧ḷeḷa worauf ablegen, von *-tu̧ḷa* Last ablegen
-sitiḷa sich weigern zum Zweck, von *-sita* sich weigern
-tiveḷa flechten um usw. von *-tiva* flechten

Von vielen Wörtern ist nur die relative Form gebräuchlich, z. B.

-domẹḷa einstampfen	*-kimbeḷa* davonlaufen
-hu̧veḷa hoffen, vertrauen	*-kundiaḡiḷa* hinken
-hẹ̈vẹ̈ḷa jemand unrein machen,	*-laleḷa* heiser sein
durch Zwang etwas zu tun,	*-ṅyẹḡeḷa* intr. jucken
das der Sitte entgegen	*-oṅgeḷa* hinzufügen
-hodekeḷa erwachsen sein, mann-	*-seḷeḷa* schwimmen
bar werden	*-sinziḷa* schlummern
-huhutiḷa Kriegsruf ausstoßen	*-syẹkeḷa* vergeben
-iṅgiḷa hineingehen	*-tẹkeḷa* opfern
-jẹjẹlḁ sich nicht ans Licht wagen	*-totẹḷa* nachforschen

usw.

In folgenden Formen liegt offenbar n i c h t die Relativendung
vor. Darauf weist die abweichende Betonung und Bedeutung. Die
Formen sind dem beigefügten Simplex n i c h t verwandt, sondern
selbständige Wörter.

> -*kumbéla* tanzen um Geschenke zu erhalten (Betteltanz)
> -*kumba* wonach werfen
> -*tandéla* kundschaften (-*tanda* decken)
> -*tumbéla* aufhängen (-*tumba* den Rücken zudrehen)

-*ile* ist Perfektendung der zweisilbigen und ausnahmsweise
einiger mehrsilbiger Verben, z. B.:

> -*tovile* von -*tova* aber auch -*hutsulile* von -*hutsula*
> -*sakile* • -*saka* • • -*havadulile* - -*haradula*.

Weiteres über Perfektendung s. § 26, 5.

-*ola*, -*ula*, -*ula* ist in vers. trans.
Über den Gebrauch von -*ola*, -*ula* s. bei *oka*, -*uka*. Häufig ist
auch hier der einfache Stamm verloren gegangen. In diesen Fällen
treten die Verben auf -*ola*. -*ula* als transitive Verben neben die
oben angeführten intransitiven Verben auf -*oka*, *uka* usw., z. B.:

> -*dendula* öffnen, von -*denda* schließen
> -*indmula* jemand den Kopf aufrichten. von -*indma* Kopf
>   beugen
> -*matula* abkratzen von Putz, von -*mata* verputzen
> -*pakula* herausnehmen, von -*paka* einpacken
> -*pangula* auseinandernehmen, abbrechen, von -*panga* auf-
>   bauen
> -*batsula* spalten, *batsuka* gespalten sein

Merke: -*lovola* aus dem Wasser ziehen, von *loveka* einweichen
-*va* in -*dutuva* dick, stark, fett werden, von -*dutu* dick, fett:
sonst kommt es nur in Verbindung mit -*ala* vor, z. B.:

> -*jujuvala* sich fürchten (wenn verschuldet)
> -*lunduvala* aufgetrieben, dick sein (vom Leib), von -*lunda*
>   sammeln, aufhäufen
> -*suluvala* } traurig, betrübt sein
> -*susuvala* }
> -*tsingevala* gerade sein, aufrecht stehen (Korb usw.)

-*mba*, -*nga*, -*nda* kommen ebenfalls in Verbindung mit -*ala* vor:

> -*golovondala* } sich neigen, krümmen
> -*godondala* }
> -*holongala* tief sein, von *holonga* tief graben

-*kuluṅgala* voll sein (vom Monde)
-*tsulungala* schweben, unbeweglich sitzen
-*vuluṅgala* sich runden, zum Knäuel werden usw.
-*koñombala* kauern, krumm sitzen
-*ha* kommt vor in *puḍuha* Hände waschen
-*ana* hat reziproke Bedeutung, z. B.:

-*ḍanana* sich gegenseitig lieben
-*jọkana* miteinander beraten
-*dukana* sich gegenseitig beschimpfen
-*huanana* sich gleichen, einander ähneln
-*ibatana* sich gegenseitig halten
-*lụndamana* sich vereinigen miteinander

-*na* bzw. -*ana* scheint intensiv zu sein oder iterativ:

1 -*husana* sich schütteln, bewegen, schwanken
2 -*keṅena* kleine Stücke hauen
3 -*kọnọna* schnarchen
4 -*koñọna* hämmern, aufeinanderschlagen, meißeln
5 -*kuñuna* ausklopfen, reinigen, ausleeren
6 -*memẹna* zerkauen, zerknacken mit den Zähnen
7 -*oñana* durcheinander sein
8 -*pumuna* ausklopfen

Wahrscheinlich liegt aber bei 2, 4, 5, 6, 8 Reduplikation vor; bei der Wiederholung ist der Konsonant mit Nasal verbunden, also -*keṅena* statt -*ke*-*n*-*kena* (vgl. § 4, 2).

Alle, mit Ausnahme von 6, haben im Perfekt die Endung »-*ilẹ*« (s. diese); -*memẹna* hat die regelmäßige Endung von »*ana*«, d. h. »*inẹ*« (s. die Perfektendung von -*ana* § 26, 5 f.)

-*ama* bezeichnet eine Stellung, ist stativ, z. B.:

-*bẹdama* gebogen sein
-*eḍama* angelehnt sein
-*ḍundama* gebeugt sein
-*họṅyama* hocken
-*jẹlama* stillsitzen, nichts tun
-*kẹlama* stillstehen (vom Wasser, Vieh usw.)

-*ma* (bzw. -*ama*) mit nicht bekannter Bedeutung.

1 -*kandama* zögern, trödeln
2 -*kuluma* } donnern, brüllen
3 -*lunduma* }

1 hat die Perfektendung »-*ilẹ*«, s. diese, 2 und 3 die Endung von »-*ama*« = »-*imẹ*«.

-*ima* Bedeutung u n b e k a n n t.

-*ejima* stöhnen, krächzen, mit Baßstimme reden

-*lindima* beben (von der Erde)

-*tungutsima* nachdenken über etwas, sich sorgen

-*tsitsima* kalt werden, abkühlen

Häufig findet sich auch die Verbindung mehrerer der vorgenannten Endungen, z. B.:

-*al-al-ula* voneinander abheben, blättern

-*didi-ta-ala* bewölkt sein

-*die-ts-eh-etsa* verbergen in (von *diega* sich fernhalten)

*-*gel-en-ana* übereinander sein, von *geleka*

*-*gel-en-an-ya* übereinanderlegen

-*go-go-nd-ala* gebogen sein, von *gonda*

-*heg-el-ela* sich nähern

*-*om-en-ana* ineinandergesteckt sein

*-*om-en-an-ya* ineinanderstecken

*-*om-el-en-an-ya* ineinanderstecken, von *omeka*

-*om-ok-ola* auseinandernehmen, was ineinander war

-*om-ok-ol-an-ya* auseinandernehmen, was ineinander war

*-*suj-il-in-an-ya* zerknillen, verwirren

-*tand-al-ula* ausrollen, ausspannen

-*tand-al-uka* ausgerollt, ausgespannt sein

Bei den mit Sternchen versehenen Formen ist die Mittelsilbe -*ek*, -*ik* zu -*en*, *in* geworden, wegen des folgenden *n* s. § 4, 3.

-*elela*, -*elela*, -*ilila* als verdoppeltes Relativ hat iterative Bedeutung, z. B.:

-*gendelela* immerwährend hin- und hergehen, von -*genda*

-*hegelela* sich nähern, von -*hega*

-*hehelela* immerwährend Übles reden, von -*heha*

-*jwetelela* durcheinanderreden, von -*jweta*

-*kalatelela* aufmuntern, aufpassen, antreiben

-*kuvelela* brausen (vom Winde)

-*landelela* anhaltend streuen, von -*landa*

-*lindekelela* verharren bei einer Sache, an einem Orte, von -*linda*

-*tunilila* rauchen

-*tulilila* immerwährend drängen, von -*tula*

-*kumbelela* anhaltend tanzen, um Gaben zu erlangen

Wo das Simplex nicht angegeben, ist es nicht mehr im Gebrauch.

Reduplikation des ganzen Stammes hat iterative Bedeutung, z. B.:

-pā́lapā́la auseinanderkratzen, durchsuchen, von -pā́la
-ǵẹnda-ǵẹnda spazieren-, herumgehen, von -ǵẹnda
-ǵǫna-ǵǫna längere Zeit verweilen

usw.

§ 22. Kausativa.

Viele Verba, die eine faktitive oder kausative Form haben, bilden diese auf ya, welche Silbe an das betreffende Wort angehängt wird. Dieses Suffix ist aber nur noch nach m und n in der ursprünglichen Form vorhanden (vgl. § 4, 1), die übrigen Schlußkonsonanten verwandelt es wie folgt:

 1. a) $h + ya$, $ka + ya$, $p + ya$, $t + ya$, $v + ya > sa$
    b) $ǵ + ya$, $j + ya$, $l + ya > tsa$
    c) $m + ya > mya$
    d) $n + ya > ńya$

a) 1. $h + ya > sa$ in:

-puǵusa, Kausativ von -puǵuha sich waschen

2. $k + ya > sa$; α) in den Stammwörtern:

-vusa, Kausativ von -vuka gehen
-dẹsa, Kausativ von -dẹka sich übergeben, erbrechen
-dusa, Kausativ von -duka schimpfen
-hẹsa, Kausativ von -hẹka lachen
-husa, Kausativ von -huka schütteln, erschüttern
-isa, Kausativ von -ika hinabgehen

usw.

β) im Stammwort mit -eka, -ika usw.:

-tẹlẹsa, Kausativ von -tẹlẹka kochen
-lalẹsa, Kausativ von -lalẹka anbrennen (vom Essen)
-budisa, Kausativ von -budika geballt sein (von der Faust)

usw.

im Stammwort mit -ǫka, -ụka, -uka:

-lǫvǫsa, Kausativ von -lǫvǫka Fluß überschreiten
-vẹlusa, Kausativ von -vẹluka niederfallen, sich wälzen
-dulusa, Kausativ von -duluka ausgewachsen, fest sein

usw.

3. $p + ya > sa$; α) in Stammwörtern:

-dasa, Kausativ von -dapa in Empfang nehmen
-dъ̣sa, Kausativ von -dъ̣pa sich neigen
-sъ̣sa, Kausativ von -sъ̣pa kundschaften

β) in Stammwörtern + pa:

-aṅgusa, Kausativ von -aṅgupa schnell sein
-dъ̣kъ̣sa, Kausativ von -dъ̣kъ̣pa weich sein
usw.

4. $t + ya > sa$:

-iʄusa, Kausativ von -iʄuta satt sein
-paʄasa, Kausativ von -paʄata auf dem Arm haben
-lъ̣sa, Kausativ von -lъ̣ta vorübergehen
usw.

5. $v + ya > sa$ in:

-lъ̣sa, Kausativ von -lъ̣va sich unterwerfen
-susa, Kausativ von -suva verdorben sein
-tsъ̣sa, Kausativ von -tsъ̣va sprechen, reden
usw.

b) 1. $ɟ + ya > tsa$ in:

-detsa, Kausativ von -deɟa voll sein
-dieɟtsa, Kausativ von -dieɟja fern sein, sich fern halten
-tъ̣tsa, Kausativ von -tъ̣ɟa hinaufsteigen
usw.

2. $j + ya > tsa$ in:

-vutsa, Kausativ von -vuja zurückkehren
usw.

3. $l + ya > tsa$; α) in Stammwörtern:

-bъ̣tsa, Kausativ von -bъ̣la verneinen
-vutsa, Kausativ von -vula sagen
-ɟatsa, Kausativ von -ɟala betrunken sein
-ɟutsa, Kausativ von -ɟula kaufen
-ɟъ̣tsa, Kausativ von -ɟъ̣la messen, versuchen
-kъ̣tsa, Kausativ von -kъ̣la wachsen
usw.

β) in Stammwörtern mit der Endung -ala, -ela, -ela, -ila:

-lъ̣matsa, Kausativ von -lъ̣mala sich verletzen
-hъ̣ɟelъ̣tsa, Kausativ von -hъ̣ɟelъ̣la sich nähern
-huvetsa, Kausativ von -huvela hoffen, vertrauen
-iṅgitsa, Kausativ von -iṅgila hineingehen
usw.

69

c) *m + ya > mya* in:

-*hamya*, Kausativ von -*hama* verziehen
-*humya*, Kausativ von -*huma* hinausgehen
-*lămya*, Kausativ von -*lăma* beschmutzt sein
usw.

Dieses Kausativ bilden die Wörter auf -*ma*; die auf bilden die Kausativform gewöhnlich auf -*ika* (s. dort), z. B.:

-*gundama*, Kausativ -*gundamika*

oder von der Relativform auf -*ila* (s. oben), z. B.:

-*egamitsa*, von *egama* angelehnt sein (s. unten)

d) *n + y > ńya*; α) in Stammwörtern:

-*vońya*, Kausativ von -*vona* sehen
-*gońya*, Kausativ von -*gona* ruhen, liegen
-*pońya*, Kausativ von -*pona* gerettet, geheilt sein

β) in Zusammensetzungen mit -*ana*:

-*badińańya*, Kausativ von -*badiϑana* nebeneinander sei
-*gujańya*, Kausativ von -*gujana* zusammenfalten, -lege
-*lundamańya*, Kausativ von -*lundamana* versammelt se

II. *ń* und die Doppelkonsonanten am Schluß des Wortes wandelt dieses Suffix *ya* folgendermaßen:

a) *ń + ya* und *mb + ya > sa*
b) *nd + ya* und *ńg + ya > nza*

a) 1. *ń + ya > sa* in:

-*nwasa*, Kausativ von -*nwaña* lügen
-*nusa*, Kausativ von -*nuña* stinken
-*osa*, Kausativ von -*oña* saugen
usw.

2. *mb + ya > sa* in:

-*hasa*, Kausativ von -*hamba* sich zerstreuen
-*hosa*, Kausativ von -*homba* bezahlen
-*pasa*, Kausativ von -*pamba* ansetzen (von Kartoffeln ι
usw.

b) 1. *nd + ya > nz* in:

-*genza*, Kausativ von -*genda* gehen
-*konza*, Kausativ von -*konda* getreten sein (vom Weg
usw.

2. *iġ + ya > ns* in:

-*hansa*, Kausativ von -*haṅga* vermischt sein
-*myansa*, Kausativ von -*myaṅga* lecken
-*tunsa*. Kausativ von -*tuṅga* aufreihen   usw.

§ 23. Relative Form der Kausativa.

Die relative Form der Kausativa wird auf folgende Weise gebildet: Die Kausativa werden auf die nicht immer noch vorhandene Form auf *eka*, *eka*, *ika* zurückgeführt, und daran wird die relative Endung *etsa*, *etsa*, *itsa* (s. diese) gehängt. Das *k* wird dabei zu *h* verflüchtigt (s. auch § 4, 4).

Die kausative Endung des Stammwortes bleibt ebenfalls bestehen.

-*budisihitsa*, Relativ von -*budisa* Hand schließen
-*lovosehetsa*, Relativ von -*lovosa* übersetzen (über Fluß)
-*lematsehetsa*, Relativ von -*lematsa* jemanden verletzen
-*vutsehetsa*, Relativ von -*vutsa* fragen
   (neben -*vuletsa*)
-*anġusehetsa*, Relativ von -*anġusa* beschleunigen
-*humyehetsa*, Relativ von -*humya* hinausbringen
   (neben -*humehetsa*)
-*vonyehetsa*, Relativ von -*vonya* zeigen
   (neben -*vonehetsa*)
Merke: -*pulehetsa*, Relativ von -*puleka* gehorchen
   (-*pulisa* ist nicht im Gebrauch)
Bei den Verben auf -*anya* wird die relative Form gewöhnlich vermieden.

ana mit der Kausativendung (s. diese) hat öfter die Bedeutung von hin und her zwischen zwei Orten, z. B.:
-*lovonanya* mehrere Male einen Fluß durchschreiten, hin und her, von -*lovoka*
Dieselbe Bedeutung hat auch das kausative Relativ von -*ana*, *anitsa*, z. B.:
-*vujanitsa* an einem Tage vom Ziele zum Ausgangspunkt zurückkehren.

§ 24. Reflexive Verba.

Die reflexiven Verba werden durch das Präfix *e* gebildet, welches vor das Stammwort gesetzt wird, z. B.:
-*ebuda* sich töten, von -*buda* töten
-*edabela* sich beschmutzen (mit Kot), von -*dabela* beschmutzen
-*eġinya* sich rühmen, von -*ġinya* rühmen

Beginnt das Stammwort mit vokalischem Anlaut, so wird
zwischen Reflexivpräfix und den betreffenden Stammvokal ein *j*
eingeschoben, z. B.:

> *-ejagamitsa* sich gegen etwas lehnen, von *-egamitsa* etwas
> anlehnen
> *-ejisa* sich erniedrigen, von *-isa* erniedrigen
> *-ejungula* sich abseits stellen vom Haufen, von *-ungula*
> absondern.

§ 25. Infinitiv.

Der Infinitiv eines jeden Zeitwortes wird durch *uku* gebildet,
welche Silbe vor den reinen Stamm jedes Verbum gesetzt wird,
z. B.:

> *ukubaka* salben, einschmieren
> *ukududa* ausgießen
> *ukujana* lieben, gernhaben

Beginnt das Verb mit einem Vokal, so wird das *u* Semivokal, z. B.:

> *ukwala* ausbreiten   *ukwibata* fassen, halten
> *ukwema* stehen   *ukwota* sich wärmen
>   usw.

Über Substantivierung des Infinitivs s. § 5 Kl. 9. Verneinung
des Infinitivs s. § 35, 19.

§ 26. Konjugation.

1. Die *iku*-Form.

a) Zur Bildung einer Form, die sich in der Regel mit dem
Präsens wiedergeben läßt, setzt man *iku* vor den Verbalstamm.
Vor dieses *iku* treten die in § 14, 2 aufgeführten Pronomina per-
sonalia, die nach den allgemeinen Lautgesetzen verändert werden.
In der 2. Pers. sing. gebraucht man *vuku*- statt *vu iku*,
in der 3. Pers. sing. der 1. Kl. *iku* statt *a-iku*

»	»	»	»	pl.	» 1. » *viku* » *va-iku*
»	»	»	»	sing.	» 5. » *kiku* » *ka-iku*
»	»	»	»	pl.	» 6. » *giku* » *ga-iku*

Nach den auf *-u* und *-u* auslautenden Präfixen fällt *i* jedesmal
aus (s. 2. Pers. sing. und 1. u. 2. Pers. pl. usf.), z. B.:

ndikwema ich stehe   *tukwema* wir stehen
vukwema du stehst   *mukwema* ihr steht
ikwema er steht   *vikwema* sie stehen

2. Kl. sing.	*ǵukwema*	pl.	*ǵikwema*
3. » »	*jikwema*	»	*tsikwema*
4. » »	*kikwema*	»	*sikwema*
5. » »	*kikwema*	»	*tukwema*
6. » »	*likwema*	»	*ǵikwema*
7. » »	*lukwema*	»	*tsikwema*
8. » »	*mukwema*		
9. » »	*kukwema*		
10. » »	*ǵukwema*		
11. » »	*mukwema*		
12. » »	*pikwema*		
13. » »	*kukwema*		

b) Die volle Form unter a) wird nur bei Verben angewandt, lie mit einem Vokal anlauten, alle andern werfen *ku* ab und nehmen ur *i* an, z. B.:

nditova ich schlage   *twitova* wir schlagen
vwitova du schlägst   *mwitova* ihr schlagt
itova er schlägt   *vitova* sie schlagen

Daneben ist auch für 2. Pers. sing. und 1. u. 2. Pers. pl. in 'ebrauch: *vutova*, *tutova*, *mutova*.

2. Kl. sing.	*ǵwitova*	pl.	*ǵitova*
3. » »	*jitova*	»	*tsitova*
4. » »	*kitova*	»	*sitova*
5. » »	»	»	*twitova*
6. » »	*litova*	»	*ǵitova*
7. » »	*lwitova*	»	*tsitova*
8. » »	*vwitova*		
9. » »	*kwitova*		
10. » »	*ǵwitova*		
11. » »	*mwitova*		
12. » »	*pitova*		
13. » »	*kwitova*		

c) Um das pronominale Objekt des Verbum auszudrücken, ten die in § 14, 4 aufgeführten Objektsformen unmittelbar vor den amm des Verbum.

In diesem Falle muß jedoch stets *ku̯* angewendet werden.

ndiku̯nto̯va ich schlage ihn
vu̯ku̯no̯va du schlägst mich, statt *vu̯ku̯ ni to̯va*
iku̯ku̯to̯va er schlägt dich
tuku̯vato̯va sie schlagen euch
muku̯tu̯to̯va ihr schlagt uns
viku̯vato̯va sie schlagen sie

2. Kl. sing.	*d̶u̯ku̯nto̯va*	pl.	*d̶iku̯nto̯va*
3. » »	*jiku̯nto̯va*	»	*tsiku̯nto̯va*
4. » »	*kiku̯nto̯va*	»	*siku̯nto̯va*
5. » »	*	»	*tu̯ku̯nto̯va*
6. » »	*l̶iku̯nto̯va*	»	*d̶iku̯nto̯va*
7. » »	*lu̯ku̯ntova*	»	*tsiku̯nto̯va*
8. » »	*vu̯ku̯nto̯va*		
9. » »	*ku̯ku̯nto̯va*		
10. » »	*d̶u̯ku̯nto̯va*		
11. » »	*mu̯ku̯nto̯va*		
12. » »	*piku̯nto̯va*		
13. » »	*ku̯ku̯nto̯va*		

usf.

2. Die *a*-Form.

Um eine Handlung zu bezeichnen, die in der Vergangenheit längere Zeit andauerte oder sich wiederholte, tritt *a* vor den Stamm des Verbum. Vor *a* stehen die Pronomina personalia. Über die Veränderung ihrer Vokale s. § 2.

ndàto̯va ich schlug   *twato̯va* wir schlugen
vwato̯va du schlugst   *mwato̯va* ihr schluget
ato̯va er schlug   *vato̯va* sie schlugen

2. Kl. sing.	*d̶wato̯na*	pl.	*d̶yato̯va*
3. » »	*jato̯va*	»	*tsato̯va*
4. » »	*kyato̯va*	»	*syato̯va*
5. » »	*kato̯va*	»	*twato̯va*
6. » »	*lyato̯va*	»	*d̶ato̯va*
7. » »	*lwato̯va*	»	*tsato̯va*
8. » »	*vwato̯va*		
9. » »	*kwato̯va*		
10. » »	*d̶wato̯va*		
11. » »	*mwato̯va*		
12. » »	*pato̯va*		
13. » »	*kwato̯va*		

Mit Objektspronomen lauten die Formen:

ndantova ich schlug ihn
vwangova du schlugst mich, statt *vwa - ni - tova*
ākutova er schlug dich
twakuvatova wir schlugen sie
mwakututova ihr schlugt uns
vākuvatova sie schlugen euch

Kl. 2 usw. wie oben, aber mit eingefügtem Objekt, also *ywa-ntova* usw.

3. Die ka-Form.

Um eine Handlung zu bezeichnen, die in der Vergangenheit einmal geschah, fügt man *ka* zwischen Pronomen personale und Verbalstamm ein.

Diese Form wird meist in der Erzählung gebraucht und pflegt zugleich das deutsche »und« mitzuübersetzen:

akitsa akata . . . er kam und sagte . . .

Statt *ndekatova* sagt man auch *ngatova*.

ndekatova ich schlug   *tukatova* wir schlugen
ukatova du schlugst   *nkatova* ihr schluget
akatova er schlug   *vakatova* sie schlugen

2. Kl. sing.	*yukatova*	pl.	*yikatova*
3. » »	*jikatova*	»	*tsikatova*
4. » »	*kikatova*	»	*sikatova*
5. » »	*kakatova*	»	*tukatova*
6. » »	*likatova*	»	*yakatova*
7. » »	*lukatova*	»	*tsikatova*
8. » »	*vukatova*		
9. » »	*kukatova*		
10. » »	*yukatova*		
11. » »	*mukatova*		
12. » »	*pakatova*		
13. » »	*kukatova*		

Bei der 2. Pers. pl. vgl. die Konsonanten mit *u*-haltigem Nasal, § 4, 2, b.

Mit Objektspronomen:

ndekantova ich schlug ihn
vukanova du schlugst mich, statt *vuka - ni - tova*
akakutova er schlug dich

5*

tukavatǫva wir schlugen euch
ńkavatǫva ihr schluget sie, statt *mukavatǫva* (s. oben und
§ 4, 2, b)
vakatutǫva sie schlugen uns

2. Kl. usw. *ǵukantǫva* usw.

4. Die *la*-Form.

Zum Ausdruck des deutschen **Futurum** wird *la* zwischen Pronomen personale und Verbalstamm eingefügt.

ndalátǫva ich werde schlagen   *tulatǫva* wir werden schlagen
ulatǫva du wirst schlagen   *ndatǫva* ihr werdet schlagen
alatǫva er wird schlagen   *valatǫva* sie werden schlagen

2. Kl. sing.	*ǵulatǫva*	pl.	*ǵilatǫva*
3.	»	»	*jilatǫva*	» *tsilatǫva*
4.	»	»	*kilatǫva*	» *silatǫva*
5.	»	»	*kalatǫva*	» *tulatǫva*
6.	»	»	*lilatǫva*	» *ǵalatǫva*
7.	»	»	*lulatǫva*	» *tsilatǫva*
8.	»	»	*vulatǫva*	
9.	»	»	*kulatǫva*	
10.	»	»	*ǵulatǫva*	
11.	»	»	*mulatǫva*	
12.	»	»	*palatǫva*	
13.	»	»	*kulatǫva*	

2. Pers. pl. *ndatǫva* statt *mulatǫva* (s. § 4, 2, b).
Mit Objektspronomen:

ndeldntǫva ich werde ihn schlagen
ulanǫva du wirst mich schlagen, statt *ulani-tǫva*
alakutǫva er wird dich schlagen
tulavatǫva wir werden euch schlagen
ndavatǫva ihr werdet sie schlagen (vgl. § 4, 2, b)
valatutǫva sie werden uns schlagen

2. Kl. usw. *ǵulantǫva* usw. wie oben.

5. Die *ile*-Form.

Zur Bildung von Formen, die die **Vollendung** ausdrücken, wird statt des schließenden *a* die Endung *ile* an den Stamm gehängt, z. B.:

ndelǫndile ich habe gesucht, bin damit fertig.

Bei der Anhängung von *ile* sind folgende Regeln zu beachten:
a) Regelmäßig sind die zweisilbigen Stämme und einige mehrsilbige; vgl. die Verbalstämme § 21.

Z. B.: *-tevile* von *-teva*

ndakile ich habe ausgebreitet, von *-ala*
ndebudile ich habe getötet, von *-buda*
ndedudile ich habe ausgegossen, von *-duda*
ndemile ich habe gestanden, von *-ema*
ndejavile ich habe geteilt, von *-java*
ndehamile ich bin verzogen, von *-hama*
ndikile ich bin hinabgegangen, von *-ika*
ndejavile ich habe gegraben, von *-java*
ndekadile ich habe geknetet, von *-kada*
ndeletile ich habe gebracht, von *-leta*
ndelapile ich habe untersagt, von *-lapa*
ndemalile ich habe beendet, von *-mala*
usw.

ndehutsulile ich habe gebraten, von *-hutsula*
ndehavagulile ich habe mit Wasser verdünnt, von *havdjula*
ndekanddmile ich habe mich verspätet, von *-kanddma*
ndekununile ich habe ausgeklopft, von *-kununa*
usw.

b) Die einsilbigen Verben stoßen *l* aus und verändern *ie* in *ye*:
ndepye ich habe gegeben, von *-pa*
ndevye ich bin gewesen, eigtl. ich bin noch, von *-va* sein
ndetye ich habe gesagt, von *-ta*

Nach einer Semivokalis des Stammes fällt auch noch *y* weg, und die Endung heißt *e*, z. B.:

ndegwe ich bin gefallen, von *-gwa*
kukye es ist hell geworden, von *-kya*
ndekwe ich habe Morgengabe gezahlt, von *-kwa*
ndelye ich habe gegessen, von *-lya*
ndenywe ich habe getrunken, von *-nywa*
ndekwe ich habe gekämpft, von *-kwa*
ndeswe ich bin gestorben, von *-swa*

Merke: *ndelie* ich habe mit den Augen gewinkt, von *-lia*
ndepie ich habe mich verbrannt, von *-pia*

c) Bei den dreisilbigen Stämmen auf *-oka*, *-uka*, *-uka*, *-upa*, *-uba* und einigen auf *-uta*, fällt *l* von *ile* aus, *i* tritt vor die Konsonanten: *k*, *p*, *b*, *t*, und *e* hinter dieselben.

Der jetzt vor *i* stehende Vokal *o*, *u* oder *u* wird zur Semivokalis *w* (s. diese § 2, 3):

> *ndalovwike* ich habe den Fluß überschritten, von -*loooka*
> *patnatwike* es ist abgeplatzt (vom Putz usw.), von -*matuka*
> *judumwike* er (Baum) ist abgehauen, von -*dumuka*
> *ndangwipe* ich habe mich beeilt, von -*angupa*
> *ndijwite* ich bin satt, von -*iduta*
> *ndedutwibe* ich bin dick geworden, von -*dutuba*   usw.

d) Bei den Stämmen auf -*ola*, -*ula*, -*ula* wird *la* abgeworfen und von *ile* nur das *e* angesetzt; *o*, *u*, *u* wird zur Semivokalis, z. B.:

> *ndevópwe* ich habe aufgelöst, von -*vopola*
> *ndeddtwe* ich habe aufgebunden, von -*datula*
> *ndipwe* ich habe Essen aufgetan, von -*ipula*.

e) Die Stämme auf -*eka*, -*eka*, -*ika*, setzen das *i* von *ile* an Stelle des *e* oder *i* vor *k* und das *e* von *ile* an den Schluß; das *l* fällt ganz aus, z. B.:

> *ndevonike* ich bin erschienen, von -*voneka*
> *ndevandike* ich bin vorsichtig, von -*vandeka*
> *nddnike* ich habe ausgebreitet, von -*anika*

f) Derselbe Vorgang tritt ein bei den Verben auf -*ama*, -*ana*, -*ata*, -*eta*, -*epa*, -*ipa*, z. B.:

-*ahime*,	Perfektum von	-*ahama*	
-*lundamine*,	"	"	-*lundamana* zusammenkommen
-*ibite*,	"	"	-*ibata* fassen
-*hevite*,	"	"	-*hevela* mahlen
-*dekipe*,	"	"	-*dekepa* weich, locker machen
-*josipe*,	"	"	-*josipa* alt sein

g) Bei den Relativen auf *ela*, *ela*, *ila* und deren Reduplikationen, ferner bei den Stämmen auf -*ala*, werden diese Silben abgeworfen; auch die Perfektendung *ile* stößt das *l* aus, und das übriggebliebene *ie* setzt sich an den also verkürzten Stamm. Das *i* wird dabei zur Semivokalis *y*, z. B.:

-*torye*,	Perfektum von *tovela*, Relativum von *tova* schlagen	
-*vekye*,	" " -*vekela*, Relativum von -*veka* legen	
-*ingye*,	" " -*ingila* hineingehen	
-*jonekye*,	" " -*jonelela*, Reduplikation von -*joneka*, Relativum von -*jona*	
-*jendelye*,	" " -*jendelela*, Reduplikation von -*jendela*, Relativum von -*jenda*	

-vęgye, Perfektum von -regala auf die Schulter legen
-valye,   •   • -valala rein werden

Vgl. die ähnlichen Formen unter b).

h) Bei der Anhängung von ile an die Kausativa sind folgende Regeln zu beachten:

α) l + y wird ts (s. oben), also lautet die so veränderte Silbe nicht mehr ile, sondern itse. Diese Endung wird an die zweisilbigen Kausativa angehängt, z. B.:

-vusitse, Perfektum von -vusa wegnehmen
-desitse,   •   - -desa zum Übergeben bringen
-dusitse,   •   • -dusa zum Schimpfen reizen
-hesitse,   •   - -hesa zum Lachen bringen
-husitse,   •   - -husa zum Schütteln machen
-isitse,   •   - -isa erniedrigen
-lesitse,   •   - -lesa unterwerfen
-susitse,   -   - -susa verderben
-tsositse,   •   - -tsosa zum Reden bringen
-dasitse,   •   - -dasa austeilen
-dęsitse,   •   - -dęsa neigen
-sesitse,   •   - -sesa zum Kundschaften senden
-nwasitse,   •   • -nwasa zum Lügen reizen
-nusitse,   •   - -nusa riechen
-ositse,   •   - -osa säugen
-hasitse,   •   - -hasa zerstreuen
-hositse,   •   - -hosa auf Bezahlung dringen
-pasitse,   •   - -pasa Stiel einsetzen
-betsitse,   •   - -betsa widersprechen
-vutsitse,   •   - -vutsa fragen
-gatsitse,   •   • -gatsa betrunken machen
-gutsitse,   •   • -gutsa verkaufen
-getsitse,   •   • -getsa versuchen
-kutsitse,   •   • -kutsa ernähren, erhalten
-detsitse,   •   • -detsa füllen
-dietsitse,   •   • -dietsa fernhalten
-totsitse,   •   • -totsa erhöhen
-vutsitse,   •   • -vutsa zurückbringen
-genzitse,   •   • -genza zum Gehen bringen
-konzitse,   •   - -konza Weg treten
-hanzitse,   •   • -hanza vermischen
-myanzitse,   •   - -myanza lecken machen
-tunzitse,   •   • -tunza aufreihen

72

Doch merke:

-*mitsile*, Perfektum von -*mitsa* schleudern, spritzen mit der
Hand

β) Ebenso gebildet werden die zweisilbigen Kausativa auf -*mya*
und -*ńya*; das *y* fällt dabei aus:

-*hamitse*, Perfektum von -*hamya* zum Verziehen zwingen
-*humitse*,   »   » -*humya* hinausbringen
-*lamitse*,   »   » -*lamya* beschmutzen
-*vonitse*,   »   » -*vońya* zeigen
-*ǵonitse*,   »   » -*ǵońya* hinlegen
-*ponitse*,   »   » -*pońya* heilen.

γ) Die mehrsilbigen Kausativa auf *osa*, *usa*, *usa* bilden die
ile-Form wie die auf *oka* usw., indem *l* ausfällt und *i* vor, *e* hinter
s tritt; *o*, *u* und *u* wird wie dort Semivokalis.

-*lovwise*, Perfektum von -*lovosa* übersetzen (über Fluß)
-*velwise*,   »   » -*velusa* wälzen
-*dulwise*,   »   » -*dulusa* stärken, trösten
-*ańgwise*,   »   » -*ańgusa* beschleunigen

Diesen Formen analog geht -*dudwimye*, von -*dudumya* gluckern.

δ) *atsa*, *etsa*, *etsa*, *itsa*, *esa*, *esa*, *isa* stellen das *i* von *ile* vor *ts*
bzw. *s*, das *e* dahinter; *l* aber fällt aus:

-*lemitse*, Perfektum von -*lematsa* verletzen
-*hege litse*,   »   » -*hege letsa* näher bringen
-*huvitse*,   »   » -*huvetsa* Hoffnung erwecken
-*ińgitse*,   »   » -*ińgitsa* hineinbringen
-*telise*,   »   » -*telesa* jemanden zum Kochen an-
                halten
-*lalise*,   »   » -*lalesa* anbrennen lassen (vom Essen)
-*budise*,   »   » -*budisa* die Fäuste ballen, die Hand
                schließen

ε) *ańya* bildet die *ile*-Form ähnlich, indem es *i* vor *ńy* und *e*
dahinter setzt, *l* aber ausfallen läßt:

-*badińańye*, Perfektum von -*badińańya* nebeneinandersetzen,
                      zusammensetzen, vereinigen
                      von mehreren Dingen
-*ǵujińye*,   »   » -*ǵujańya* zusammenfalten
-*lundamińye*,   »   » -*lundamańya* zusammenrufen,
                      versammeln

Einige Mehrsilbige auf -*anya* gehen aber auch nach den Regeln der Zweisilbigen auf *nya* (s. oben unter *ß*):

-*ananan&itse*, Perfektum von -*ananan&ya* zum Tausch reizen
-*linanitse*,   »   » -*linanya* gleichmachen (neben
                        -*lininye*)
-*onanitse*,   »   » -*onanya* vermischen

Die kausativen Relativa bilden den Perfektstamm analog den obigen Bildungen, z. B.:

     -*budisihitse* Perfektum von -*budisihitsa*
     -*lovosehitse*   »   » -*lovosehetsa*
     -*vutsehitse*   »   » -*vutsehetsa*
     -*pulehitse*   »   » -*pulehetsa*

§ 27. Perfektum mit Personalpronomen.

1. Vor diese Perfektstämme treten also die Personalpronomen aus § 14, 2. zur Bildung einer Form, die die vollendete Handlung ausdrückt, z. B.:

a) *ndetovile*   ich habe geschlagen, bin damit fertig
   utovile   du hast   »
   atovile   er hat   »
   tutovile   wir haben   »
   ntovile   ihr habt   »
   vatovile   sie haben   »

Sing. der 2. Kl. *dutovile*   Plur. der 5. Kl. *tutovile*
Plur. » 2. » *ditovile*   Sing. » 6. » *litovile*
Sing. » 3. » *jitovile*   Plur. » 6. » *gatovile*
Plur. » 3. » *tsitovile*   Sing. » 7. » *lutovile*
Sing. » 4. » *kitovile*   Plur. » 7. » *tsitovile*
Plur. » 4. » *sitovile*   Sing. » 8. » *vutovile*
Sing. » 5. » *katovile*   usw.

b) mit Objektspronomen:

   ndentovile   ich habe ihn geschlagen
   uvatovile du hast sie (3. Pers. pl.) geschlagen
   angovile   er hat mich geschlagen, statt *a ni tovile*
   tuvatovile wir haben euch geschlagen
   mbatovile ihr habt sie geschlagen, statt *mu vatovile*
   vakutovile sie haben dich geschlagen

Das Objektspronomen der 2. u. 3. Pers. pl. ist gleich u
durch den Zusammenhang zu erkennen.

2. Ist die Handlung erst kürzlich vollendet oder
Nähe vollendet, so fügt man zwischen Personalpronomen und
form die Vorsilbe *ka* ein.

a) 1. Pers. *ndekatovile* (*ñgatovile*) ich habe geschlagen
   2. » *ukatovile* du hast geschlagen
   3. » *akatovile* er hat geschlagen
   dukatovile
   jikatovile
   kikatovile
   kakatovile
   likatovile
   lukatovile
   usw.

   1. Pers. *tukatovile* wir haben geschlagen
   2. » *ñkatovile* statt *mukatovile* ihr habt geschlag‹
   3. » *vakatovile* sie haben geschlagen
   dikatovile
   tsikatovile
   sikatovile
   tukatovile
   dakatovile
   tsikatovile

b) mit Objektspronomen:

   ndekakutovile ich habe dich geschlagen
   ukanovile du hast mich » statt *u ka ni*
   akatutovile er hat uns »
   tukantovile wir haben ihn »
   ñkavatovile ihr habt sie (3. Pers. pl.) geschlagen
   vakavatovile sie haben euch geschlagen
   dukanovile er (Baum) hat mich geschlagen
   dikakutovile sie (Bäume) haben dich geschlagen
   jikantovile es (Rind) hat ihn geschlagen
   usw.

3. War die Handlung schon in der Vergangenheit voll‹
so fügt man *a* zwischen Personalpronomen und Verbalfor‹
s. oben die *a*-Form.

❭ *ndatovile* ich hatte geschlagen   *twatovile* wir hatten geschlagen
   vwatovile du hattest   •   *mwatovile* ihr hattet   •
   ātovile   er hatte   •   *vatovile*   sie hatten   •
   gwatovile   *gyatovile*
   jatovile   *tsatovile*
   kyatovile   *syatovile*
   kātovile   *twatovile*
   lyatovile   *gātovile*
   hvatovile   *tsatovile*
   vwatovile
   kwatovile
   gwatovile
   mwatovile darin hatte es geschlagen
   patovile   dabei   •   •   •
   kwatovile daselbst hatte es geschlagen

mit Objektspronomen:

     ndantovile   ich hatte ihn geschlagen
     vwanovile   du hattest mich geschlagen
     akutovile   er hatte dich geschlagen
     twavatovile wir hatten euch geschlagen
     mwatutovile ihr hattet uns geschlagen
     vavatovile   sie hatten sie (3. Pers. pl.) geschlagen
               usw. wie oben

§ 28. Die *tsi*-Form.

Um auszudrücken, daß die Handlung an einem Orte vor sich ging, geht oder gehen wird, welcher von dem Redenden entfernt ist, schiebt man die Silbe *tsi* in eine Anzahl der oben genannten Formen ein, z. B.:

     a) *nditsitova*   ich werde schlagen, wenn ich ihn sehe, oder dorthin komme, wo er sich befindet

       vwitsitova   du wirst   "
       itsitova   er wird   "
       twitsitova   wir werden   "
       mwitsitova   ihr werdet   "
       vitsitova   sie werden   "

2. Kl.	*gwitsitova, gitsitova*	8. Kl.	*vwitsitova*
3. »	*jitsitova, tsitsitova*	9. »	*kwitsitova*
4. »	*kitsitova, sitsitova*	10. »	*gwitsitova*
5. »	*kitsitova, twitsitova*	11. »	*mwitsitova*
6. »	*litsitova, gitsitova*	12. »	*pitsitova*
7. »	*lwitsitova, tsitsitova*	13. »	*kwitsitova*

b) mit Objektspronomen:

nditsikuntova	ich werde ihn schlagen, wenn ich hinkomme
vwitsikungva	du wirst mich schlagen, wenn du herkommst
itsikukutova	er wird dich schlagen, wenn er zu dir kommt
twitsikuvatova	wir werden euch schlagen, wenn wir hinkomme
mwitsikututova	ihr werdet uns schlagen, wenn ihr hinkommt
vitsikuvatova	sie werden sie schlagen, wenn sie hinkommen
	usw. wie oben

Es ist hierbei darauf zu achten, daß die Silbe *ku* zwischer und Objektspronomen eingeschoben wird, (vgl. § 26, 1 c). Weitere Formen mit *tsi*:

ndetsitovile	ich habe geschlagen, als ich dort war
ndatsitova	ich schlug, als ich dort war
ndekatsitova	• • • • • •
ndelatsitova	ich werde schlagen, wenn ich hinkomme

§ 29. Die *pi*-Form.

Um eine partizipiale Umschreibung, ähnlich dem englisc *I'm going*, auszudrücken, wird *pi* in eine Anzahl der schon handelten Zeitformen eingefügt, z. B.:

a) *ndipitova*	ich bin schlagend
vwipitova	du bist »
ipitova	er ist »
twipitova	wir sind »
mwipitova	ihr seid »
vipitova	sie sind »

2. Kl. sing. *gwipitova* pl. *gipitova*	5. Kl. sing. *kipitova* pl. *twipit*
3. » » *jipitova* » *tsipitova*	6. » » *lipitova* » *gipito*
4. » » *kipitova* » *sipitova*	7. » » *lwipitova* » *tsipit*
8. Kl. *vwipitova*	11. Kl. *mwipitova*
9. » *kwipitova*	12. » *pipitova*
10. » *gwipitova*	13. » *kwipitova*

b) mit Objektspronomen (mit eingefügtem *ku*):

ndipikuntova ich bin ihn schlagend
vwipikunova du bist mich   »
ipikukutova er ist dich   »
twipikuvatova wir sind euch   »
mwipikuvatova ihr seid sie   »
vipikututova sie sind uns   »
            usw. wie oben

Fernere Formen mit *pi*:

ndekapitova ich war schlagend usw.
ndapitova   »   »   »   »

§ 30. Die *pitsi*-Form.

Auch Formen mit *tsi* können noch außerdem *pi* annehmen, bei *pi* vor *tsi* tritt.

a) *ndipitsitova* ich werde schlagend sein, wenn ich hinkomme
vwipitsitova du wirst   »   »
ipitsitova er wird   »   »
twipitsitova wir werden   »   »
mwipitsitova ihr werdet   »   »
vipitsitova sie werden   »   »

      2. Kl. sing. *gwipitsitova*   pl. *jipitsitova*
      3. » » *jipitsitova*   » *tsipitsitova*
      4. » » *kipitsitova*   » *sipitsitova*
      5. » » *kipitsitova*   » *twipitsitova*
   6. Kl. sing. *lipitsitova*   pl. *jipitsitova*
   7. » » *lwipitsitova*   » *tsipitsitova*

8. Kl. *vwipitsitova*   10. Kl. *gwipitsitova*   12. Kl. *pipitsitova*
9. » *kwipitsitova*   11. » *mwipitsitova*   13. » *kwipitsitova*

b) mit Objektspronomen (mit eingefügtem *ku*):

ndipitsikuntova ich werde ihn schlagend sein, in der Ferne
vwipitsikunova du wirst mich   »   »
ipitsikukutova er wird dich   »   »
twipitsikuvatova wir werden euch   »   »
mwipitsikuvatova ihr werdet sie   »   »
vipitsikututova sie werden uns   »   »
            usw. wie oben

Fernere Formen mit *pitsi*:

ndekapitsitova ich war schlagend in der Ferne usw.
ndapitsitova   »   »   »   »   »   »

§ 31. Die ɟa-Form.

Um auszudrücken, daß die Handlung eine gewisse Dauer haben soll, nimmt die a-Form hinter dem Verbalstamm die Endung ɟa an, z. B.: *ndatǫvaɟa* ich schlug immerzu; ebenso die Präsensform *nditǫvaɟa* ich schlage anhaltend. Auch das Perfektum kann dieses ɟa annehmen, dasselbe verschmilzt aber mit der Endung *ilę* zu *iɟę*. Die unregelmäßigen Perfekta haben diese Endung nicht.

§ 32. Imperativ.

Der reine Stamm stellt den Imperativ dar, z. B.:

tǫva schlage, *vuka* geh.

In der Mehrzahl wird *i* angehängt, z. B.:

tǫvi schlagt, *vuki* geht.

Auch der Imperativ kann zur Verstärkung die Endung ɟa annehmen, z. B.:

tǫvaɟa schlag doch	*vukaɟa* geh doch
tǫvaɟi schlagt doch	*vukaɟi* geht doch

Imperativ der Einsilbigen s. § 38; s. ferner § 33 b u. f.

§ 33. Konjunktiv.

Der Konjunktivstamm wird gebildet durch Anhängung von *ę* statt des schließenden *a*. Vor diesen Stamm treten die Personalpronomina, z. B.:

a) *ndetǫvę* ich möge, möchte schlagen, auch: damit ich schlagen

    utǫvę   du mögest, möchtest »   möge

    atǫvę   er möge, möchte   »

    tutǫvę wir mögen, möchten »

    ntǫvę   ihr möget, möchtet »

    vatǫvę sie mögen, ₋möchten »

2. Kl. sing. *ɟutǫvę* pl. *ɟitǫvę*	5. Kl. sing. *katǫvę* pl. *tutǫvę*
3. » » *jitǫvę* » *tsitǫvę*	6. » » *litǫvę* » *ɟatǫvę*
4. » » *kitǫvę* » *sitǫvę*	7. » » *lutǫvę* » *tsitǫvę*
8. Kl. *vutǫvę*	9. Kl. *kutǫvę*	10. Kl. *ɟutǫvę*
11. » *mutǫvę*	12. » *patǫvę*	13. » *kutǫvę*

b) Mit Objektspronomen:

ndentǫvǫ ich möge ihn schlagen, damit ich ihn schlage
unǫvǫ du mögest mich ▪ statt *u-ni-tǫvǫ*
akutǫvǫ er möge dich ▪
tuvatǫvǫ wir mögen euch ▪
mbatǫvǫ ihr möget sie ▪ ▪ *mu-vatǫvǫ*
vatutǫvǫ sie mögen uns ▪
usw. wie oben.

Die 2. Pers. sing. u. pl., auch die 1. Pers. pl. können gebraucht werden, um einen höflicheren Befehl oder Aufforderung auszudrücken:

utǫvǫ schlage   *vouke* geh
ntǫvǫ schlaget   *mbuke* gehet
tuvuke laßt uns gehen

c) Statt der gewöhnlichen Konjunktivform bildet man eine ver-
stärkte Form, indem man *ǵe* (*ǵa* + *e*) an den Verbalstamm anhängt

ndetǫvaǵe   tutǫvaǵe
utǫvaǵe   ntǫvaǵe
atǫvaǵe   vatǫvaǵe

2. Kl. sing. *ǵutǫvaǵe* pl. *ǵitǫvaǵe*   5. Kl. sing. *katǫvaǵe* pl. *tutǫvaǵe*
3. » » *ǵitǫvaǵe* » *tsitǫvaǵe*   6. » » *litǫvaǵe* » *ǵatǫvaǵe*
4. » » *kitǫvaǵe* » *sitǫvaǵe*   7. » » *lutǫvaǵe* » *tsitǫvaǵe*
8. Kl. *vutǫvaǵe*   9. Kl. *kutǫvaǵe*   10. Kl. *ǵutǫvaǵe*
11. » *mutǫvaǵe*   12. » *patǫvaǵe*   13. » *kutǫvaǵe*

d) Mit Objektspronomen:

ndentǫvaǵe ich möge ihn schlagen
unǫvaǵe du mögest mich ▪
akutǫvaǵe er möge dich ▪
tuvatǫvaǵe wir mögen euch schlagen
mbatǫvaǵe ihr möget sie ▪
vatutǫvaǵe sie mögen uns ▪
Ebenso die übrigen Klassen.

e) Soll die Handlung nicht sofort geschehen, sondern nach
gewisser Zeit, so fügt man -*ka* ein:

ndekatǫvǫ (*ngatǫvǫ*) ich möge schlagen nach einiger Zeit
ukatǫvǫ du mögest schlagen
akatǫvǫ er möge ▪
tukatǫvǫ wir mögen ▪
ńkatǫvǫ ihr möget ▪
vakatǫvǫ sie mögen ▪

2. Kl. sing. *ɟukatǫrę* pl. *ɟjkatǫvę*   5. Kl. sing. *kakatǫvę*   pl. *tukatǫvę*
3. » » *jikatǫvę*   » *tsikatǫvę*   6. » » *likatǫvę*   » *ɟakatǫvę*
4. • » *kjkatǫvę*   » *sikatǫvę*   7. • » *lukatǫvę*   » *tsikatǫvę*
     8. Kl. *vukatǫvę*   9. Kl. *kukatǫvę*   10. Kl. *ɟukatǫvę*
11. » *mukatǫvę*   12. » *pakatǫvę*   13. » *kukatǫvę*

f) Die 2. Pers. sing. u. pl. dient ebenfalls als höflichere Form des Imperativs:

    ukatǫvę schlage (später)   *ńkatǫvę* schlaget (später)

g) Mit Objektspronomen:

ndekantǫvę	ich möchte ihn schlagen
ukanǫvę	du möchtest mich »
akakutǫvę	er möchte dich »
tukavatǫvę	wir möchten euch schlagen
ńkavatǫvę	ihr möchtet sie »
vakatutǫvę	sie möchten uns »
	usw. wie oben.

h) Mit *pi*: *ndekapitǫvę* (*ńgapitǫvę*) ich möchte schlagend sein

i) Mit *pitsi*: *ndekapitsitǫvę* (*ńgapitsitǫvę*) ich möchte schlagend sein an fernem Ort.

§ 34. Die *i-ka*-Form.

Mit der Vorsilbe *i-ka* wird vom Konjunktivstamm eine Form gebildet, die in Nebensätzen und konditionalen Hauptsätzen angewandt wird:

ndikatǫvę	*twikatǫvę*
vwikatǫvę	*mwikatǫvę*
ikatǫvę	*vikatǫvę* usw.

z. B.:

Vo ikavę pa kjhulu, likika ęlipululu.

Als es (das Mädchen) im Flußtal angelangt war, kam ein Regenstrom herab.

Akilanga esęnga akata: ndenǎkusunę ụvę, vwikatsǫvę (vwikatę) keki? jikata, ndikatę: bū!

Er rief ein Rind heran und sagte: wenn ich dich nach Hause schicken würde, was würdest du (dort) sagen? es sprach: ich würde sagen: bū!

§ 35. Negation.

Die Verneinung der Verbalform wird ausgedrückt durch *na*, das man vor die volle Form stellt.

Die Negation wird aber nicht von jeder Verbalform, sondern nur von den folgenden Formen gebraucht:

1. *nanditqva* ich schlage nicht (überhaupt nicht)
navwitqva du schlägst nicht
nitqva er schlägt nicht
natwitqva wir schlagen nicht
namwitqva ihr schlagt nicht
navitqva sie schlagen nicht
usw.

Daneben mit Verwandlung des Schluß-*a* in -*i*:

2. *nanditqvi*   *natwitqvi*
navwitqvi   *namwitqvi*
nitqvi   *navitqvi* usf.

3. *nanditsitqvi* ich schlage nicht, wenn ich dorthin komme
(ich werde nicht schlagen)
navwitsitqvi du schlägst nicht
nitsitqvi er schlägt nicht
natwitsitqvi wir schlagen nicht
namwitsitqvi ihr schlagt nicht
navitsitqvi sie schlagen nicht
usw.

4. *nandikatqvi* ich würde nicht schlagen
navwikatqvi du würdest nicht schlagen
nikatqvi er würde nicht schlagen
natwikatqvi wir würden nicht schlagen
namwikatqvi ihr würdet nicht schlagen
navikatqvi sie würden nicht schlagen
usw.

Mit Verwandlung des Schluß-*a* in *e*:

5. *nandekátove* ich möge, möchte nicht schlagen
nukátove du mögest, möchtest nicht schlagen
nakatove er möge, möchte nicht schlagen
natukatove wir mögen, möchten nicht schlagen
nankatove ihr möget, möchtet nicht schlagen
navakatove sie mögen, möchten nicht schlagen
usw.

6. *nandekátove* ich schlug nicht
nukatove du schlugst nicht
nakatove er schlug nicht
natukatove wir schlugen nicht
nankatove ihr schluget nicht
navakatove sie schlugen nicht
usw.

Man achte auf den Ton der beiden Formen 5 und 6, ‹
äußerlich gleich sind.

7. *nandátọrẹ* *natcatọrẹ* ich schlug nicht (anhaltend)
   narcatọrẹ *namcatọrẹ* usw.
   natọrẹ *navatọrẹ*

   usw.

8. *nandekatsitọrẹ* ich schlug nicht (in der Ferne)
   nukatsitọrẹ du schlugst nicht
   nakatsitọrẹ er schlug nicht
   natukatsitọrẹ wir schlugen nicht
   nankatsitọrẹ ihr schluget nicht
   navakatsitọrẹ sie schlugen nicht

   usw.

9. *nandekitọrẹ* ich werde nicht schlagen
   nulatọrẹ du wirst nicht schlagen
   nalatọrẹ er wird nicht schlagen
   natulatọrẹ wir werden nicht schlagen
   nandatọrẹ ihr werdet nicht schlagen (statt *namula-*)
   navalatọrẹ sie werden nicht schlagen usw.

10. *nandelatsitọrẹ* ich werde nicht schlagen (in der Fern
    nulatsitọrẹ du wirst nicht schlagen
    nalatsitọrẹ er wird nicht schlagen
    natulatsitọrẹ wir werden nicht schlagen
    nandatsitọrẹ ihr werdet nicht schlagen, statt *namula-*
    navalatsitọrẹ sie werden nicht schlagen

    usw.

11. *nalakatọrẹ* ich werde nicht schlagen (nahes Futurum)
    nulakatọrẹ du wirst nicht schlagen
    nalakatọrẹ er wird nicht schlagen
    natulakatọrẹ wir werden nicht schlagen
    nandakatọrẹ ihr werdet nicht schlagen, statt *namula-*
    navalakatọrẹ sie werden nicht schlagen

    usw.

Mit Veränderung der Perfektendung *ilẹ* in *ili*:

12. *nandetọvili* ich habe nicht geschlagen
    nutọvili du hast nicht geschlagen
    natọvili er hat nicht geschlagen
    natutọvili wir haben nicht geschlagen
    nantọvili ihr habt nicht geschlagen
    navatọvili sie haben nicht geschlagen

    usw.

13. *nandekatovili* Bedeutung wie 12   *natukatovili*
nukatovili   *nankatovili*
nakatovili   *navakatovili*

                              usw.

Mit Veränderung der Endung *ive* in *ivi*:

14. *nandetovivi* ich hatte nicht geschlagen
nutovivi du hattest nicht geschlagen
natovivi er hatte nicht geschlagen
natutovivi wir hatten nicht geschlagen
nantovivi ihr hattet nicht geschlagen
navatovivi sie hatten nicht geschlagen

                              usw.

Auch für die Negation gilt die Regel, daß bei den Formen mit *tri* bei vokalischem Anlaut des Verbum oder in Verbindung mit Objektspronomen zwischen *tsi* und Verbalstamm *ku* eingeschoben wird.

nanditsikwemi ich werde nicht stehen (wenn ich hinkomme)
nanditsikuntovi ich werde ihn nicht schlagen (wenn ich hink.)
nandekatsikwema ich stand nicht (in der Ferne)
nandekatsikuntove ich schlug ihn nicht (in der Ferne)
nandelatsikwema ich werde nicht stehen (in der Ferne)
nandelatsikuntove ich werde ihn nicht schlagen (in der Ferne)

Merke die Formen:

nakwitsisika umunu da kommt man nicht hin
nakwitsigenda »   » kann   »   » gehen
nakwitsikwema »   »   »   »   » stehen
nakutsisiki avanu da ist noch niemand hingekommen
nakutsigendili »   »   »   »   » gegangen
nakutsikwemili »   » hat   »   » gestanden

- 15. Statt des verneinten Konjunktivs braucht man eine Form, die ganz dem affirmativen Futurum gleichlautet, nur daß die Endung *ga* angehängt wird.

ndelatovaga ich soll nicht schlagen
ulatovaga du sollst nicht schlagen
alatovaga er soll nicht schlagen
tulatovaga wir sollen nicht schlagen
ndatovaga ihr sollt nicht schlagen, statt *mula-*
valatovaga sie sollen nicht schlagen

16. Diese Form steht auch für die Verneinung der Befehlsform:

> *ulatqvaḍa* schlage nicht
> *ndatqvaḍa* schlagt nicht, statt *muḷa-*

17. Weitere Formen, die aber mehr Wunsch als Befehl aussprechen, sind:

> a) *jo vwitqvaḍa* schlage nur nicht
>   *jo mwitqvaḍa* schlaget nur nicht
> b) *jo vwiva po utqva* schlage nur nicht
>   *jo mwiva po mutqva* schlaget nur nicht
> c) *jo vwiva pa kutqva* schlage nur nicht
>   *jo mwiva pa kutqva* schlagt nur nicht
>   oder schlagt doch nicht etwa

Diese 3 Formen können auch durch alle Personen konjugiert werden.

18. Ferner merke *pange*, das oft als Verneinung gebraucht wird.

> *amwiḷangiḷe,   umwene pange   amwande*
> er rief ihn,   ohne   daß er (der Gerufene) antwortete
>   oder: er selbst (aber), er antwortete nicht

adudiḷe   isinu   ṅkiwya,   pange sideḍaḍe
er schüttete in den Topf Essen, doch füllte es denselben nicht
      oder: ohne daß es den Topf füllte

19. Die Verneinung des Infinitivs geschieht durch *bakq* »nein«.

> *bakq ukutqva* nicht schlagen
> » *ukwema* » stehen
> » *ukuvuka* » gehen

§ 36. Passivum.

Das Passivum wird gebildet durch Anhängung der Silben -*wa* bzw. -*ivwa*. Verba mit labialem Auslaut haben der Regel nach -*wa*, z. B.: -*tqvwa* geschlagen werden, -*hombwa* bezahlt werden.

Oft werden beide Formen nebeneinander gebraucht, z. B.:

> -*kqṅgivwa* gefolgt werden, neben -*kqṅgwa*
> -*veṅgivwa* verjagt » , »   -*veṅgwa*
> Aber: -*vutsivwa* gefragt werden
>   -*vutsivwa* zurückgebracht werden
>   -*detsivwa* gefüllt werden
>   usw.

Die einzelnen Formen von -*ṭọ̈va* lauten im Passivum:

1. *nditọ̈va*   ich werde geschlagen usw.
2. *ndatọ̈va*   » wurde » »
3. *ndatọ̈vaģva*   » » » (dauernd)
4. *ndekatọ̈va*   » »
5. *ndetọ̈vihọ̈*   » bin geschlagen worden
6. *ndatọ̈vihọ̈*   » » » »
7. *ndelatọ̈va*   » werde » werden
8. *ndelatsitọ̈va*   » » » » (in der Ferne)
9. *ndetọ̈vọ̈*   » möge, könnte geschlagen werden
10. *ndekatọ̈vọ̈*   » » » » » (nach einiger Zeit)
11. *ndetọ̈vvaģvọ̈*   » » » » werden (nach einiger Zeit)

Konjugation genau wie oben.

§ 37. Negation des Passivum.

1. *nanditọ̈va* }
   nandịtọ̈vi }   ich werde nicht geschlagen
2. *nandatọ̈vọ̈*   » wurde » » (anhaltend)
3. *nandatọ̈vvaģvọ̈*   » » » »
4. *nandekatọ̈vọ̈*   » » » »
5. *nandetọ̈vihọ̈*   » bin » » worden
6. *nandatọ̈vihọ̈*   » » » » »
7. *nandelatọ̈vọ̈*   » werde » » werden
8. *nandelatsitọ̈vọ̈*   » » » » »
9. *nandetọ̈vọ̈*   » möchte » » »
10. *nandekdtọ̈vọ̈*   » » » » »
11. *nandetọ̈vvaģvọ̈*   » » » » »

Konjugation wie oben.

§ 38. Die einsilbigen Verba.

Diese sind:

-*va* sein   -*ńyva* trinken
-*ģva* fallen   -*lya* essen
-*kya* hell werden   -*ḷva* kämpfen
-*kva* Morgengabe geben   -*sva* sterben
-*pa* geben   -*ta* sagen

Hierher gehören auch:

-*pia* brennen   -*ḷia* mit den Augen winken

Über Präsens vgl. § 26, 1,
- Futurum vgl. § 26, 4,
- Perfektum vgl. § 26, 5b.

Zur Bildung des Konjunktivs und Imperativs wird *itsa* zwisch den Stamm und die Endung *ǧa*, *ǧe*, *ǧi* eingeschoben.

Beim Konjunktiv der Verba: *-pa* geben, *-ta* sagen, *-va* se verschmilzt das *a* mit dem folgenden *i* von *itsa* zu *e*, z. B.:

ndepetsaǧe	ich möge geben
ndetetsaǧe	ich möge sagen
avetsaǧe	er möge sein

Bei den übrigen Verben fällt das *a* im Konjunktiv aus, z. I

ndeǧwitsaje	ich möge fallen
kukitsaǧe	es möge hell werden
akwitsaǧe	er möge Morgengabe zahlen
tupitsaǧe	wir mögen brennen
tulitsaǧe	" " essen
tulwitsaje	" " kämpfen
tuswitsaǧe	" " sterben
	usw.

Im übrigen ist die Konjugation dieser Form regelmäßig.

Imperativ.

sing.	*litsaǧa*	iß doch, neben *lya*	pl.	*litsaǧi*	eßt doch
"	*switsaǧa*	stirb doch	"	*switsaǧi*	sterbt doch
"	*vetsaǧa*	sei doch	"	*vetsaǧi*	seid doch
"	*nywitsaǧa*	trink doch	"	*nywitsaǧi*	trinkt doch
		usw.			

§ 39. Negation des Aktiv der einsilbigen Verba.

1. *nandilya*   ich esse nicht
2. *nandekalitsaǧe*   ich aß nicht
3. *nandalitsaǧe*   " " "
4. *nandelye*   ich habe nicht gegessen (statt *nandelyi*)
5. *nandelalitsaǧe*   ich werde nicht essen
6. *nandekalitsa*   " " " "
7. *nandekálitsaǧe*   ich möge nicht essen

§ 40.

Das Passiv der Einsilbigen, wo es vorhanden ist, wi regelmäßig mit der Endung *-vwa* gebildet.

1. *ndelevwa*   ich werde gegessen oder gefressen
2. *ālevwa*   er wurde gefressen

3. *aļiwwę*   er ist gefressen worden
4. *ndęlaļewwa*   ich werde gefressen werden
5. *ndęlewwaǧwę* ich möge gefressen werden

§ 41. Negation des Passiv (regelmäßig).

1. *nandęlewwa*   ich werde nicht gefressen
2. *nandaļewwę*   ich wurde nicht gefressen
3. *nandęļiwwi*   ich bin nicht gefressen worden
4. *nandęlaļewwę*   ich werde nicht gefressen werden
5. *nandęlewwaǧwę* ich möchte nicht gefressen werden

§ 42. Sein.

Zur Bildung des Hilfszeitworts »sein« werden die beiden Stämme *ļi* und *va* gebraucht, von denen *ļi* mehr das farblose »sein« bedeutet, während *va* mehr im Sinne von »etwas sein, etwas vorstellen, etwas geworden sein« gebraucht wird. *aryę ụmụnu* er war Mensch. Da beide Formen aber defektiv sind, müssen sie sich gegenseitig ergänzen.

1. *ndęļi* ich bin   *tuļi* wir sind
   uļi   du bist   *muļi* ihr seid
   aļi   er ist   *vaļi* sie sind
   ǰuļi   *ǰiļi*
   jiļi   *tsiļi*
   kiļi   *siļi*
   kaļi   *tuļi*   usw.

2. Mit *a* vor dem Stamm verändert es das Schluß-*i* in *ę*.
   ndaļę ich war   *twaļę* wir waren
   vwaļę du warst   *mwaļę* ihr waret
   aļę   er war   *vaļę* sie waren
   ǰwaļę   *ǰyaļę*
   jaļę   *tsaļę*
   kyaļę   *syaļę*
   kaļę   *twaļę*   usw.

3. Mit *ka*. Diese Form ist oft mit deutschem Perfektum zu übersetzen.

ndękaļę ich war, bin gewesen   *tukaļę* wir waren, sind gewesen
ụkaļę   du warst   *nkaļę* ihr waret
akaļę   er war   *vakaļę* sie waren
ǰukaļę   *ǰikaļę*
jikaļę   *tsikaļę*
kịkaļę   *sikaļę* usw.

4. Die Verneinung wird regelmäßig durch Vorsetzung der Silbe *na* gebildet, s. oben:

zu 1. *nandeli*   ich bin nicht,   *natuli*   wir sind nicht

. 2. *nandave*   von *va*, s. § 44

. 3. *nandekale* ich war nicht,   *natukale* wir waren nicht,

               ich bin nicht ge-   wir sind nicht gewesen

               wesen

neben *nandekave* ich bin nicht gewesen von *va*, s. § 44.

§ 43. Haben.

I. Das Verb »haben« wird durch die oben, § 42, angeführten Formen von »sein« gebildet, verbunden mit der Präposition *na* »mit«, welche dem Stamme folgt.

1. *ndeli na-*   ich habe   *tuli na-*   wir haben

             eigtl. ich bin mit   eigtl. wir sind mit

    uli na-   du hast   *ndi na-*   ihr habt

    ali na-   er hat   *vali na-*   sie haben

2. *ndale na-*   ich hatte   *twale na-* wir hatten

             ich habe gehabt   wir haben gehabt

3. *ndekale na-* .   .   .   *tukale na* .   .   .

II. Verneinung:

zu 1. *nandeli na-*   ich habe nicht   *natuli na-*   wir haben nicht

. 2. *nandave na-*   von *va*, s. daselbst

. 3. *nandekale na-* ich hatte nicht   *natukale na* wir hatten nicht

                  ich habe nicht   wir haben nicht

                  [gehabt   [gehabt

neben *nandekave na-* von *va*, s. daselbst

§ 44. -va »sein«.

Es wird, soweit die Formen vorhanden sind, wie die einsilbigen Verba behandelt, zu welchen es gehört, s. d.:

1. *ndiva*   ich bin   *twiva* wir sind

   vwiva du bist   *mwiva* ihr seid

   iva   er ist   *viva*   sie sind

   ɡwiva   *ɡiva*

   jiva   *tsiva*

   kiva   *siva*

   kiva statt *ka-iva*   *twiva*

             usw.

2. Mit *a* wird die betreffende Form von -ḥ gebraucht.

3. Mit *ka*:

ndakava	ich war	*tukava*	wir waren
ukava	du warst	*ńkava*	ihr waret
akava	er war	*vakava* sie waren	usw.

4. Das Perfektum wirft *a* ab und verwandelt *ile* in *ye*:

ndevye	ich bin gewesen,	*turye*	wir sind gewesen
	besser: bin noch,	*mbye*	usw.
	also vollkommenes »Sein»	*vavye*	usw.
uvye	usw.		
avye			

5. Die Form 4 mit *a*:

ndavye	ich bin geworden	*tuavye*	wir waren gewesen
	ich wurde	*muavye*	usw.
	ich ward		
	ich war gewesen	*vāvye*	usw.
uvaavye	usw.		
āvye			

6. Mit *la*:

ndelava	ich werde sein	*tulava*	wir werden sein
ulava	du wirst sein	*ndlava*	ihr werdet sein
alava	er wird sein	*valava* sie werden sein usw.	

7. Mit *la + tsi*:

ndelatsiva	ich werde sein	) in	*tulatsiva*	wir werden sein	) in
ulatsiva	du wirst sein	} der	*ndlatsiva*	ihr werdet sein	} der
alatsiva	er wird sein	) Ferne	*valatsiva*	sie werden sein	) Ferne

usw.

8. Konjunktiv:

ndeve	ich sei	) in	*tuve*	wir mögen sein	(in
uve	ich möge sein	(der	*mbe*	ihr möget sein	(der
ave	damit ich sei	(Ferne	*vave*	sie mögen sein	(Ferne
	oder sein möge				

usw.

9. Dieselbe Form mit der Endung *itsaje*, wobei das *i* von *tsaje* mit dem *e* von *ve* zu *e* verschmilzt:

ndevetsaje	*tuvetsaje*
uvetsaje	*mbetsaje*
avetsaje	*vavetsaje*

usw.

10. Infin.: *ukuva* sein, Verneinung *bako ukuva* nicht sein
Imperativ: *vetsaja* sei! *retsaji* seid! Höfliche Form:
uvetsaje sei doch! *mbetsaje* seid doch!

§ 45. Verneinung der Formen von *va*.

zu § 44, 1. *nandiva*   ich bin nicht   *natwiva*   wir sind nicht
„ „ „ 2. *nandave*   ich war nicht   *natwave*   wir waren nicht
„ „ „ 3. *nandekave* • •   *natukave* • • •

An die Form 3 kann *po* und *kwo* angehängt werden und bedeutet dann: ich usw. war nicht dauernd dort.
z. B. *nandekavepo*, *natukavekwo*

zu § 44, 4. *nandevye* ich bin nicht ge- *natuvye* wird sind nicht
                wesen   gewesen
              ich bin nicht

„ „ „ 5. wird die negative Form 3 gebraucht
„ „ „ 6. *nandelave*   ich werde nicht sein, überhaupt nicht
„ „ „ 7. *nandelatsive* „   „   „   „ in der Ferne
„ „ „ 7b *nalakave*   „   „   „   • in der Nähe
„ „ „ 8. nicht vorhanden, dafür gebräuchlich:

   nandivi ich sei nicht   *natwivi* wir seien nicht
            ich möge, möchte   *namwivi* usw.
   navwivi   [nicht sein   *navivi* usw.
   nivi

Gewöhnlich wird diese Form mit *mwo*, *po*, *kwo* gebraucht, die die betreffende Örtlichkeit bezeichnen:

   nandivimwo darin möchte ich nicht sein
   nandivipo an dem Ort möchte ich nicht sein
   nandivikwo dort möchte ich nicht sein

§ 46.   *a* ·Sein.·

Sehr defektiv und meist nur in Verbindung mit *ka*, *pi*, *tsi* ist der vermutlich älteste Stamm *a* ·sein.· Es kommen davon folgende Formen vor:

   1. *ndipia* ich bin = *ndiva*, s. d.   *twipia*
      vwipia du bist usw.   *mwipia*
      ipia er ist   *vipia*
   2. Verneinung davon:
      nandipia ich bin nicht = *nandiva*, s. d.
   3. *ndipitsia* ich werde sein = *ndipitsiva* ich bin, wenn ich dort hinkomme
   4. Verneinung davon:
      nandipitsia ich werde nicht sein

5. *ndepíe* ich möge sein = *ndere*, s. d.
upíe usw.
apíe usw.

6. *ndeká* ich war = *ndekava*, s. d.   *tuká* wir waren
uká du warst   *ńká* ihr waret
aká er war   *raká* sie waren usw.

7. *ndeké* ich war = *ndekale*, s. d.   *tuké* wir waren
uké du warst   *ńké* ihr waret
aké er war   *vaké* sie waren usw.

8. Verneinung:
nandé ich war nicht = *nandave* oder *nandale*, s. d. statt
nuké usw.   *na-nda-e*
naké
natuké
nańké
navaké usw.

9. *ndepye* ich bin gewesen, war = *ndevye*, s. d. *tūpye*
upye   *mpye*
apye   *rapye* usw.

10. *ndelapía* ich werde sein = *ndelava*, s. d.

§ 47. Mit -*la* und anderen Verben zusammengesetzte Formen.

1. Von *ka*, *na* und *le* wird eine Form gebildet mit der Bedeutung: noch nicht sein.

ndekanale ich bin noch nicht —   *tukanale* wir sind noch nicht —
ukanale du bist   ∙   ∙   *ńkanale* ihr seid   "   "
akanale er ist   ∙   ∙   *vakanale* sie sind   "   ∙
                                          usw.

In Verbindung mit anderen Verben lautet diese Form:

    ndekanale ukumala ich bin noch nicht fertig (werde es aber bald sein)

    ndekanale ukuvuka ich gehe noch nicht (aber bald)

2. Ähnlich ist die Bedeutung, die die Silbe *jo*, vor die Präsensform gestellt, bewirkt:

    jo nditova ich schlage, aber es vergeht noch einige Zeit

    jo ndikwitsa ich komme, aber es vergeht noch einige Zeit, oder ich komme gleich

                       usw.

3. Mit Hilfe von *ṅga* wird eine Form gebildet, die eine höfliche Bitte ausdrückt, z. B.:

    uṅgavuka geh doch, bitte; mit dem Personalpronomen:

ndeṅgataṅga	*tuṅgataṅga*
uṅgataṅga	*muṅgataṅga*
aṅgataṅga	*vaṅgataṅga* usw.

Mit vokalisch anlautendem Verbum:

    uṅgitsa komm doch, bitte

Mit Objektspronomen:

    uṅgantaṅga hilf ihm doch   statt *uṅga-mu-taṅga*
    uṅganaṅga hilf mir doch   statt *uṅga-ni-taṅga*

4. Mit derselben Vorsilbe und dem Konjunktiv wird eine Form
gebildet, die konditionalen Sinn hat:

ndeṅgatove	wenn ich schlüge	*tuṅgatove*	wenn	wir schlügen
uṅgatove	» du schlügest	*muṅgatove*	»	ihr schlüget
aṅgatove	» er schlüge	*vaṅgatove*	»	sie schlügen usw.

5. Mit dem Konjunktiv von *itsa* kommen vor dem Konjunktiv
der obigen Form bildet man folgende Form:

    ndeṅgitse ndetove wenn ich käme und schlüge, oder
                      wenn ich schlagen würde (in der Ferne)
    uṅgitse utove   usw.
    aṅgitse atove
    tuṅgitse tutove
    muṅgitse ntove
    vaṅgitse vatove usw.

Die Form ist entstanden aus *nde-*, *ṅga-*, *itse-* usw.

Es ist bei dieser Form darauf zu achten, daß das Personalpronomen zweimal in Anwendung kommt.

6. Eine andere Form wird mit *pa* und *li* gebildet, die beide
vor das Personalpronomen mit dem reinen Stamm gesetzt werden;
dabei wird das *a* von *pa* vermöge der Vokalassimilation in den
Vokal der folgenden Silbe geändert, die Bedeutung ist: »und nun«,
»und dann«, »darauf«, »dann«, z. B.:

    amalile akavombo ka mwene, palaluta er beendete seine Arbeit
    und ging dann, oder: darauf ging er, oder: dann ging er
    ukatye: tuvuke, pulusitila baho du sagtest, wir wollen gehen,
    und nun weigerst du dich hier (eigtl. um des Hierbleibens
    willen, relativ von *sita*).

Diese Form mit *tᵩva* lautet:

pili ndetᵩva	statt	*pa li ndetᵩva*
pulutᵩva	•	*pa li utᵩva*
palatᵩva	•	*pa ali atᵩva*
pili tutᵩva	•	*pa li kutᵩra*
pili ntᵩva	•	*pa li mutᵩra*
pili vatᵩva	•	*pa li ratᵩra* usw.

Das *i* von *li* wird also dabei von dem Pronomen der 2. und 3. Person *u* bzw. *a* verschlungen.

7. Mit *ne* und *ge* vor dem Verbum mit Personalpronomen entsteht folgende Form mit der Bedeutung «dann erst», «darauf», «dann»:

nege nditᵩva	*nege tutᵩra*
nugutᵩva statt *nege utᵩva*	*nege ntᵩra*
nagatᵩva • *nege atᵩva*	*nege ratᵩra* usw.

Auch hierbei nimmt *ne* in der 2. u. 3. Pers. sing. laut Vokalassimilation den Vokal der folgenden Silbe an. Daneben sind für die 2. u. 3. Pers. sing. aber auch gebräuchlich die Formen *negjutᵩra* *negatᵩva*.

8. Das Verharren bei einer Tätigkeit wird ausgedrückt durch *tsige*:

ndetsige ndetᵩvile	*tutsige tutᵩvile*
utsig' utᵩvile	*ntsige ntᵩvile*
atsig' atᵩvile	*vatsige vatᵩvile* usw.

ich habe anhaltend geschlagen, ich verharrte beim Schlagen usw.

§ 48. Weitere Zusammensetzungen mit -*li* und -*va*.

1.
ndale ndetᵩva	ich schlug, eigtl. ich war, ich schlug
vwale utᵩva	du schlugst usw.
ale atᵩva	er schlug
twale tutᵩva	wir schlugen
mwale ntᵩva	ihr schluget
vale vatᵩva	sie schlugen usw.

2. Verneinung dazu:
nandale ndetᵩva	ich schlug nicht, ich hätte nicht geschlagen
navwale utᵩva	usw.
nale atᵩva	
natwale tutᵩva	
namwale ntᵩva	
navale vatᵩva	usw.

94

3. Mit Hilfe von *ọ* und *ịga* werden weitere k o n d i t i o n a l e Formen gebildet. s. auch § 47. 3, 4. Das Stammverbum steht dabei im Präsens oder Perfektum:

> *ndeṅgaoẹ nditọra* wenn ich schlage
> *uṅgaoẹ oaritọra*   •   du schlägst
> *aṅgaoẹ itọra*   •   er schlägt
> *tuṅgarẹ tiritọra*   •   wir schlagen
> *muṅgaoẹ muritọra*   •   ihr schlaget
> *oaṅgarẹ oitọra*   •   sie schlagen usw.
> *ndeṅgaoẹ ndetọoilẹ* wenn ich geschlagen haben werde
> *uṅgaoẹ utọoilẹ*   usw.
> *aṅgaoẹ atọoilẹ*
> *tuṅgarẹ tutọoilẹ*
> *muṅgaoẹ ntọoilẹ*
> *oaṅgaoẹ oatọoilẹ*   usw.

Statt *ịga* kann auch *na* stehen:
> *ndenaoẹ ndetọoilẹ* wenn ich geschlagen habe
> *unaoẹ utọoilẹ*   usw.

oder auch *nẹ*, wohl entstanden aus *naoẹ*, mit Ausfall des *o* und Zusammenziehung des *a* und *ẹ*:
> *ndenẹ ndetọoilẹ*   *unẹ utọoilẹ*
>   usw.

4. Mit der Vorsilbe *nda* und dem Hilfszeitwort *ḷ* wird von der vorigen Form noch eine k o n d i t i o n a l e Form gebildet. Dabei fällt das *i* vor *u* und *a* der 2. u. 3. Pers. sing. aus, und *nda* nimmt vermöge der Vokalassimilation stets den Vokal der folgenden Silbe an, wird also in der 2. Pers. sing. *ndu*; in allen anderen Formen mit Ausnahme der 3. Pers. sing. ergibt sich also *ndi* (vgl. auch die Form unter § 47, 6).

Diese Form lautet mit -*tọoa*:

> *ndịlị ndeṅgaoẹ nditọoa*
> *nduluṅgarẹ muitọoa* statt *nd(a) ḷ(i) uṅgaoẹ*
> *ndalaṅgaoẹ itọoa*   •   *nd(a) ḷ(i) aṅgaoẹ*
> *ndịlị tuṅgaoẹ tuitọoa*
> *ndịlị muṅgaoẹ muitọoa*
> *ndịlị oaṅgaoẹ oitọoa* usw.

Mit Perfektum:

ndịlị ndeṅgaoẹ ndetọoilẹ	*ndịlị tuṅgaoẹ tutọoilẹ*
nduluṅgaoẹ utọoilẹ	*ndịlị muṅgaoẹ ntọoilẹ*
ndalaṅgaoẹ atọoilẹ	*ndịlị oaṅgaoẹ oatọoilẹ* usw.

Diese Form kommt in Bedingungssätzen zur Anwendung (s. diese), ibei wird in der Regel die Verbindung von *nda* und *lj* im Nach- itze wiederholt, mit dem entsprechenden Tempus, aber ohne *ngare*; ie kann in einzelnen Fällen aber auch fortfallen bzw. durch *po* er- etzt werden:

ndįlį ndengavę ndikuntova ųmunu, ndįlį ndijaka siri
wenn ich den Menschen schlage, so tue ich unrecht

. . . . schlüge, • täte • •

ndįlį ndengavę ndikuntova ųmunu, — ndijaka sivi

. . . . . *po* . .

ndalangavę atovilę, ndalakįmbyę
wenn er geschlagen hätte, dann wäre er davongelaufen
(aus Furcht vor Strafe)

ndalangavę advilę, ndįlį ndempyę
wenn er gebeten hätte, dann hätte ich ihm gegeben

ndįlį tungavę twitsilę, ndįlį tumpokilę
wenn wir gekommen wären, hätten wir ihn gerettet

§ 49. Adverbien.

Eine besondere Adverbialbildung gibt es nicht.
Die deutschen Adverbien werden ausgedrückt durch Adjektiva
: dem Präfix der 4. und 8. Klasse ohne vokalischen Anlaut, z. B.
ŋu gut (adj.); *vuŋonu* gut, schön (adv.); *kariri* schlecht, von *-riri*
lecht (adj.); ferner durch Substantiva: *umwambo uįu* diesseits, oder
ch Substantiv mit Lokalpräfix usw.
Merke folgende:

1. Adverbia des Ortes:

kuŋo hier, her, hierher
kuko da, dort, dorthin (§ 10)
-oni mit *mų*, *pa*, *kų* überall, z. B. *mwoni*
pasi unten
-nzi mit *pa*, *kų* draußen = *panzi*, *kunzi*
-ǧati mit *mų*, *pa*, *kų* drinnen, inmitten, zwischen
-kyaṅya mit *mų*, *pa*, *kų* oben, droben, darauf
ku ṅyumba zu Hause, daheim
ku ṅeǧi links
ku kyandyo rechts
umwambo uįu diesseits
• *ǧulya* jenseits
-mbęlę mu, *pa*, *kų* hinter, unterwegs

pa nzila unterwegs, auf dem Wege
-mbale mit *ku* neben, daneben
    •   mit *pa* seitwärts
-tale mit *ku* weit
-vutale mit *pa, ku, m-* fern, weit in der Ferne
-ipi mit *p-* und *ku* nahe
-nena mit *ku, pa* oberhalb, ostwärts
-sika mit *ku, pa* unterhalb, westwärts
umwa hier drin
mumumwa gerade hier drin
palya dort
baha hier
baho ebenda, ebendaselbst (s. § 11, e)

2. der Zeit:

itsutsi vorgestern, neulich
ijolo gestern
elelo heute
kilavo morgen
ntondo übermorgen
pa vusiku morgens, morgen früh
navusiku heute morgen
pa munyi am Tage, tags
pa miho abends
pa hava nachmittags, später
pa kilo nachts
lino eben, jetzt

naninani schnell, bald
sikutsoni immer, immerwährend
lino vovulevule sofort, sogleich, soeben
lungave lusiku ein andermal
nani (mit Relativ des Zeitworts) zuerst, gleich erst (schnell); z. B.
ujahele nani tu (dies) zuerst
mo lamo la langsam, allmählich
tanzi, tananzi, tangu zunächst (auch warte noch)
katale früher

3. der Art und Weise:

nde so
alinde
alihē } genau so ist's recht
vovu levu le so, also
sitso sehr

vunonu gut, wohl, recht
vuvivi
kavivi } schlecht, unrecht
vovu le genug, auch: umsonst

4. der Aussageweise:

ena, ehe, eheju ja, doch, gewiß
hve li fürwahr, wahrhaftig, wirklich
bako nein, nicht
bali • • (niemals gegen Höherstehende gebraucl͞
pange etwa, vielleicht
evwana wahrscheinlich, möglich

5. Viele deutsche Umstandswörter werden durch Zeitwörter oder Zusammensetzung mit diesen ausgedrückt:

-ema na- kutale früh, zeitig, von klein auf = *ndemile nakyo kutala* ich habe damit frühzeitig angefangen
-ema anfangen = zuerst
-mala beenden = zuletzt, neben *mbele*
-uja uku- nochmals
uvuje ukudaha tu es noch einmal
usw.

§ 50. Präpositionen.

1. Zum Ausdruck der deutschen Präpositionen werden die Lokative (s. diese) und *na* »mit« (»und«) gebraucht.

na mit .
ku von, nach, zu; vor Personen *kwa*
pa auf, bei, an
mu in, vor Personen *mwa*

Beispiele.

avukile ku vukiñga er ist nach Kingaland gegangen
esajile kwa ñguluve er betete zu Gott
ali pa ludasi er ist am Flusse
ale mu ñdunda er war im Garten

Merke besonders die Verbindung der Pronomina possessiva mit

a) den Lokativen:

pane	bei mir zu Hause, daheim			
pave	» dir	»	»	
pamwene	» ihm	»	»	
od. *pamyave*	» »	»	»	
pavwe	» uns	»	»	
od. *pamitu*	» »	»	»	
» *pamyavitu*	» »	»	»	
pañye	» euch	»	»	
od. *pamiñyo*	» »	»	»	
» *pamyaviñyo*	» »	»	»	
pavene	» ihnen	»	»	
od. *pamyavo*	» »	»	»	
» *pamyavavo*	» »	»	»	

kwane	zu mir, bei mir zu Hause, daheim					
kwave	» dir,	» dir	»			»
kwamwene	» ihm,	« ihm	»			»
kumwene						
od. *kumyave*	» »	»	»	»	»	»
kwavwe	» uns,	» uns	»			»
od. *kumitu*	» »	»	»	»	»	»
» *kumyavitu*	» »	»	»	»	»	»
kwanye	» euch,	» euch	»			»
od. *kuminyo*	» »	»	»	»	»	»
» *kumyavinyo*	» »	»	»	»	»	»
kwavene	» ihnen,	» ihnen	»			»
kuvene						
od. *kumyavo*	» »	»	»	»	»	»
» *kumyavavo*	» »	»	»	»	»	»
mwane	bei mir drin					
mwave	» dir	»				
mumwene	» ihm	»	, auch	*mmwave*		
od. *mumyave*	» »	»	»	*mmyave*		
mwavwe	» uns	»				
od. *mumitu*	» »	»	»	*mmitu*		
mumyavitu	» »	»	»	*mmyavitu*		
mwanye	» euch	»				
muminyo	» »	»	»	*mminyo*		
mumyavinyo	» »	»	»	*mmyavinyo*		
mwavene	» ihnen	»				
mbene	» »	»				
mumyavo	» »	»	»	*mmyavo*		
mumyavavo	» »	»	»	*mmyavavo*		

b) mit *na* mit (und):

nane	mit mir, auch *nune* statt *na-une*
nave	» dir
namwene	» ihm
navwe	» uns, auch *nuvwe* statt *na uvwe*
nanye	» euch » *nunye* » » *unye*
navene	» ihnen

(Siehe auch oben Pronomina personalia.)

2. Zum Ausdruck anderer deutscher Präpositionen gebra
man Substantive mit Lokativen verbunden; der vokalische Aı
des folgenden Wortes fällt dabei aus, z. B.:

mbulongolo mu-	vor,	auch mit *pa* und *ku*				
pambele pa-	hinter,	»	»	*mu*	»	»
pakyańya pa-	auf,	»	»	»	»	»
pavuhi pa-	unter,	»	»	»	»	»
pambale pa-	neben,	»	»	»	»	»
pagati pa-	zwischen,	»	»	»	»	»
kumena	(oben) oberhalb					
kusika	(unten) unterhalb	usw.				

3. Häufig wird die Präposition schon durch das Verbum ausgedrückt, z. B.:

-*huma* hinausgehen   -*toga* hinaufgehen
-*ińgila* hineingehen   -*ika* hinabgehen
          usw.

4. Viele deutsche Präpositionen werden durch die relative Form des Verbum wiedergegeben, z. B.:

-*gulela* kaufen für, von -*gula* kaufen
-*swela* sterben für, von -*swa* sterben
-*gendela* gehen auf, von -*genda* gehen   usw.

§ 51. Konjunktionen.

Von eigentlichen Konjunktionen gibt es nur wenige, die hier nachfolgend aufgeführt werden. Ihnen sind andere Ausdrücke beigefügt, die wie Konjunktionen gebraucht werden:

kopulative: *na-* und, auch
              na-ene und auch, außerdem; eigentlich: auch er, sie, es, sie
              na-na sowohl — als auch
adversative: *pańge-pańge* weder — noch; entweder — oder
              mańya aber, jedoch, dagegen
kausale: *dpo* daher, deswegen, deshalb, darum
              mańya denn
              namańga weil, da
den Ort bezeichnen: *upú*, *umú*, *ukú* wo, worin, woher, wohin
die Zeit: *vo-* wenn, sobald als, solange als, dieweil
              ndali wann (s. Pron. interrog.)
              ukuhuma — *ukusika* seit — bis
              vo kanale bevor (s. diese Form § 47)
die Weise: *nda* wie, sowie, gleichwie, als ob
              kitá } (mit reinem Verbalstamm) ohne, ohne zu
              vutá } (s. diese Form § 53, IV. 4c)
Absicht und Folge: *ukuta* daß, auf daß

7*

§ 52. Interjektionen.

a) des Staunens, der Verwunderung: *hē! kwo!*

b) der Zustimmung: *alínde!* } recht so! so ist's recht!
   alihé

c) der Frage: *ódo?!* } ist's nicht so?
   vaso?!

d) der Furcht, des Schmerzes: *ádedáda! áde júva!*

e) der Aufmunterung:
   1. zum Nehmen: *ko! odo!* da! nun doch!
   2. zum Gehen: *tsukwa!* pl. *tsukwi!* vorwärts! marsch!
   3. zum Kommen: *tsuvula!* pl. *tsuvuli!* auf, komm! auf,
      kommt! komm! kommt! komm her! kommt her!

f) der Vorsicht: *kyoki!* } Achtung! Vorsicht! Aufgepaßt! (bei
   kyoli! einer Gefahr)

Merke ferner:

nangí! } der Ton, der beim Fallen hervorgerufen wird
nangú!

nandú! » » » » Schießen » »

napá! » » » durch Ohrfeigen » »

nangá! » » » beim Zusammenschlagen von zwei
                  harten Gegenständen entsteht

napó! » » » beim Schlagen auf etwas Hartes,
                 Stein usw. entsteht

napú! » » beim Schlag auf etwas Weiches

natsabwa! patsch! ins Wasser

dudududu gluckern, vom Wasser beim Schöpfen mit Flasche

III. Satzlehre.

§ 53. Zur Syntax der einzelnen Wortarten.

Soweit die syntaktischen Regeln oben bereits gegeben sind,
wird darauf verwiesen. Wir tragen hier zunächst noch einiges nach
was sich dort nicht hat sagen lassen.

I. Zum Hauptwort. § 5—8.

1. Es ist notwendig, sich die Präfixe der verschiedenen
Klassen genau einzuprägen; dieselben dürfen nie verwechselt oder
durcheinander gebracht werden im Laufe des Gesprächs, sonst wird
man nicht verstanden. Diese Regel gilt auch für die Eigenschaft-

wörter. Die Präfixe mit vokalischem Anlaut entsprechen etwa dem bestimmten Artikel, ohne vokalischen Anlaut dem unbestimmten.

2. Soll auf ein Hauptwort besonders hingewiesen oder dieses stärker betont werden, so kann der einfache Pronominalstamm (§ 10) vor das betreffende Substantiv gesetzt werden; letzteres steht dann ohne vokalischen Anlaut, z. B.:

ve munu er, der Mensch, oder gerade der Mensch
ģu mbeki er, der Baum, gerade der Baum usw.

3. Nominativ, Dativ und Akkusativ der Hauptwörter sind gleich, da der Begriff des Kasus überhaupt fehlt. Der Akkusativ unterscheidet sich vom Nominativ nur durch seine Stellung hinter dem Verbum, doch vgl. § 54 2a, welche Stellung der Regel nach auch der Dativ inne hat. Über den Genitiv vgl. § 15.

umunu itova embwa; ummpsu ipa unijatsu
der Mensch erschlägt den Hund; der Reiche er gibt dem Armen

II. Zum Adjektivum. § 9.
Komparation.

Eine eigentliche Komparation gibt es in der Kiṅgasprache nicht, doch kann

a) der Komparativ

1. durch Gegenüberstellung der Gegenstände oder Personen ausgedrückt werden, z. B.:
uniģosi uju nulya, veni nnonu?
dieser Mann und jener, wer ist gut? d. h. welcher ist der bessere?

2. durch den Lokativ *ku* als Präposition:
uniģosi uju nnonu »ku» jujwa
dieser Mann ist gut (im Vergleich) zu jenem, d. h. er ist besser

3. durch Umschreibung mit dem Verbum -*luta* vorübergehen:
uniģosi uju ukuģenda, alutile unnine
dieser Mann übertrifft im Laufen seinen Freund, d. h. läuft besser, schneller

b) der Superlativ kann umschrieben werden:

1. durch *sitso* sehr, welches der Eigenschaft zugefügt wird:
iseṅga itsi mbaha, elya maṅya mbaha sitso
diese Rinder sind groß, jenes aber ist sehr groß, d. h. das größte

2. wie oben 2. mit *oŋi* alle:
eiŋumba eji ndebe ku ŋumba tsoŋi
dieses Haus ist klein im Vergleich mit allen, also das kleinste

3. wie 3 oben mit *oŋi*:
ndála uju wuudule aladile oŋi
diese Frau. in bezug auf die Größe, übertrifft, überragt
alle, d. h. ist die größte, längste

4. ist kein verglichener Gegenstand im Satz vorhanden, so
gilt im Kinga der einfache Positiv in absolutem Sinne:
ŋani mbaha? wer ist der Größte?, d. h. der absolut oder
einzig Große?

III. Zum Verbum. § 21 ff.

1. Das Verbum steht in der Regel n a c h seinem Subjekt, es muß
immer mit dem Personalpronomen der betreffenden Klasse des Substantivs verbunden sein; doch ist im Deutschen das betreffende
Pronomen natürlich nicht zu übersetzen:
umuuu itowa der Mensch (er) schlägt
umbeki gugwa der Baum (er) fällt.

2. Einige Verba haben nur p a s s i v e Form bei aktiver Bedeutung, z. B.:
-samwa vergessen
-sukwa Sehnsucht haben nach
-ōmekwa durstig sein
die Bildung ist regelmäßig wie beim Passiv (s. dasselbe, § 36).

3. Passive Form haben auch einige Verba, die im Deutschen
das O b j e k t i m D a t i v zu sich nehmen, z. B.:
ndepewilwe mir ist gegeben worden
ndipewwa mir wird gegeben
ndewulilwe mir ist gesagt worden

4. Er ist geschlagen •von• — ⎰
 » • gerettet •durch• — ⎱ wird durch *ku* ausgedrückt
atowilwe ku ngosi er ist geschlagen worden von dem Manne
akumilwe ku nyandalwe er ist gebissen worden von der
Schlange
apokilwe ku nnine er ist gerettet worden durch seinen
Freund, Kameraden

5. Um auszudrücken, daß die Tätigkeit des Verbum gerade
v o n d e m S u b j e k t i n g a n z b e s o n d e r e r Weise ausgeübt wird
oder werden soll, wird das Relativum von dem reflexiven Verbum

genommen, und zwar nehmen transitive Verben die aktive Form,
intransitive die passive Form an; wir übersetzen: ich, für meine
Person, du, für deine Person usw., z. B.:

> *ndējǫnękoa* ich für meine Person lege mich
> *ndējǫtękoa* » » » » wärme mich
> *ndējembęla* » » » singe
> *ndēvękęla* » » » » lege mir (das) zurück

6. Ähnliche Bedeutung wie die *ka*-Form, § 26, 3, hat auch die
Form *ļᵢiku*, z. B.:

> *ndiļᵢikutǫva* ich schlug   *tuļᵢikutǫva* wir schlugen
> *uļᵢikutǫva* du schlugst   *muļᵢikutǫva* ihr schluget
> *aļᵢikutǫva* er schlug   *vaļᵢikutǫva* sie schlugen usw.

Auch diese Form wird viel als erzählendes Tempus verwandt.

IV. Zum Adverb und den Partikeln.

1. Zusammen, zugleich, miteinander wird ausgedrückt
durch die Form *panine*, *bahanine*:

> *vaļutile pa-* oder *baha-nine* sie gingen miteinander vorbei
> *ulętaǫe syǫni bahanine* bringe alles zugleich, miteinander
> *uļundamanyaǫe tsǫni bahanine* vereinige alle (Schafe) mit-
> einander
> *vęka bahanine* lege es zusammen, stelle sie zueinander.

2. »Es ist genug« wird durch die in § 11d und e aufgeführten
Formen ausgedrückt:

> *ǵuǵǫ* es ist genug (Medizin)
> *vavǫ*, *vava* es sind genug (Leute)
> *tsitsi*, *tsitsǫ* » » » (Rinder) usw.

3. »Ohne etwas sein«, »etwas nicht haben« wird ausgedrückt
durch *-tsila-* und *-vula-*. Diese Silben treten mit dem Präfix des Be-
sitzlosen vor den fehlenden Gegenstand, der den vokalischen Anlaut
seines Präfixes verliert, z. B.:

> *untsila-* oder *ymbula-kiļunga* der (Mensch), der kein Land
> hat, ohne Land ist
> *ekitsila-* oder *ekivula-ļinyasi* das (Land), das kein Gras hat,
> ohne Gras ist
> *untsila-* oder- *umbula-ļuhala* der keine Weisheit besitzt, un-
> weise ist

usw.

Mit dem Hilfszeitwort *li* sein lauten die Formen:

ndéli ntsila luhala ich bin unweise
tuli vatsila kesa wir sind ohne Erbarmen
uli mbula ńyumba du hast kein Haus
ndi vavula sinu ihr seid ohne Nahrung   usw.

4. Als Verneinungspartikel sind ferner gebräuchlich *si* und *ta*.

a) *si* kann vor den unveränderten Verbalformen gebraucht werden, z. B.:

si ikwitsa er kommt nicht
si atovile er hat nicht geschlagen
si alakwitsa er wird nicht kommen

Dann verneint *si* auch den Wert, die Tauglichkeit:

si nnonu er ist kein guter (Mensch)
umbeki ugu si nnonu dieser Baum taugt nichts
si senga die Kuh ist nichts wert, taugt nichts

b) *ta* bedeutet »nicht haben«, »ohne sein«, in Verbindung mit *va* sein:

avanu avatava vikwedika Leute, die keinen Glauben haben, ohne Glauben sind

c) Mit *ki* oder *vu* ohne zu (vgl. § 54, 11):

andondile kitambona er suchte ihn, ohne ihn zu finden
vipulika vutamańya sie hören, ohne zu verstehen
po vulava vunonu kitasila da wird eine Herrlichkeit sein, ohne aufzuhören, ohne aufhören

§ 54. Zur eigentlichen Satzlehre.

1. Der einfache Satz.

a) In der Regel wird der Satz mit dem Subjekt begonnen; soll ein anderer Satzteil hervorgehoben werden, so kann er zu Anfang gestellt werden: *umunu nnonu* der Mensch ist schön, oder *nnonu umunu* schön ist der Mensch (vgl. prädikativen Gebrauch § 6 und 9. Die Kopula wird dabei nicht besonders ausgedrückt).

b) Ist das Subjekt ein Hauptwort, das Prädikat ein Zeitwort, so muß vor das Zeitwort das entsprechende Fürwort treten (vgl. § 53, III 1):

uńgosi itova der Mann (er) schlägt
embwa jiluma der Hund (er) beißt
ekidege kiduluka der Vogel (er) fliegt
unduma atovilwe der Knabe (er) ist geschlagen worden

2. Der durch ein **Objekt** erweiterte Satz.

a) Enthält der Satz ein Objekt und ist dieses ein Substantivum, so wird in der Regel das darauf bezügliche Pronominalobjekt nach § 14, 4 in die Verbalform eingefügt, z. B.:

> *enyandakoe jikunduma umunu* die Schlange (sie) beißt (ihn) den Menschen
>
> *undäla ikujitova embwa* die Frau (sie) schlägt (ihn) den Hund
>
> *eliduma likundya umwana* der Panther (er) frißt (es) das Kind

b) Dieselbe Regel wird angewendet, wenn das Objekt ein Pronomen relativum oder demonstrativum ist:

> *ikuntova, uvé ikwitsa* er schlägt (ihn), welcher (er) kommt
>
> *akantova uju* er schlug (ihn) diesen

c) Sind Mißverständnisse ausgeschlossen, so kann die pronominale Einfügung auch unterbleiben, z. B.:

> *umenza ineja amagasi* das Mädchen (es) schöpft Wasser
>
> *undäla ihagala inyagala* die Frau (sie) sammelt Brennholz
>
> *ungosi ikenza enolo* der Mann (er) schlachtet das Schaf

d) Sind mehrere Objekte vorhanden, so kann nur ein Objekt in das Verbum eingefügt werden, z. B.:

> *udadadya ampye unswambe elikumbulo* (der) sein Vater (er) gab (ihm) dem (seinem) Sohne die Hacke

Dementsprechend kann auch ein reflexives Verbum neben der Reflexivpartikel kein anderes Objekt haben:

> *etovile ekilunde* er schlug sich das Bein

e) Wenn das Verbum näheres und entfernteres Objekt nach sich hat, so steht das entferntere vor dem näheren, wie im Deutschen:

> *ungahelage umunu uvugono* bereite (ihm) dem Menschen eine Ruhestätte

3. Wenn **Sätze** aneinandergereiht werden, so haben sie in allen Formen in der Regel dasselbe Tempus. Bei der Erzählung entfernter Dinge kann aber je nach dem Geschmack des Redenden die *ka*-Form auch durch die *-linku*-Form abgelöst werden, doch gilt es für feiner, dasselbe Tempus beizubehalten

> *avanu vagatye, vahumile ku vutale, vagendile isijono sidatu* die Leute sind müde geworden, sie sind aus der Ferne gekommen, (und) sie sind drei Tage gereist
>
> *umenza akitsa, akasika kulugasi, akanegelela amagasi* das Mädchen kam, es langte am Flusse an, (und) es schöpfte Wasser

Aber auch: *um. akitsa, akas. kulug., alinkunegelela amagasi*

4. Auch Folgesätze werden in der Regel als koordinierte Sätze behandelt:

ndentovile aswe ich schlug ihn, daß er starb, eigtl. ich habe ihn geschlagen, er ist gestorben

5. Häufig werden Sätze als Infinitive subordiniert, die wir im Deutschen koordinieren. Er ist gekommen und hat mich besucht:

itsile kukundola er ist gekommen, mich zu besuchen
avukile kwilima

Auch können mehrere Imperative wie im Deutschen hintereinanderstehen, oder es können die an zweiter Stelle stehenden Formen subordiniert werden, indem man sie in den Infinitiv oder auch in den Konjunktiv setzt:

ńyila, behaga kwinega amagasi lauf schnell und geh, (um) Wasser zu schöpfen

Oder: *ńyila, beha, nega amagasi* lauf schnell, geh und schöpfe Wasser

Oder: *ńyila, ubehe, unege amagasi* lauf schnell, daß du gehest und Wasser schöpfest

6. Alle Sätze, die eine Absicht, einen Wunsch, einen indirekten Befehl enthalten, treten in den Konjunktiv (vgl. auch die vorige Regel):

antovile aswitsage er hat ihn geschlagen, daß er sterbe, auch mit *ukuta* zu bilden

antovile ukuta aswitsage er hat ihn geschlagen, damit er sterbe

avahegye valute er ging ihnen aus dem Wege, daß sie vorbeigehen könnten

Oder: *avahegye ukuta valute* er ging ihnen aus dem Wege, damit sie vorbeigehen könnten

vwitsage unange komm doch und hilf mir

uvilange utetsage vatutange rufe sie (und) sage, sie möchten uns helfen

7. Relativsätze (s. Pronomina relativa § 13).

Man achte im Satzgefüge auf Demonstrativa und Relativa:

a) *mbasajelage avikuvaduka, avikuvaswima* bittet für die (Dem.) so (Rel.) euch beleidigen (und) so euch verfolgen.

Das Demonstrativ steht als Objektspronomen zwischen Personalpronomen und Verbalstamm, so = welche ist Relativum und wird durch das Präfix vor dem Verbum wiedergegeben.

b) _uve_ (Rel.) _ikwitsa kwane, vē_ (Dem.) _nandikumbenga_ wer zu
mir kommt, den will ich nicht hinausstoßen
ve nyakuḏinyivwa, uve iḏoḻosa syoni der ist ein zu Lobender,
welcher alles recht tut

8. Bedingungssätze (s. § 47, 4; 48, 3. 4).

ungave vukwitsa, undoḻaḏe nane wenn du kommst, so be-
suche auch mich
ungambone untwa, ukambuḻe: _ndendondiḻe_ solltest du den
Häuptling sehen, so sage ihm, ich habe ihn gesucht
ndaḻangave apuḻikẹ, ndaḻanaswili wenn er gehört hätte, so
wäre er nicht gestorben
nduḻungave unyiḻangiḻe, ndiḻi nditsiḻe wenn du mich gerufen
hättest, so wäre ich gekommen

Zeitlich mit _vo_:

vo umaḻiḻe, umbuḻe wenn du fertig bist, sage mir's

Mit folgendem _po_:

vo itsiḻe untwa, po unyiḻange wenn der Häuptling gekommen
ist, dann ruf mich

Auch: _untwa vo itsiḻe, po unyiḻange_ der Häuptling, wenn er gekommen ist, so ruf mich

9. Beispiele für Verwendung des Infinitivs:

ukevandeḻe ukuḏwa sei vorsichtig, damit du nicht fällst
itsiḻe kukuntova er ist gekommen, um ihn zu schlagen
vahumiḻe ukumwibata sie kommen heraus, ihn zu ergreifen

Mit Genitiv:

vankungiḻe va kumbuda sie banden ihn, um ihn zu töten
vaneḏiḻe amaḏasi ḏa kunywa sie schöpften Wasser, um es
zu trinken, oder — Trinkwasser
asuniḻe, vaḏuḻe isinu sya kuḻya er sandte sie, daß sie Dinge
zum Essen — Nahrungsmittel kauften
jijaḏiḻe enziḻa ja kuponeḻa es fehlt der Weg, darauf zu entkommen

Merke die Form:

najikuḻi (oder _najiḻi_) _nziḻa, umu tuponeḻaḏe_ es gibt keinen
Weg, darauf wir entkommen könnten
nakuḻi munu unya kutupoka es gibt keinen Menschen, der
uns retten kann

Oder: _nakuḻi munu, uve atupoke_ es gibt keinen Menschen, der uns
retten könnte

10. Statt der indirekten Rede wird gewöhnlich die direkte gebraucht:

> *akatsova akata: ndihuma kuwutale* er sprach, er sagte: ich komme von weit her, statt: er sprach, er sagte: daß er von weit her käme
>
> *atye: ubehaģe kwineģa amajasi* er sagte: gehe doch, Wasser zu schöpfen, statt: er sagte: daß es (das Mädchen) ginge, um Wasser zu schöpfen
>
> *umbeki ģukatye: ndeģwe* der Baum sagte: ich möchte fallen, statt: der Baum droht zu fallen

Indirekte Rede kommt auch vor, z. B.:

> *ambulile lino ndehaģale inyaģala* er sagte mir soeben, ich solle Brennholz sammeln

11. Adverbialsätze mit »ohne zu« (s. § 53 IV. 4 c):

> *ukuswa kwivoneka kitátsóvela ñani ekinu* der Tod erscheint, ohne sich vorher anzumelden, eigtl. ohne vorherzusagen etwas, ein Ding
>
> *unswimi ikonga eñanu vutdlóla enzila* der Jäger verfolgt das Wild, ohne auf den Weg zu achten

Kinga-Texte.

Ekitsago.
Märchen.

1. Uṅkeve. (Herr) Schakal.

Undála akalẹ na vana vani,   ve   asihilẹ   mu maṅga
Eine Frau war mit Kindern vier, dieselben sie verbarg in einer Höhle
akata: •mwọ   ntamajẹ vunọnu.•   Umcẹnẹ akavuka,   uku
sie sagte: hier drin verhaltet euch ruhig. Sie selbst sie ging, wohin
avukilẹ.   P'itsuva   eliṅgẹ   akema   nda   kukọ
sie ist gegangen.   Am Tage dem andern sie stand als wie dort,
akilaṅga akata: •ku nendi li   avana   ava,
sie rief, sie sagte: dort bei den kleinen Trommeln die Kinder diese,
nda   kumpiva?/•   Avenẹ   vakata: •kō tuli   tvivoni,
ob dort ihr seid?! Dieselben sie sagten: da wir sind wir alle,
tuli   vani/• Akavuka.   P'itsuva   eliṅgẹ   akavuja
wir sind vier! Sie ging. Am Tage dem andern sie kehrte wieder,
akata: •ku nendi li   avana   ava, nda
sie sagte: dort bei den kleinen Trommeln die Kinder diese, ob
kumpiva?/•   Avenẹ   vakata: •kō tuli   tvivoni.• Akavuka.
dort ihr seid?! Dieselben sie sagten: da wir sind wir alle. Sie ging.

Vo   avukilẹ,   akitsa   uṅkeve   akilaṅga akata:
Als sie war gegangen, er kam der (Herr) Schakal, er rief, er sagte:
•ku   nendi li   avana   ava, nda   kumpiva?/•
dort bei den kleinen Trommeln die Kinder diese, ob dort ihr seid?!
(akilaṅga nelimeṅyu elivaha).   Avenẹ   vakamwanda   vakata:
(er rief mit Stimme die große) Dieselben sie antworteten, sie sagten:
•kō tuli,   tuli   vani/• Pọ akitsa   akatọla   ujuṅgẹ   umbaha,
da wir sind, wir sind vier! Da er kam, er holte das eine das große,
palakandya.   Pọ   akitsa   avanyinavọ   akata: •ku
darauf er aß es. Als sie kam ihre Mutter, sie sagte: dort bei
nendi li   avana   ava, nda   kumpiva?/•   Avana
den kleinen Trommeln die Kinder diese, ob dort ihr seid?! Die Kinder
vakata: •litsile   elinu,   likalyẹ   ummama,
sie sagten: es ist gekommen ein Untier, es hat gegessen das älteste,

ḷịnọ tuḷị vadatu vovuḷe.•   Umwẹnẹ akavụka   akasika
jetzt wir sind drei nur noch.   Sie   ging,   sie kam an,
akata: •ndẹti?   ẹḷịnu   ḷịki?•   pọ   vakata: •ḷịtui-
sie sagte: wieso? Untier welches?   Da sie sagten: es hat uns
langiḷẹ nda jụvẹ, po   tukata,   ve   jụvẹ,   tuḷyandiḷẹ.•
gerufen wie du, da wir dachten, das bist du, wir antworteten ihm.
Akata: •ḷịlangiḷẹ ndẹti?• vakata: •ḷịkịlangiḷẹ   nelimẹńyu
Sie sagte: es hat gerufen wie? sie sagten: es hat gerufen mit Stimme
eḷịvaha.•   Uvańyinavọ akata: •bakọ ụkwedika, vo   ḷịvuja,
die große. Ihre Mutter sie sagte: nicht zustimmen, wenn es zurück-
mwedikẹ,   vo ndikụvịlanga, unẹ vovuḷẹ.• Akavụka. Uńkẹvẹ
kehrt, stimmt zu, wenn ich euch rufe, ich nur. Sie ging. Der (Herr)
akavuja   akịḷanga nelimẹńyu   ẹḷịvaha,   avẹnẹ
Schakal er kehrte zurück er rief mit Stimme die große, dieselben
vatsikẹ   vanuńyẹ;   akavuja   akịḷanga, avẹnẹ
sie verhielten sich, sie schwiegen; er kehrte zurück, er rief, dieselben
vakava   miẹ.   Pọ akavụka kụ ńyaḷuhaḷa   akambụtsa
sie waren schweigend. Da er ging zum Weisen, er fragte ihn,
akata: •ndẹjahaḍẹ ndẹti?•   Umwẹnẹ   akamwanda   akata:
er sagte: ich möge tun was?   Derselbe er antwortete, er sagte:
•ụbehaḍẹ   uku,   ko ḍịḷị   emihaḷaswẹ,   ụtamaḍẹ
du mögest gehen dahin, wo sie sind die Ameisen, du mögest dich
mụmwa,   ḍịkuḷumaḍẹ   sitsọ,   eḷịmẹńyu ḷyavẹ   pọ
setzen dahinein, sie mögen dich beißen sehr, die Stimme deine dann
ḷịlava   ḷịdẹbẹ.•   Akavuka kụ   mịhaḷaswẹ,   ḍịkanduma
sie wird werden fein. Er ging zu den Ameisen, sie bissen ihn,
ḍịkanduma   ụmana   ḍụọni.   Vo aḷịvwẹnẹ eḷịmẹńyu,
sie bissen ihm den Körper den ganzen. Als er sie sahe die Stimme.
ḷịnyẹ ḷịdẹbẹ,   akavuka akịḷanga nelimẹńyu   eḷịdẹbẹ.
sie war geworden fein, er ging, er rief mit der Stimme der feinen.
Avẹnẹ   vakata: •ve jụva•,   vakamwanda,
Dieselben sie sagten: das ist unsre Mutter, sie antworteten, darauf
paḷasika, akatọḷa   ujuńgẹ   akandya.   Akavuka uvańyinavọ
er kam, er nahm das andre, er aß es. Sie ging ihre Mutter,
akitsa akịḷanga akata: •kụ nendịḷị   avana
sie kam, sie rief, sie sagte: dort bei den kleinen Trommeln die Kinder
ava, nda kumpiva?!•   Vakata: •ḷịkitsịḷẹ   eḷịnu,
diese, ob ihr da seid?! Sie sagten: es ist gekommen ein Untier,
ḷịtọḷiḷẹ   ujuńgẹ,   tuḷị vaveli vovuḷẹ.• Umwẹnẹ akaḷịḷa
es hat geholt den andern, wir sind zwei nur. Sie selbst sie weinte.

akata: -*bakǫ ńyę vana vanę, loli, linǫ ndi careli voru lę,*
sie sagte: nein ihr Kinder meine, seht, jetzt ihr seid zwei nur.

mpulǎhatsaǧę, bakǫ ukwedika elinu, ro litailę.
gehorchet, nicht zustimmen dem Untiere, wenn es gekommen ist.

Akavǫka. Unkęvę akavuja akitsa akilaṅga ndu
Sie ging. Der (Herr) Schakal kehrte wieder, er kam, er rief wie

katalę, avana vakedika, po akasika akantǫla
früher, die Kinder sie stimmten zu, da er kam, er holte ihn

ujünǧę akandya akavuka. Uranyina akavuja
den andern, er aß ihn, er ging. Die Mutter sie kehrte zurück,

akilaṅga akata: -*ku nendili avana ava,*
sie rief, sie sagte: dort bei den kleinen Trommeln die Kinder diese.

uda kumpiva?! *Akamwanda, uve asijyę,*
ob da ihr seid?! Er antwortete ihr, welcher er war übergeblieben.

akata: -*ndęli ndemwęnę, manya elinu lintǫlilę ujünǧę.*
er sagte: ich bin ich allein, denn das Untier es hat geholt den andern.

Akitsa akakuta akata: -*bakǫ ve mwana vanę, rwelǫlęlaǧę vu-*
Sie kam, sie schrie, sie sagte: nein du Kind mein, sieh auf dich gut.

ǫnęs, lǫla, linǫ uli ve mwene voru lę, bakǫ ukwedika. *Akavuka.*
siehe jetzt du bist du allein nur, nicht zustimmen. Sie ging.

Unkęvę akavuja akitsa akilaṅga, umwene
Der (Herr) Schakal er kehrte zurück, er kam, er rief, er selbst

edikę, po akantǫla namwene akandya,
er stimmte zu, da er holte ihn auch ihn selbst, er aß ihn, sie

vasikilę voni. *Uvanyina ro akilaṅga, alemilwę*
sind alle geworden, sie alle. Seine Mutter als sie rief, sie rief ver-

vovulę, namwandili ujünǧę, akavuja akilaṅgu
geblich, umsonst, nicht antwortete ihr jemand, sie wiederholte, sie rief,

akalęmwa. *Akavuka akasika kukǫ akajivǫna ji*
sie tat's vergeblich. Sie ging, sie kam dorthin, sie sah sie sie

mawiga jenę.
die Höhle allein.

Akalila akalila akatanza avanu voni
Sie weinte, sie weinte, sie rief zur Hilfe die Leute sie alle,

akata: -*muńywelaǧę.* *Vakahuma*
sie sagte: trinkt meinetwegen (Zaubermedizin). Sie kamen heraus

voni vakahuma vakasika kuntunanya, ve
alle, sie kamen heraus, sie gelangten zum Zauberdoktor, der

akǫtsitsę umwǫtǫ umbaha akata: -*ńyę ńyivǫni, tsumbil-*
zündete an das Feuer das große, er sagte: ihr ihr alle, springt!

vakatsumba vǫni, vǫni, nelilahvę
sie sprangen sie alle, sie alle, sowohl die (Frau) Schlange als auch
neñyalutsi nesudę neñuku, vǫni, vǫni.
(Herr) Reh und (Herr) Hase und (Herr) Hahn, sie alle, sie alle.
Uñkęvę mañya emilę mbęlę; vo vakasila vǫni,
Der (Herr) Schakal aber er stand hinten; als sie alle waren sie alle,
namwęnę akatsumba akaǰwa akata: põ! mmwǫtǫ,
auch er selbst er sprang, er fiel, er sagte: po! (plumps) ins Feuer,
pǫ akata: »kwǫ! ǰumenzitsę uñkila«, paladumula
da er sagte: nanu! er hat mich gehindert der Schwanz, darauf hieb er
uñkila akataǰa. Akatsumba uluñgę
ab den Schwanz, er warf ihn fort. Er sprang zum andern Male,
akaǰwa; akata: põ! mmwǫtǫ; akata: »kwǫ! kimenzitsę
er fiel; er sagte: po! (plumps) ins Feuer; er sagte nanu! es hat mich
ekilundę«, akadumula ekilundę, akatsumba akaǰwa akata:
gehindert das Bein, er hieb ab das Bein, er sprang, er fiel, er machte
põ! mmwǫtǫ. Pǫ akakeǰeta amalundę ǰǫni akatsumba
plumps! ins Feuer. Da er schnitt ab die Beine sie alle, er sprang,
akaǰwa mmwǫtǫ; akata: põ! akapia mmwǫtǫ. Undãla
er fiel ins Feuer; er machte plumps! er brannte im Feuer. Die Frau
palata: »lǫli, avǫnikę, uvę alyę
darauf sie sagte: seht, er ist offenbar geworden, welcher er hat
avana vanę.« Pǫ akahaǰalela iñyaǰala,
gegessen die Kinder meine. Da sie sammelte herzu Brennholz,
akaveka baha mwǫtǫ, ukuta apitsaǰę ovunǫnu,
sie legte daselbst auf's Feuer, damit er brennen möge gut, daß
akasilę.
er alle werde.

---

2. Uvwikęvę. (Herr) Schakal.

Avahenza vadatu vakavuka kwijava utuntsiǰili,
Die Mädchen die drei sie gingen, um zu graben die Hülsenfrüchtchen,
vaveli vakajavela ñani, ujuñgę akakeletsa. Avaveli ava,
zwei sie gruben schnell, das andere es zögerte. Die zwei diese,
vo vajavilę, vamalilę, vakaǰodǫka;
als sie gegraben hatten, sie waren fertig, sie gingen nach Hause;
vakatsisika ku luǰasi rakemba rakata: »kwikaǰę!«
sie kamen dann an den Fluß, sie sangen, sie sagten: werde doch flach!

Ulugasi lukakepa, eakalgroka. Pa mbele ujunge, eo
Der Fluß er fiel. sie gingen hindurch. Hernach das andere, als
amalila, akajjodoka na mirene akitsa akasika
es war fertig, es ging nach Hause. auch es, es kam, es gelangte
hu lugasi akata, ulugasi lwikaje. Boko,
an den Fluß, es sagte, daß der Fluß flach werden möge. Nein.
ulugasi lukadēja lukadēja lukakuka nolusaja lwa mirene.
der Fluß, er stieg, er stieg, er nahm fort auch den Stab desselben.
Umrene akakimbela akanyila akajuvona ku rutale umrofo.
Es selbst es floh, es lief, es sah es in der Ferne das Feuer.
jwiala. Akavuka kuko akitsa akasika, nesula
es leuchtet. Es ging dahin, es kam, es langte an. und der Regen.
akatima. Vo asike ku ńyumba ja munu Uvwikeve,
er regnete. Als es anlangte zum Hause des Mannes Schakal.
akatgva pa hwitsi akata: «ve Vwikeve ungande-
es klopfte an die Tür, es sagte: du (Herr) Schakal, du mögest
ndulila, ndekote.» Umrene manya akenū-
mir doch auftun, daß ich mich wärme. Er selbst aber er machte
nalekoa; akatsgva ulunge akata: «re Vwikeve,
sich schweigen; es sprach zum andern Mal, es sagte: du (Herr) Schakal.
ungandendulila, ndekote»; umrene akanunala.
du mögest mir doch öffnen, daß ich mich wärme; er selbst er schwieg.
Po akatsgva ulunge akata: «re Vwikeve,
Da es sprach zum andern Male, es sagte: du (Herr) Schakal, du
ungandendulila, ndekote, manya ndehelye
mögest mir doch öffnen, daß ich mich wärme, denn ich zittere vor
sula.» Uvwikeve po akamwanda akata:
Regen. Der (Herr) Schakal da er antwortete ihm. er sagte:
«ndekudendulile ndeti? uli ndala vane?» Umrene
ich möge dir öffnen wieso? du bist (etwa) die Frau meine? Es selbst
palata: «manya ndehelye, ndekote»;
darauf es sagte: aber ich zittere, ich möchte mich wärmen;
akadendula, akota; vukahwa. Uvwikere
er öffnete ihm, es wärmte sich; es ward dunkel. Der (Herr) Schakal
akata: «lino vreotile, vujaja ku ńyumba.»
er sagte: nun du hast dich gewärmt, kehre zurück nach Hause.
Umrene umenza po akata: «ve Vwikeve! vukuswima
Es selbst das Mädchen da es sagte: du Schakal! du verjagst mich
vo keki? manya vohwe, jo ndelevwa.»
wie was? denn es ist dunkel, da werde ich gefressen werden.

Archiv f. d. Stud. deutscher Kolonialsprachen. Bd. III.   8

Umwene akata: •humbe, uvetsage undála vane•;
Er selbst er sagte: Nun denn, du mögest sein die Frau meine;
umwene akanela akata: •bako, ndigodoka
es selbst es weigerte sich, es sagte: Nein, ich kehre nach Haus
pa vusiku.•   Vakatama vakataleka isinu, ujunge isya mwene,
am Morgen.   Sie saßen, sie kochten das Essen, der eine das seine,
nujunge isya mwene.   Uvwikeve po akata:
und der andre das seine.   Der (Herr) Schakal da er sagte: du
•umetsage isyave, une ndekupetsage isyane;•
mögest mir geben das Deinige, ich möge dir geben das Meinige;
po akampa umenza isya mwene, na mwene umenza
da er gab dem Mädchen das Seine, und es selbst das Mädchen
akampa isya mwene.   Vo vakata, twigjmelcagjce,
es gab ihm das Seine.   Als sie sagten, wir mögen uns niederlegen,
umenza akadova elitesu.   Uvwikeve akata: •kwo!
das Mädchen es bat die Matte.   Der (Herr) Schakal er sagte ach!
nandeli nalyo, uli ndála vane, ukyla ndekupetsage
nicht habe ich sie, bist du die Frau meine, daß ich möge dir geben
elitesu?•   Umenza po akata: •umetsage lilya,
die Matte? Das Mädchen da es sagte: du mögest mir geben jene dort,
elyo ugonzile•;   umwene akata: •kwo bako, manya
welche du hast aufgerollt; er selbst er sagte: ach nein, denn
mwo ndegonzelye umwana vane.•   Umenza akatola
darin habe ich eingewickelt das Kind meins. Das Mädchen es holte
elitesu akagonela.   Manya pa vusiku akambona umwana;
die Matte, es legte sich darauf. Aber am Morgen es sah das Kind;
akavuka kwa Vwikeve akata: •lola, umwana ndembwene
es ging zum (Herrn) Schakal, es sagte: sieh, das Kind ich hab' es
mu mwitesu.•   Uvwikeve akata: •manya
gesehen drin in der Matte. Der (Herr) Schakal er sagte: aber
ndekyvulile, ndevekile umwana vane mumwa. Lino
ich hab' dir gesagt, ich habe gelegt das Kind meins dahinein. Jetzt
uvetsage undála vane, unyosehetse umwana vane.•
du mögest sein die Frau meine, du mögest nähren das Kind meins.
Umwene akantula umwana akampapa
Es selbst es holte es das Kind, es nahm es auf den Rücken, es
akagodoka nave.   Uvwikeve akahuma
ging nach Hause mit ihm. Der (Herr) Schakal er trat hinaus,
akambona nda kukwa akamwilanga akata: •rwibeha ndakul jo
er sah es als wie dort, er rief es, er sagte: du gehst wohin? so

vukumbuda   umwana   vanę.•   Undála   akata: •ndembudadję
du wirst töten das Kind meins. Die Frau sie sagte: ich möge es

ndęti umwana vakǫ?•   Umwęnę   akata: •ungambǫnę
töten wie das Kind deins? Er selbst er sagte: wenn du mögest

isǫsǫlǫ   pa   ntvę   pa umwana vanę,   ungatsilęka,
suchen die Läuse auf dem Kopfe des Kindes meins, du magst sie

bakǫ ukubuda, mańya gvǫ   ntịma   gjwa mvvęnę.•   Umvvęnę
lassen, nicht töten, denn dies ist die Seele des selbigen. Sie

akata: •ęhęju.•   Akavuka akasika ku ńyumba akambula
sie sagte: jawohl. Sie ging, sie kam nach Hause, sie sagte ihm

udadadyę   nuvańyina   elya   sǫsǫlǫ.   U-
ihrem Vater und ihrer Mutter die (Sache von) den Läusen. Ein

hvigę lusiku, vo alutịlę   narǫ   kwilịma,   akavavula
ander Mal, als sie ging mit ihnen zum Ackern, sie sagte ihnen

avanūnavę   akata: •ńyę   vaní,
ihren jüngern Geschwistern, sie sagte: ihr meine kleinen Geschwister,

ndǫlają vunǫnu   umwana uju,   mańya   ungatsironę
ihr möget sehen gut (auf) das Kind dieses, wenn aber ihr solltet sehen

isǫsǫlǫ pa   ntvę   gjwa mvvęnę,   ntsilękę, bakǫ ukubuda, mańya
Läuse auf dem Kopfe des selben, (so) laßt sie, nicht töten, denn

gvǫ   ntịma   gjwa mvvęnę.•   Vo   vavukilę,   avanū-
dies ist das Leben des selben. Als sie gegangen waren, ihre jüngern

navę   vakata: •ndali,   aswitsają   ndęti?•
Geschwister sie sagten: ach was, es sollte sterben, wieso? sie

vakalǫla vakatsivǫna   isǫsǫlǫ   pa   ntvę   gjwa mvvana,
schauten, sie sahen sie die Läuse auf dem Kopfe des Kindes, sie

vakatsibuda,   umwana mańya po   aswę.   Avęnę mańya
töteten sie, das Kind aber da es ist gestorben. Sie aber sie

vakampapa   umwana,   vo   aswę.   Pǫ
nahmen es auf den Rücken das Kind, als es war gestorben. Da

kịkalụta ekịdędję,   uku   vilịma,   kịkatama
es ging vorbei das Vöglein dort, (wo) sie ackern, es setzte sich

bakǫ kịkemba kịkata: •ndampilịma-lịmadję   vovulę,
dahin, es sang, es sagte: ob ihr mögt ackern und ackern nur,

ku ńyumba mańya kulị ńgalavana?• Vakamvvilańga undjosi vakata:
zu Hause aber es ist leer? Sie riefen ihn den Mann, sie sagten:

•ụvvadję   elịdędję   eli!•   umwęnę akatova akańyańya
schlage doch das Vogelvieh dieses! er er schlug, er röstete,

akaḷya. Vo   alyę,   kịkavuja   ukutama bahǫ kịkemba
er aß. Als er gegessen, es kehrte wieder zu sitzen daselbst, es sang,

8*

kikata: •nda *mpilima - limaģe,* *ku ńyumba mańya kuli*
es sagte: ob ihr mögt ackern und ackern, zu Hause aber es ist
ńgalavana.• *Vakata:* •ka! *ekideģe* *eki!* *ukatove.*•
leer. Sie sagten: so was! der Vogel dieser! schlage doch.
Udadadę akatǫva akańyańya akalya akata: •najwiyę *mwitsaģę*
Der Vater er schlug, er röstete, er aß, er sagte: Auch ihr möget kommen
kwilya.• *Avenę vakabela;* *vakavuja* *ukutama*
um zu essen. Sie weigerten sich; sie kehrten zurück zu sitzen
bahn; *skideģe* *kikemba vwǫ;* *akatǫva akabuda aka-*
daselbst; der Vogel er sang wieder so; er schlug, er tötete, er wickelte
bina akata: •ekideģe *eki* *kili ndęti?* *tulǫ-*
ein in Gras, er sagte: der Vogel dieser er hat was? Wir wollen
laģe, nda *kitsuka* *naļinǫ.*• *Vakalǫla, skideģe* *ekińge*
sehen ob er aufersteht auch jetzt. Sie sahen den Vogel den andern.
kikatama nda *palya kikemba kikata:* •ndampilima-limaģe,
er saß, als wie dort, er sang, er sagte: ob ihr wohl ackern möget,
ku ńyumba *kuli ńgalavana?*• *Pǫ vakata:* •ka! *ekideģe*
zu Hause (aber) ist es leer? Da sagten sie: so was! Der Vogel
kili ndęti?• *Vakaģodǫka.* *Vo* *vasike,* *vakavavǫnǫ*
er hat was? Sie gingen nach Hause. Als sie ankamen, sie sahen sie
avana, *vipapa umwana,* *uve* *ancę.*
die Kinder, sie trugen auf dem Rücken das Kind, welches es war tot.
Vakavavutsa *vakata:* •ńģahilę *ndęti?*• *vakavanda*
Sie fragten sie, sie sagten: ihr habt getan wie? Sie antworteten ihnen,
vakata: •tutsinwęnę *isosolǫ,* *tutsibudilę,*
sie sagten: wir haben gesehen die Läuse, wir haben sie getötet,
umwana *palaswa.*• *Undala* *palalila* *palata:*
das Kind, darauf es starb. Die Frau sie weinte und sagte:
•mumbudilę *umwana,* *vo ndekatyę:* *mundolę lę vunonu.*•
Ihr habt getötet das Kind, obgleich ich sagte: habt acht auf es gut.
Akapapa *umwana akavuka ku ńyumba ja*
Sie nahm auf den Rücken das Kind, sie ging zum Hause des
Vwikevę, mwo akavvka umwana akavuka. *Umwikevę, ro*
Schakals, darin sie legte das Kind, sie ging. Herr Schakal, als
akambǫna nda kukwa, akamwijańga akata: •umwana vańgo,
er sie sah als wie dort, er rief sie, er sagte: das Kind meins.
ndakul?• *Umwęnę akamwanda akata:* •bakǫ *ancę,*
wo (ist es)? Sie antwortete ihm, sie sagte: ach, es ist gestorben,
ndembekilę *ńńyumba.*• *Umwęnę akata:* •mańya ndekuvulilę:
ich hab es gelegt ins Haus. Derselbe er sagte: Aber ich habe es dir

vukumbuda   umwana   vane.   *Undála   akata:*
(doch) gesagt, du tötest es das Kind meins.   Die Frau sie sagte:
•bako,   ndevavulile,   vandolage vunonu,   bako
nein, ich habe ihnen gesagt, sie mögen auf es achten gut, (gar) nicht
ukubuda isosolo   pantce   gwa mwene; avene,   vo vatsi-
töten die Läuse auf dem Kopfe desselben; sie aber, als sie sie
vwene   isosolo,   vakabuda;   palaswa.   *Uvwikeve*
sahen die Läuse, sie töteten, da ist's gestorben.   Herr Schakal
akata: •bako,   ubudile   uveve   umwana   vane.•
er sagte: nein, du hast getötet, du selbst, das Kind das meine.
Akavilanya   avanine   akankunda;   undála   akakimbela
Er rief sie seine Freunde, er folgte ihr; die Frau, sie lief davon,
akasika kwa   dadadye   akambula   akata: •Uvwikeve
sie kam zu ihrem Vater, sie sprach zu ihm, sie sagte: Herr Schakal
ikununda   ikunalamela   navanu,   kipuga.•   Namwene,
folgt mir, er verfolgt mich mit Leuten, es ist ein Haufe. Auch er,
udadadye, akavilanga   avanine,   vakahuma.   Uvwikeve
ihr Vater, er rief sie seine Freunde, sie kamen heraus. Herr Schakal
vo   asike,   po   vakalwa;   vakavalema
als er angekommen war, da sie kämpften; sie überwanden sie
ava   Vwikeve.   Pitsuva   elinge,   Uvwikeve
die des Schakals.   An einem Tage einem andern, Herr Schakal
akata: •ndegome   isinu   sya jujwa.•   Manya uda-
er sagte: ich möchte rauben die Sachen desselben. Aber der
dadye   undála   akambona   akata: •kyo kinu keki?•   Umwene
Vater der Frau er sah ihn, er sagte: dies was ist dies?   er
akata: •mumbudile   umwana   vane.•   Udadadye
er sagte: ihr habt es getötet das Kind das meine. Der Vater (der
akata: •umwale vango   ugulile   ndali, aka-
Frau) er sagte: meine Tochter, du hast sie gekauft wann, daß sie
kutse   umwana   vako?•   Pili valwa.   Udadadye
ernähren möge das Kind das deine? darauf sie kämpften. Der Vater
akantova   Uvwikeve   akambuda.
(der Frau) er schlug ihn den Schakal, er tötete ihn.

---

3. Lya denzu.

*Avahume vaveli vakavuka kwilola ulukolo lwa vene. Ujunge aswa-
kile sligala lya hove, ujunge elya denzu. Vakavuka vakavuka, po vaka-
vavgna, avahenza vakaluta nda kukwa; vakavilanga vakata: •nye vahenza,*

118

uñye mukunnoǧwa uyeni ku twi vaveli!• Avene vakata: •twinoǧwa, uye
anwalile ekiǧala lya hoye.• Vakavuka vakavavona avahenza avañge
vakavavutsa vakata: •mukunnoǧwa uyeni!• Avene vakata: •tukunnoǧwa,
uye anwalile elya hoye.• Vakavuka. Pa luñyika uluñge vakavavona
avahenza avañge vakavilanga vakata: •mukunnoǧwa uyeni!• Avene vakata:
•uye, anwalile elya hoye.• Ujuñge palata: •kwo! vasulile une, twananane
liṇo eliǧala.• Vakānanana, akampa unning elya denzu, umwene akaswala
elya hoye. Pa luñyika uluñge vakavavona avahenza avañge vakilanga
vakata: •mukunnoǧwa uyeni!• Avene vakata: •uye anwalile eliǧala lya
denzu•; vakaluta. Vo vakavavona avahenza avañge vakata: •mukunnoǧwa
uyeni!• Avene vakata: •uye aswalile eliǧala lya denzu.• Po akata: •kwo!
vasulile voni, ndeli mbivi une, mañya voni vikukunoǧwa juve, nandela-
ǧula undǎla lusiku.• Vakavuka vakasika ku kihulu ku luǧasi. Uñyihoye palata: •tuñywitsaǧe amaǧasi•; ujuñge akata: •ena!• Vakañywa.
Palakata ujuñye: •tujaraǧe eliǧuli•; unning akedika. Vakajava vakajava,
eliǧuli likile. Uñyihoye po akataǧa elya denzu mumwa akata kunning:
•tola!• ve akiñgila akatola akahuma. Vakajava vakajava, vo likile,
uñyahoye akataǧa elya denzu mumwa akatsova kunning akata: •tola liṇo,
tulola•; umwene akata: •kwo bako, liṇo utole uoyve•; akatola akahuma.
Vakajava vakajava vakajava, likile. Uñyahoye akata kunning: •iñgila
liṇo utole.• Umwene akiñgila. Uñyahoye vo ambwene, ajaǧile mumwa,
ǧujaǧile nunhwe ǧwa mwene, akatola umañga, palansela, akadenda vunonu; palavuka kwilola ulukolohoe. Vo akasika, vakambytsa, ndole'
mwene; umwene akata: •ena, ndekale ndemwene.• Akatama navo akaǧona
akaǧona. Elitsuva eliñge akavuja akaǧodoka. Vo akasika ku ñyumba, vakambutsa vakata: •unning alindaku!• Umwene akata: •kwo! ñyaǧe, alimbale,
ipiǧenda ewwana.• Akaǧona. Nakilavo vakambutsa vakata: •unning ndaku!•
Umwene akata: •kwo! ñyaǧe, ndendekile mbale, ipiǧenda.• Na kilavo covule-
vule, nakasike. Po vakakivona ekidaǧe, kikema baho kikemba: •unswambiñyo
nakwale, vambalile eliǧala lya denzu, vandabye mmadaba.• Vo vakapuleka,
vakambutsa vakata: •unning undekile ndaku!• Umwene akata: •ndendekile
mbale, ipiǧenda.• Vakanūnala vakaǧona. Pa vusiku ekideǧe kikavuja
kikemba: •unswambiñyo nakwale, vambalile eliǧala lya denzu, vandabye
mmadaba.• Avene vakambutsa ulya vakata: •unning undekile ndaku!•
umwene akata: •kwo! ndendekile mbale, ipiǧenda, ikwitsa pañga kilavo.•
Avene vakata: •eñgekideǧe kikwemba vo keki?• umwene akata: •kwo!
ñyaǧe, kijala vovule, kikejembela kyene vovule.• Vakanūnala vakaǧona.
Pa vusiku ekiǧono ekiñge, ekideǧe kikemba uluñge kikata: •unswa-
mbiñyo nakwale, vambalile eliǧala lya denzu, vandabile na madaba.• Po
aliñikumbutsa vakata: •unning undekile ndaku!• umwene akata: •nde-

_____
¹ nda a/e zusammengezogen.

ndekile mbele, ipijenda, pange ikwitsa kilaro.• Arene rakata: -ingekidele
kiwemba vo kekj?• Umwene akata: -kwo! kujala kikejembela rorule.•
Avene manya vakata: -tsukwa! turuke, tulotelaje.• Vakaruka nurañyina
va ve vambudile, nudadadye narange, rakatotela. Vo vakaruka raka-
vavona avanu pa nzila, vakaravutsa rakata: -upu ritsile, nda rakale
vomi?• Avene vakata: -bako, natuvarweni, tumbrene jujwa mrene.• Vakaruka, vakavavona avange, vakaravutsa rakata: -upu ritsile, nda rakale
vomi?• Avene vakata: -bako, tuvarwene ro raveli, ujunge manya ajagile
pa kihulu.• Po vakatsisika pa kihulu vakagarona amadaba rakambutsa
vakata: -amadaba aga kekj?• Umwene akata: -amadaba twakinagnapo,
ga bako.• Uvañyina akata: -manya amadaba gironeka, nd'umunu alimile
pani; apo tuselule, tulole.• Po akaselula pasi akajuvona, untwe guroneka,
palata: -unguju nki? unselile apa.• Po vakamwibata na mrene rakajava
digudi vakamwingitsa mumwa, numanga rakamatela, pili ragodoka. Vo
vatsirike ku ñyumba, uvañyina va junge akavavutsa akata: -unswambango,
ndaku?• Avene vakata: -bako, tukambudile namwrene, manya tumbrene,
akambudile unswambitu.• Umwene akalila akata: -mumbudile ndeti?
unwambango? ukuta nte, ndehombaje, nege mumbudile umunu.• Arene
vakata: -uvwe tumbwene ambudile unswambitu, po tutye: na mwene
arwitsage.•

4. Avagogolo.

Avagosi vaveli vakatsengile pa lugasi, ujunge ku nena ujunge ku sika.
Uve akatsengile ku nena, akatsova ku nine, uve atsengile ku sika, akata:
-tubudage avajwa vitu, une ndebudaje ujuva rane, uveve ro urwene,
ndembudile, po ukambude najuve uvañyoko.• Umwene akedika. Vakaruka.
Uve atsengile ku nena, akatola uvutoniu akatwanga akatwanga, paladudila
mwagasi; amagasi po gavye amaduniu, garyeata unkisa. Uve atsengile
ku sika, vo agavwene amagasi maduniu, akata: -unjango lino akambudile
uvañyina, najuve ndembudaje ujuva.• Akatola enyengo, palambuda
uvañyina, palantaga ndugasi. Vo antagile, akavuka kunnine, uve
atsengile ku nena, akambu la akata: -najune ndekambudile ujuva.• Akingila
niyumba akambona mumwca uvañyina va nnine. Akatsova akata:
-uveve ñyango unzangile; une ndembudile ujuva, uve uvañyoko undekile;
najuve umbudage uvañyoko.• Umwene akata: -bako une ndelahile uvutoniu
voovule•; ujunge po akata: -ukumbula une ukuta: ndelahaje uvutoniu?
Une ndembudile ujuva, najuve umbudage uvañyoko.• Umwene akata:
-bako, ule ntsimu uveve, une ndendekile.• Ujunge po akata: -bako une ndembudile, aswe, najuve umbudaje: lola, guvavile untima, vo ndembudile,
umbudage najuve.• Umwene akata: -kwo, bako, humbe umbudage uve•;

127

120

umwene palakweǧa eiiyongo, palambuda uvańyina. Vo ambudile, unninę
akalila akalila, vakolinda kwilwa; mańya akata: •lino umbudile ujuva.•
Umwene akata: •mańya undurits̨e uvę, ukatye: ndembude uvańyoko, po
ndembudile uvańyoko.• Vakitsa avajavo vakata: •ndekani I mbudile ava-
ńyininyo, raswe vo vaveli; musajanę.• Avenę po vakasajana.

5. Amalamba.

Vakale avanu navavaha navadebę, vakavuka ku luǧasi; vakata:
•tujave eliǧuli.• Vakajava vakajava vakambula ujuńgę undumę, aǧele,
vavwenę, aǧelile, likaduǧa ńkivino, vakata: •huma!• Vakajava vakajava, likile, vakata: •ǧela lino•; akingila, eliǧuli likaduǧa neliveǧa;
vakamumya. Vakajava vakajava vakaholońgala vakata: •ingila
lino, tulole.• Vakavona ikile, ajaǧile nuntwe. Po vakatola irisinde,
vakansela vakadenda pakyańya; vakajodoka. Uvańyina undumę ulya
akampulekela unswambe, nakitse. Vakavavutsa avaninę, ndali¹ ndaku;
avenę vakata: •kwo! ńyaǧę.• Nakilavo nakitsę. Vakandonda vakandonda vakalemwa. Mańya elitsuva elińgę umatsavę, ve vanselila, akavuka
kwineǧa amaǧasi; akadudumya ekideli, akapuleka umunu, vo akatsova
akata: •re vududumyauvę, nda vevę ńyakahatsa, ukambulele uńyajuva,
ukatę: unswambe uvambele, vańyavyę akalende.• Umwene akakimbela,
na ku ńyumba akanūnala. Na kilavo uvańyina akata: •behaǧa, uneǧe
amaǧasi•; akavuka kwineǧa. Vo akadudumya ekideli, palatsova umunu
akata: •ve vududumya vę, nda vevę ńyakahatsa, ukambulele uńyajuva,
ukatę: unswambe uvambele, vańyavyę akalende.• Umensa akavuka ku
ńyumba akasika, pańge atsove kinu. Na kilavo vovulevule. Vo akaneǧa
uluńgę, akambula uvańyina akata: •vo ndekale kwineǧa amaǧasi, atso-
vile umunu, akata: ve vududumya vę, nda vevę ńyakahatsa, ukambulele
juva, ukatę: unswambe uvambele, vańyavyę akalende.• Uvańyina akata:
•humbę I bako ubehaǧe nalino, unę ndēsihaǧe, ndepulikę, pańge ve jujwa.•
Vakavuka vakasika ku luǧasi; uvańyina akōva, umenza akaneǧa amaǧasi. Po vapulikę umunu, vo itsova ita: •vę vududumya vę, ndavevr
ńyakahatsa, ukambulele uńyajuva, ukatę unswambe uvambele, vańyavyę
akalende.• Po akitsa uvańyina akavusa ekisinde akambona untwę;
akatola elikumbulo akanselula akambona, ve jujwa. Akalila akalila,
mańya vakambona, umwana avolile mmana. Vakampemba vakambeka
ku ńyumba. Vakatama isiǧono sidatu; pili vavuka kwilima vakatsova
kunswambe vakata: •vivelekelwe ukwokola umwoto; vańgitsę avanu, po
ukabele.• Vakavuka. Vavyę vavukile, po vakitsa avatwa, vakata:

¹ Zusammengezogen aus nda ali.

·ṿẹ kị̣lụ̈ṇẹ, ụtṿọ̣ọkọḷẹ umṿọtọ, tụpẹ pẹ ẹ*ajụ.· Umṿẹṇẹ akata: -kṿọ!
bakọ, nandikṿọkọḷa umṛọtọ.· Aṛẹṇẹ rakata: -tọḷa umṛọtọ!· umṿẹṇẹ
akata: ·bakọ, nanditọḷa.· Pọ ratọḷịḷẹ ụḷubẹkị, ṛakata: ·tuntọṛẹ umẹṇẹ:·
pọḷatọḷa umṛọtọ; aṿyẹ itọḷa umṛọtọ, akahambuka ụkụra ḷụ gjaxi, ḷṛṿi
ḷụkadẹ ga ḷụkadẹ ga, gaṿyẹ amaḷamba. Aṿatṛa pọ rakimbẹḷa. Aṛẹṇṛ
kụ̈kṿa ụkụ ṿakaḷịma, ṿakakịṿọna ekịḷẹ gẹ, kịkatama bahọ kịkemba
hị̣kaḷa: ·nda ndịma-ḷịmadẹ, kụ ṅyṛmba kụḷị maḷamba.· Uṛṛṛenza
akaḷa: ·kṿọ! ekịdẹ gẹ ekị, tọṿa ṿẹ dada·; akatọṿa. Maṅya ẹkyẹṇẹ kịka-
ṛụjịḷịḷa kịkemba ṿṛọ. Pọ ṿakata: ·kṿọ, turujadẹ!· ṿakaṛṿuja rakadjọḷọkẹḷa
kụ ṅyṛmba ṿakasika. Kṿọ! amaḷamba! Vakaṛuka kụṛẹṇẹ, ṛanṛẹḷịḷẹ
ụṛṿana, ṿaketuḷeka nṅyṛmba ja ṿẹṇẹ. Aṿẹṇẹ ṿakaṿabụḍa ṛụṇọṇṛ.

6. Umwaṿụjẹjẹmha.

Aṿasṛambẹ ṛaṿeli, ụjuṅgẹ umbaha ụjṛṅgẹ ụndẹbẹ, ṛakameṅgẹḷa
ṿṛaṅyịnaṿọ uṅịjunda ṿakadjọḍọka. Uṛaṅyịna akasagaḷa akasadjaḷa, pṛḷịkịtsa
ṛḷịgọsị ḷịkandṛatsa. Umṛẹṇẹ akakịmbẹḷa. Vọ akasika kụ ṅyṛmba, aṿasṛambẹ
ṛakata: ·ndẹtị?· akata: ·kṿọ! ḷịtsiḷẹ eḷịnṛ ḷịkandṛatsitsẹ, ṛṛịtsẹ ụkadọ-
ṇẹḷẹ.· Akaṿuka ụnsṛambẹ umbaha, akadjọnẹḷa, ụndạḷa akasadjaḷa. Ḷịkịtsa ẹḷịgọsị ḷịkandṛatsa, pọ akema ụnsṛ̣ambẹ, maṅya ḷịkaṇdṛatsa na-
ṛṛẹṇẹ, ḷịkụṿasṛịma. Vakasika kụ ṅyṛmba. Undẹbẹ akata: ·ndẹtị!·
Ummamadyẹ akata: ·kṿọ! tuḷẹmịḷṛẹ:· akata: ·muḷẹmịḷṛẹ?· akata: ·e!·
Pọ umṛẹṇẹ akaṿuka akadjọnẹḷa akatọḷa nṛṛụkẹ neḷịjaṅga; eḷịdjaṅga akaṛeka
ndụṛṿẹ, ḷịkapia. Ḷịkịtsa eḷịgọsị: umṛẹṇẹ akata: ·sịta kụkụ, sịta!·
akatọḷa ụṿụkẹ akaḷịpa, eḷyẹṇẹ ḷịkata: ·ena, mṛịtsụkụḷụ, sinọdja, mani
akạṅgẹ;· akatọḷa akaṅgẹ akata: ·ahama!· akaḷịtsṛtsa, ḷịkata: ·ena mṛị-
tṛṛkuḷụ ṿaṅgo, kinọdja·; paḷatọḷa eḷịdjaṅga, eḷipie, akata: ·ahama sịtsọ!·
akaḷaha mundọmọ, ḷịkapia na munsịṅgọ namṛịtumba ḷịkasṛca. Vaka-
ṿụka ṿakasika kụ ṅyṛmba. Undẹbẹ akata: ·kṿọ! uḷi ndṛatsi juṛẹ, lọla
ndẹḷịbudịḷẹ eḷịnṛ ḷịḷya·; umṛẹṇẹ akata: ·kṿọ! ndaḷị! undẹbẹ paḷata ṿṛị-
tṛadẹ ndekụ ḷụṅgekẹḷẹ.· Vakaṿuka ṿakasika, kṿō! ḷịkasṛca.

Umbaha akata: ·kṿọ! uḷibudịḷẹ ụṿẹ, uṇẹ ndẹḷẹmịḷṛẹ·; ụndãḷa akasadjaḷa akamaḷa.

Umbaha akatsọṿa kunnṛnaṿẹ akata: ·ṿẹ uḷi ntenzi ṛụḷẹ, uṅgabehadjẹ
kṛa Mwaṿụjẹjẹmba, ụkaṿụjadjẹ?· Umṛẹṇẹ akata: ·ena ndiṛụja.· Ummamadyẹ akata: ·kṿọ! naṛṛịṿuja.· Umwẹṇẹ akata: ·ẹ! ndeṅgabẹhẹ, ndiṿuja.·
Uṣọṅgidyẹ akata: ·uṅgabehẹ, po ṿụkụdjaṿọna amanu amadṛṅṛ, djikwemba,
ṛḷẹkadjẹ ụkụdjaḷọḷa, ụḷọḷadjẹ kụ ṿṛṅgẹ, uḷutadjẹ ṿṿṿuḷẹ.· Akaṿuka aka-
sịka kunsịtọ nda kụkọ akadjaṿọna amanu amadṛṅṛ adjakemba. U-
mṛẹṇẹ akaṿuja akambụla uṣọṅgidyẹ. Umṛẹṇẹ akata: ·maṅya ndekụṿụḷịḷẹ
ṛkụta, ụḷẹkadjẹ ụkuḷọḷa, uḷọḷadjẹ kụ ṿṛṅgẹ.· Akaṿụka akasika kunsịtọ

akaluta vovule, vutaḍalola, nimbwa tsa mwene idatu ejinge Emaholenanya, ejinge Emalungelela, nejinge Emamyangelela. Akavuka akavuka akasika kulusumbu, avene vakasuḍuta vakata: •tiḍu tiḍu! ekinyama kyeletile•, akasuḍuta namwene akata: •tiḍu tiḍu! kilápiḍoḍoka.• Vo vukaluca, vakaḍoḍoka ku nyumba vakavomba uvuḍale; tsikavavona imbwa, vo vivekela uluketo mbuḍale. Ikwitsa ikusika ku mwene ikata: •uvupita uvuvaha jo uniataḍe, jo ulitsoḍe uvudebe, uvu kwiva kwikada nulucondo.• Vakasika namvo uvuḍale, imbwa tsikakada nulucondo uvudebe; avene vakata: •ulitsaḍe vu vuvaha, vu vunoḍe•; umwene akata: •bako twehoḷeḷaḍe, uvu tsikadiḷe imbwa.• Avene vakata: •bako, ulitsaḍe uvuvaha•, umwene akata: •bako, twehoḷeḷaḍe, uvu tsikada imbwa.• Akalya akiḍuta; vakabsha kwiḍona, vatye: •uḍonaḍe nhyumba ja menza.• Umenza vo akaḷe unkete ulujwili. Vo akaḍoneḷeḷa pa kiḷo, tsikaksta imbwa ulujwili lwa mwene, vo tsikethiḷe, tsikaveka ulujwili pa mwana umenza, ikatola nukwambo ikaveka pa mwana umenza ikatoḷa ulusapa lwa menza ikaveka panḍosi. Pa kiḷo vakitsa avadadadye umenza nenzunu vakasika vakatema umenza nenzunu vakampemba vakambeka nkivana. Umwene palahuma kumbeḷe, paḷadendula isenga nemene nenoḷo, palaluta natso uluvaḍa. Vo vwikya, avene vakahuma vakaloḷa nkivana vakata: •kwo! tumbudiḷe umwaḷe vitu•, pili vakunda mbeḷe. Pa nziḷa imbwa tsikakikowka tsikavavona mbeḷe; po tsikahoḷa uluvasi. Avene vakitsa vakasika vakatema vakahenga uluvasi vakamala. Vo vahengiḷe vamaliḷe, vakakunda. Imbwa tsikatsihoḷa unsito. Vakitsa vakasika navene pansito vakahenga unsito vakamala. Umwene akasika pa kihuḷu; avwene lutokiḷe ukuḍenda, po atoḍiḷe mu mbeki nkyanya, isenga nimene ninoḷo nimbwa tsikingiḷa nduḍasi tsikahambuka maḍanga. Vakitsa vakasika avene avanu, vavwene, atoḍiḷe mu mbeki nkyanya, piḷi vadumula vakadumula vakadumula, ḍukaḍwa. Vo ḍuḍwa umbeki, umwene vakatema vakatema vakahasa; vakaluta. Imbwa ikahuma nduḍasi ikasika. Emaholenanya ekaholenanya ekaholenanya ekalunda. Emalungelela ekalungelela ekalungelela, akava munu. Po ekaheḍeḷeḷa Emamyangelela ekamyangelela ekamyangelela ekamyangelela ekamaḷa naija mihọ na tsi menọ na ḍu ndomọ na tsi mbulukutu, epeḷiḷe, avye mwomi. Akema, na tsi senga na tsi mene na tsi noḷo tsikema. Vo tsemiḷe akavutsa akata: •ve noḷo, ndendkusune ku nyumba, vwikate keki?• ekata: •ndikasike, ndikate: me! unswambo ure aḷe kwa Mwavujejemba, muntoḷa, aḷi pa mpumbwe•. Akilanga emene akata: •ndendkusune ure, vwikate keki!• jikata jene: •ndikate: me! unswambo uve ọle kwa Mwavujejemba, aḷi pa mpumbwe.• Akilanga senga akavutsa vovulenuḷe; jikata: •ndikate: bu! unswambo uve akaḷe kwa Mwavujejemba, aḷi pa mpumbwe.• Po akilanga ekideḍe akata: •ndendkusune, uuuce vwikate keki!• ekideḍe kikata: •ndikate: tsutswi, tsutswi! unswambo ure

ak̲a kwa Mwavu̲je̲je̲mba, ali̲ pa mpu̲mbwe̲·; akata: ·behaga!· Vo ki̲katsi-
sika kwa dadadye̲ ki̲kemba ki̲kata: ·tsutswi, tsutswi! u̲nswambo̲ usw.·
U̲dadadye̲ akata: ·swi̲mi eki̲de̲ge̲ eki̲, kila keki̲?· Vakaswci̲ma eki̲de̲ge̲.
Eki̲de̲ge̲ ki̲kavuja ki̲kemba: ·tsutswi, tsutswi, u̲nswambo̲ usw.·; U̲da-
dadye̲ akata: ·swi̲mi eki̲de̲ge̲ eki̲, ki̲li̲ ndeti̲!· vakaswci̲ma. Ekye̲ne̲ ki̲ka-
vuja ki̲kemba vwo̲, ave̲ne̲ vakaswci̲ma. Ki̲kavuja u̲lu̲nge̲ ki̲kemba covu-
le̲vu̲le̲. U̲dadadye̲ po akata: ·tsu̲kwi! tu̲cu̲ke̲.· Vakaru̲ka, ra rakatsi-
ge̲luka, vambo̲na namwe̲ne̲ nise̲nga nime̲ne̲ nino̲lo̲ pa ki̲hu̲lu̲. Vakitsa
vakasika vakata: ·ndu̲tsivujile̲ kwa Mwavu̲je̲je̲mba!· atye: ·e! ndetsi-
vujile̲.· Vatye̲: ·i̲ngise̲nga u̲to̲li̲le̲ku̲? nime̲ne̲ ni̲no̲lo̲!· akata: ·ndego̲mile̲,
vakatye̲, vambu̲de̲.· Vakahwa̲ga vakago̲do̲ka, eji̲nge̲ ese̲nga akakyu̲ke̲la
neki̲de̲ge̲. Vakatsisika ku̲ ny̲umba; akange̲a̲rela u̲mmamadye̲ ise̲nga ki̲su̲jo̲
ni̲no̲lo̲ ni̲ñe̲ne̲ akata: ·re̲ ndwatsi, lo̲la, vo ndetsivujile̲ kwa Mwavu̲je̲je̲mba.·
Akatama navo̲, vakandwada.

7. U̲ny̲ande̲mu̲la.

Vale̲ avahenza vaveli, u̲mbaha nu̲nnu̲nare̲. Po̲ muñyi u̲mbaha
akasuña u̲nde̲be̲ ku̲ maga̲si akata: ·re̲ mwani, behaga u̲ku̲ne̲ga amaga̲si·.
akampa eki̲de̲li eki̲swe̲, pi̲li̲ ki̲tsihu̲lula amaga̲si, u̲mwe̲ne̲ pa̲lasuvale̲la ku̲
maga̲si akasika ku̲ ny̲umba akata: ·re̲ mmama, u̲kamye̲ eki̲de̲li eki̲swe̲,
nde̲li̲ndi̲le̲ ku̲ maga̲si kwine̲ga.· Mañya u̲mwe̲ne̲ u̲mmamadye̲, ku̲mbe̲le̲
u̲nde̲be̲ vo akavu̲ki̲le̲, akato̲la eñu̲ku̲ akabuda akabu̲dula u̲ntwe̲ akapa̲jika
ku̲kyañya, eñu̲ku̲ mañya akalya. Naki̲laro̲ akansuña u̲nnu̲nare̲ neki̲de̲li
eki̲swe̲; u̲nde̲be̲ akata: ·kwo̲! mmama eki̲de̲li kiswe̲, nga̲tsi̲linda i̲jo̲lo̲ ku̲
maga̲si.· U̲mwe̲ne̲ akata: ·u̲kevandela̲ge̲ mwani, u̲je̲ga̲ge̲ ru̲no̲nu̲·; u̲nde̲be̲
pa̲labeha. U̲mwe̲ne̲ ku̲mbe̲le̲ pa̲labuda eñu̲ku̲, u̲ntwe̲ akavuja akapa̲ge̲ka
ku̲kyañya, u̲ku̲ apa̲ji̲ke̲ u̲ju̲nge̲, eñu̲ku̲ akalya. Vo alye̲, akasika u̲nnu̲-
na̲re̲ akata: ·kwo̲! mmama, u̲kamye̲ eki̲de̲li eki̲swe̲, nde̲li̲ndi̲le̲ ku̲ maga̲si,
ndatye̲, ndemate̲la̲ge̲ u̲manga, nde̲le̲mi̲lwe̲, ki̲natile̲.· Akata u̲mmamadye̲:
·ndi̲ku̲ku̲pa eki̲nge̲ eki̲no̲nu̲ ki̲lavo̲.· Vo vwarye̲ vwi̲kya, akavuja akampa
eki̲de̲li eki̲swe̲ akata: ·mwani, e̲le̲lo̲ kyo̲ ki̲no̲nu̲, behaga!· U̲nnu̲na aka-
vu̲ka ku̲ maga̲si; u̲mwe̲ne̲ ku̲mbe̲le̲ akavuja akibata eñu̲ku̲ eji̲nge̲ aka-
bu̲da, u̲ntwe̲ akapa̲ge̲ka ku̲kyañya akalya. U̲nnu̲na akatsivuja ku̲lu̲-
gasi akasika akata: ·eki̲de̲li u̲kata ki̲no̲nu̲, hu̲mbe̲ kiswe̲.· Vakavu̲siku
akata: ·behaga mwani, ku̲ maga̲si.· U̲mwe̲ne̲ akata: ·kwo̲! humbe̲ ndi̲-
li̲nda, ndivu̲ji̲li̲la nisi̲de̲li isiswe̲·; akata u̲mmamadye̲: ·bako̲, e̲le̲lo̲ ki̲no̲nu̲·;
a̲tsi̲to̲la eki̲nge̲ akampa, u̲nnu̲na akavu̲ka. U̲mwe̲ne̲ pambe̲le̲ akabu̲da
eñu̲ku̲, u̲ntwe̲ akapa̲ge̲ka ku̲kyañya, eñu̲ku̲ akalya. Akatsivuja u̲nnu̲na
ku̲ maga̲si akasika akata: ·isi̲de̲li sini u̲mye̲, siswe̲ syoni.· U̲mmama
akata: ·bako̲! ki̲lavo̲ ndi̲ku̲ku̲pa eki̲no̲nu̲.· Vwavye̲ vwi̲kya, akavuja

*akampa ekideli akata: •behahada ku madasi.• Umwene kumbele akavuja
akibata enuku akabuda, untwe akapadeka kukyanya, enuku akalya.
Unnüna vo atsisika kulugasi, akatsiwona ekideli kihulula akatsivujanitsa
akitsa akasika akambona ummamadye, abudile enuku, ipadeka untwe
kukyanya. Vo avwene, ipadeka untwe, akata: •dwe mmama! vukusuña
une ku madasi, uvewe vwibuda enuku!• Umwene akata: •ndali ve mwani,
ndikukupa nave, jo ulekade ukutsova kuvajuwa.• Vakalya vakalya,
enuku vakamala. Vo vasike avavañyina, akavavula unnüna akata:
•uñye mwita, elikanu litola inuku tsiñyo, bako! ummama ipadeka emjtwe
dya ñuku kukyañya, inuku ilya.• Vakata avavañyina: •uñguve vwiwa
ndaku!• akata: •une ndiva ku madasi nekideli ekiswe.• Vakibata ymma-
madye vakata: •uvwe twatye, elidede limala inuku, humbe vwilya juwe•;
vakantova vakantova vakantova, vo vatovile, umwene umwana akahema.
Vo ikave pa kihulu, likika elipululu likakuka likaluta nave. Vo
likukile elipululu, umwene unnüna akatola ekideli akabeha ku madasi
akatsisika ku lugasi akanedelela akanedelela, dakadeda. Umwene
akemba, ummamadye akata:*

•ve vududumya've,	dudwa, dudwa,
nda vewe ñyakahatsa,	• •
nda vewe vwambulide,	• •
nede vanwange ndutule,	• •
vandahe kukyañya,	• •
jo sula eñyakuka,	• •
jikukile kwivende,	• • -

*Akahuma akantweka unnünave ekideli akadodoka unnüna. Akatsi-
lava pa vusiku nekideli akitsa akasika akanega akanega, dakadeda;
akemba ummamadye akata: •ve vududumya've, dudwa, dudwa usw.•
akahuma akantweka umwene akadodoka. Akatsidega enzelo pa vusiku
akitsa akasika akanedelela akanedelela, dakadeda. Akemba ummamadye
akata: •ve vududumya've, usw.• akahuma akantweka, umwene akadodoka.
Pa vusiku akalava nenzelo embaha, vakata avavañyina: •vubehaku nenzelo
embaha, unatsibude•! Umwene akata: •bako, kwale ummama, ikanweke.•
Avavañyina vakata: •humbe tubehade nuvwe tukadonele•; umwene akata:
•ena, mbehade, iikadonele, jo mukumbona.• Vakatsisika vakadonela,
umwana palanedelela, dakadeda. Umbaha akemba akata: •ve vududu-
myd've usw.• Vo embile akitsa akasika akantweka unnüna ekideli.
Na vavañyina vakambona vakamwibata, umwene akajadanika, vakeji-
bata vavene. Vo vibatine, uñgasi akata: •kwo! unsumwise ve ndäla•, atye
undäla: •bako, unsumwise uve ve ñgosi•; vo vavwene vidadelanila, vatye:
•turujade, jo tukitse kilava•, vakadodoka. Pa vusiku vakampa umwana
enzelo, navene vakavuka vakadonela. Umwene palanedelela, dakadeda;*

akemba ummamadye akata: -te ruludumya're usw.-, *akahuma aka-
nhoeka unnūna enzelo, acene rakibata, ro ribite, akajaganika, rakejibata
wwene. Vadjadjelānila; uñdjosi akata: -kuo! jure re ndāla-; undala akata:
-kuo! jure ve ñdjosi, ukanrumurine najigolo.- Akata uñdjosi: -kuo! turujadje,
w tukalavg pa vuniku.- Vakadjodoka. Na pa rusiku, rakampa umuana
melo, navene vakaluta ukudjonelela, akatsirika akane djelela, djakadeja.
Namuene umbaha akemba, akahuma akantueka. Arene rakaryondomoka, upu vakale, vakibata; rakejibata rarene, umuene akajaganika.
Vakata: -kuo! tugahile ndeti? ajadjile. Tukañdjongole uñyitu, atulolele-
lade.- Vakatsisika u lunge lusiku rakadjonela miciñyasi, namuene uñyaro
akadjonela. Undebe vo anedjile amadjasi, djadekile, ummamadye akemba
akaluma akantueka. Arene rakaryondomoka, upu vakale, rakibata,
umuene akajaganika. Vakambutsa uñyaro, ndāmburene, akabela umuene
akata: -kuo! nandembueni, ajadjanike rorule.- Akata undāla: -turujadje
takaladjule.- Vakatsisika kuntuñanya, akalajula akata: -ñkiñgile, upu
vinedja amadjasi, mukikadje nekihulu; nda mucikare pasika pasika, muku-
liuna elilamba; vo ndjoucene elilamba, po vucembadje re ndāla.- Vakatsisika kuilamba, akemba undāla akata:*

> *-Nyandemula, Nyandemula, Nyandemula, Nyandemula!
> uñgandolela umuana, Nyandemula!
> udjujila djuvaha*   .
> *vale vapivona*   .
> *ilutela kuonu*   .

> *Ahē, Nyandemula!-*

*Akanūnala, undāla akavuja akemba. Uñyandemula akahuma, aka-
muanda akata: -bako, natumbueni umuana.- Akata: -udjujila djuvaha,
pange vapivona ilutela kuonu?- umuene akata: -kuo! bako.- Vo abelile
umuene, kikahuma ekidjodjolo ekiñyamidodjoda, kikata: -ummyañge
emidodjoda, umale, po ndikuvula kinu.- Akammyañga umuene akammyañga akamala; vo amalile, kikata: -lino rurikadje, rurikalirone elilamba
eliñge.- Vakatsisika vakalivona elilamba, akemba undāla akata:
-Nyandemula usw.- Uñyandemula akanūnala. Akavuja akemba undāla,
po akahuma, akamuanda akata: -bako, natumbueni.- Kikahuma ekidja-
djolo nuvudodjoda, ekiuyeata na kipudjuhili lusiku, kikata: -ummyañge,
po ndikukuvula.- Akammyañga akammyañga akamala, kikavoneka
kinonu. Vo amyañgile amalile, kitye: -lino rurikadje, rurikalirone elilamba
pasika palya.- Vakika; vakatsisika p'ilamba. Akemba undāla akata:
-Nyandemula usw.- Uñyandemula akanūnala; akavuja akemba; akatsi-
huma akamuanda akata: -bako, natumbueni umuana.- Akata undāla:
-udjujila djuvaha, pañge vapivona, ilutela kuoni?- akata: -bako.- Kikatsi-*

ḫuma ekiḑoḑoḷọ ekịñyamịḑoḑoda kịkata: •ụmmyañge kụmiḫọ, jo ndi-
kukụvụḷa.•   Akitsa akammyañga akamyañga akamaḷa. Vo amaḷiḷe,
kịkiñgila kịkatsiḫụma navaḫenza eḷipuḑa kịkata: •nda vò avaʔ•   Ụndāla
akata: •bakọ, ụmwẹnẹ alị kụ ñyumba.•   Kịkavuja kịkiñgila kịkatsiḫụma
navọ avañgẹ eḷipuḑa kịtyẹ: •nda vo avaʔ• umwẹnẹ akata: •bakọ, ụmwẹnẹ
napìoaḷẹ, alị kụ ñyumba.•   Kịkavuja ekịḑọḑọḷọ, kịkaḷuta ukụtọḷa avañgẹ,
kịkatsiḫụma navọ kịkata: •nda vo avaʔ• Ụndāla akata: •bakọ, ụmwẹnẹ
alị kụ ñyumba.•   Kịkavuja kịkaḷuta; avaḫenza vakatsisiḷa. Kịkatsitọḷa
avadala vasaḷa, kịkitsa kịkasika kịkata: •nda vo avaʔ• akata umwẹnẹ:
•bakọ, ụmwẹnẹ alị kụ ñyumba, menza•; kịkavuja kịkaḷuta kịkatọḷa avañgẹ
avadāla kịkitsa, kịtyẹ: •nda vo avaʔ• akabẹla ụmwẹnẹ akata: •bakọ,
ụmwẹnẹ alị kụ ñyumba.•   Kịkaḷuta kịkatsikuvatọḷa avaḑọḑoḷọ kịkitsa,
kịkasika narọ kịkata: •nda vo avaʔ• Umwẹnẹ akata: •bakọ, alị kụ ñyumba,
menza voru̱ḷe.•   Pụ kịkaḑodoka kịkatsikuntọḷa umenza ḷịnọ kịkitsa
navẹ kịkata: •nda vē u̱ju̱ʔ• Umwẹnẹ akata: •ẹna! ju̱ju̱.• Kịtyẹ: •ẹna!
urujaḑẹ navẹ ukaḷẹkaḑẹ ukuntānela, unakantānelaḷe, aḷaḫambuka ḷuḑasi.•
Umwẹnẹ akata: •vìceju̱!• Vakaḑoḑoku navẹ vakatama vakatama; vaka-
vavụla navavanine akata: •ndekaḑẹ ukuntānela.•   Vakatama vakatama.
Mañya uḷuñgẹ ḷusiku undāla akantanela umwana, avyẹ antañyẹ, aka-
ḫambuka ukụva uḷugasi. Paḷaḷiḷa uñḑosi akata: •ve ndāla, vẹ untañyẹ
umwana, uvȇ atuvuḷiḷẹ atyẹ: uḷekaḑẹ ukuntanela, ḷuḷa ḷịnọ aḫambwike
ḷuḑasi•.

8. Ukadẹgẹ'nzuḷẹ.

Ukadẹgẹ'nzuḷẹ aḷẹ neḷiḑombu akaḷuta, u̱pu vijava iñini avaḫenza
caveḷi, nummamadyẹ nu̱nnūna. Ummamadyẹ akata: •tuḫȇḷekẹ iñini•; alị-
ñkụta u̱nnūna: •ẹna, ndebeḫaḑẹ, nde ndebẹ. •Umwẹnẹ atyẹ: •tama! ndebeḫẹ
unẹ, nde mbaha•; aḷiñkwema niñini, aḷiñkubeḫa, aḷiñkuḫẹleka. Aka-
beḫa akabeḫa akabeḫa, Ukadẹḑẹ'nzuḷẹ, paḷatsibeḫa; akịḷañga akata:
•Kadẹḑẹ'nzuḷẹ, oḑo iñini.•   Ukadẹḑẹ'nzuḷẹ akata: •vikụma pambaḷẹ.•
Akabeḫa akabeḫa akabeḫa akavuja akịḷañga akata: •Kadẹḑẹ'nzuḷẹ
oḑo iñiñi!• Ukadẹḑẹ'nzuḷẹ paḷatsibeḫa akata: •vikụma pambaḷẹ.• Aka-
beḫa umenza akabeḫa akemba akata:

> •Kadẹḑẹ'nzuḷẹ, Kadẹḑẹ'nzuḷẹ, Kadẹḑẹ'nzuḷẹ, Kadẹḑẹ'nzuḷẹ!*
> undịndaḑẹ nanẹ, Kadẹḑẹ'nzuḷẹ!*

> Aḫē Kadẹḑẹ'nzuḷẹ!•

Umwẹnẹ Ukadẹḑẹ'nzuḷẹ akemba namwẹnẹ akata:

> •menza, menza, menza, menza!*
> ndasindakụvụḷe, menza!*
> ndetẹ kụmitu kụtaḷẹ, menza,*

ukugenda ukaleralere, menza,
upia vudeluka vicirona, menza,
lukwora ulurunguruñgu, •
ludejile nda vanu, menza!
ahē menza!-

Vakatama pasi ukulya iñiñi. Varye, ralye, ramalile, po akata
Ukadege'nzule : •ve menza, uñyape ekisindi. •Akañyapa akañyapa akañyapa, kikañata. Po akema Ukadeje'nzule akañyapa jo mwene, ekisindi
kikwuka; vo kivukile, lukavoneka ulwambo. Umwene akata: •re menza,
wolel• Akavuka akañyapa ekinge akatsivona inzululu, atye: •re menza,
wolel• Akavuja akañyapa ekiñge, arwene eñguro nekimañga, atye: •lino
uwalage, ve menza!• Akaswala umenza akawcala akawcala syoni nalu-
kwambo najeñguvo natsinzululu nakikimañga. Arye aswalile, akata U-
kadege'nzule: •beha ku ñyumba kwa jura, une ndibeha kwilola untejo,
najune ndivuja; ukabehaje kwijava amahembi.• Akatsisika umenza ku
ñyumba, akambona uvañyina Ukadege'nzule akata: •tubehaje kwijava
amahembi, Ukadege'nzule arye kwilola untejo.• Umwene akata: •é,
mwana vañgo•, vakavuka nuvañyina ku mahembi; rakatsijava rakajava.
Pili vavuja. Vavye vasike ku ñyumba, uvañyina Ukadege'nzule akambula umenza, ateleke amahembi; vo atelike amahembi, ijakapia. Garye-
japia, akabeha kukumbula uvañyina Ukadeje'nzule. Ve atye: •ukipule,
ulitsade; ulitsade amadebe, amavaha utade ku makona.• Umwene akalya amabaha, amadebe mañya akatada ku makona.

Avye alye, amalile, akitsa uvañyina Ukadege'nzule akasika akajudulila akata: •tupalapalaje ku makona ija rakamwana•, akajavona
amahembi amavaha nadamuli mmakona, po akajudulila uluñge akata:
(•uñkamwana nalakatame nunswambañgo•). Po akata: •uteleke amadasi,
japitsade, dajevulade, Ukadeje'nzule nnonu pa muñyi, pa kilo ihambuka libonzu. Uholeñañye amakala, urekr pa ndyañgo; vo ikwiñgila
pa ndyañgo, ududilade amadasi pa ntwe ijwa mwene.• Vo ambulile, po
akadeluka Ukadege'nzule, uku akale, alinkwemba ulwembo alinkuta:

•nde ñyato, nde ñyato,
• • • •
ndigenda, ñgalemela, nde ñyato,
• • • •
ahē! nde ñyato.•

Akitsa akasika ku ñyumba. Vo adidwe panzi, po akata uvañyina:
•uteteñañye amadasi.• Ukadege'nzule akiñgila; vo ikwiñgila pa ndyañgo,
umenza akakimbela kunzi; po akitsa uvañyina akatula amadasi akadudila pa ntwe akaswekula eñguro akaweka kudati akampa namakala
nuvubaja, umwene akalya, nuvubaja akahopa. Vo ahopile amalile,

aljikudęka ehyama, nitsa mbęva nitsa męnę nitsa sęnga nitsa vanu. Vo
amalilę, yvanyina akahusuka, avyę ahusvikę, valinkulya. Umenza aka-
kimbęla, akajodǫka ku nyumba.

Ukadęję'nzulę akajǫna; pa vusiku akalava nkudęnda, akajęnda
akajęnda akavavǫna avahenza varǫ mmadǫręla. Avyę atsikuvavvęnę,
avahenza vakatsǫsanya, vatyę: •tuhęlękę inini kwa Ukadęję'nzulę.• Atyę
ummamadyę: •unę ndidwada, Ukadęję'nzulę mnǫnu pa munyi, pa kilǫ
ihambuka libǫnzu.• Atyę unnuna: •sma, ndehęlękę unęnę, uli ndwatsi,
cwatsikimbęla•, alinkwema ukubeha kuhęlęka. Akabeha akabeha akabeha, Ukadęję'nzulę palatsibeha; akilanga akata: •Kadęję'nzulę, ǫjǫ
inini!• umvǫęnę akata: •vikuma pambalę.• Akabeha akabeha akabeha
akavuja akilanga akata: •Kadęję'nzulę, ǫjǫ inini!• Ukadęję'nzulę palaluta akata: •vikuma pambalę.• Akabeha akabeha akemba akata:

> •Kadęję'nzulę, Kadęję'nzulę, Kadęję'nzulę, Kadęjęn'zulę!
> undindadę nanę, Kadęję'nzulę!•

Umvǫęnę Ukadęję'nzulę akemba namvǫęnę akata:
> •menza, menza, menza, menza!
> ndasindakuvoulę, menza• usw.

Umenza po asikę. Vakatama pasi ukulya inini. Vo valyę, vamalilę inini, pǫ akata Ukadęję'nzulę: •vę menza, unyapę ekisindi•; akanyapa
akanyapa, kikanata. Pǫ akema Ukadęję'nzulę akanyapa jo mvǫęnę,
ekisindi kikavuka, vo kjvukilę, lukavǫnęka ulwambǫ; akata: •vę menza,
tǫla!• Akavuka akanyapa ekjnga, akatsivǫna inzululu, akata: •vę menza,
utǫlę!• Akavuja akanyapa, avvęnę enguvǫ nekjmanga. Akatsǫva ku
menza akata: •linǫ uswaladę, vę menza!• Akaswala umenza syoni na
lukwambǫ nenguvǫ ninzululu nekjmanga. Avyę aswalilę, Ukadęję-
'nzulę akata: •vuka ku nyumba kwa juva, unę ndibeha kwilǫla untędǫ,
najunę ndivuja; ukabehadę kwijava amahembj.• Akavuka. Akatsisika
umenza ku nyumba akambǫna yvanyina Ukadęję'nzulę akata: •tubę-
hadę kwijava amahembj, Ukadęję'nzulę avyę kwilǫla untędǫ.• Umvǫęnę
akata: •kvo, vukunęka vovulę, najǫjunǫę anskilę, akimbyę.• Umvǫęnę
akata: •bakǫ! nandikimbęla.• Vakavuka ku mahembj. Vakatsijava
vakajava, pili vavuja. Vavyę vasikę ku nyumba, yvanyina Ukadęję'nzulę
akambula umenza, atęlękę amahembj; vo atęlikę, amahembj jakapię.
Gavyę japię, yvanyina Ukadęję'nzulę akitsa akata: •ukipulǫ, ulitsadę
utudębǫ, amavaha utajǫ ku makǫna.• Umenza palakalya utudębę, amavaha akatajǫ ku makǫna. Akitsa unikamwana akasika kwilǫla, akajudulila akata: •tupǫlapǫladę ku makǫna ja vakamwana•, akahǫla omo-
vaha, akaveka nkjhęlǫ. Akajudulila uluinǫę akata: •vikamwana vo afa-
tama nunswambanǫo.• Pǫ akata: •utęlękę amajasi, japitsadę, gajevulǫdę,
Ukadęję'nzulę mnǫnu pa munyi, pa kilǫ ihambuka libǫnzu; uhǫlęivavlyę

amakala, ꭒꭒekꬴ pa ndyaṅgo, ꭒo ikꭐiṅgila pa ndyaṅgo, ꭒdudilaꭑ ꭢamaꭑasi pa ntꭐꬴ. Pꬶ akaꭑꬴluka Ukadꬴꭑꬴ'nzulꬴ, uku akalꬴ, akemba akata:

     »ndꬴ ńyatꬶ, ndꬴ ńyatꬶ,

     ndiꭑꬴnda, ndilꬴmꬴla, ndꬴ ńyatꬶ,

      **   **

     ahē! ndꬴ ńyatꬶ.«

Uꭒańyina akata: »ujꭐa ikꭐemba, utꬴtꬴńańyaꭑꬴ amaꭑasi.« Vo iṅgyꬴ, akatꬶla ꭒmenza amaꭑasi akadudila pa ntꭐꬴ akasꭐekula elꭖꭑuꭒꬶ akaꭒeka kꭒꭑati akampa amakala nꭒꭒꭒbaꭑa, ꭒmꭐꬴnꬴ akalya, namahembꭖ akalya, nꭒꭒꭒbaꭑa akahꬶpa; ꭒo ahꬶpilꬴ amalilꬴ, akadꬴka ińyama, nitsa mꬴnꬴ nitsa mbꬴꭒa nitsa ńꬶlꬶ nitsa sꬴṅga nitsa ꭒanu, tsꬶni, tsꬶni, aꭒenꬴ ꭒakahusuka. Vaꭒyꬴ ꭒahusꭐikꬴ, ꭒakatama ꭒakalya ꭒꬶni. Aꭒyꬴ ꭒndäla ꭒamꭐꬴnꬴ, akahꬶla nꭒmꭐana. Vo akulilꬴ padꬴbꬴ ꭒmꭐana, pꬶ akitsa ꭒmmamadyꬴ akasika. Ulꭒ̇ṅgꬴ lꭒsiku unnūna akatsꬶꭒa kꭒ mmamadyꬴ akata: »ꭒndꬶlelꬴ ꭒmꭐana, ꭒnꬴ ndibeha kꭒ maꭑasi, ꭒṅgajꭐꬶnꬴ esꬶsꬶlꬶ kꭒ ntꭐꬴ, ꭒlꬴkaꭑa ꭒkꭒbuda, ꭑꭐꬶ ntꭖma ꭑꭐa mꭐana. Aꭒyꬴ alꭒtilꬴ kꭒ maꭑasi, akajꭐꬶnꬴ esꬶsꬶlꬶ kꭒ ntꭐꬴ ꭑꭐa mꭐana akabuda. Vo abudilꬴ, ꭒmꭐana akasꭐa. Unnūna ꭒo akaꭒuja, akambꬶna ꭒmꭐana, asꭐꬴ, atyꬴ: »ṅgakꭒꭒꭒlilꬴ ṅgatyꬴ: ꭒlꬴkaꭑa ꭒkꭒbuda isꬶsꬶlꬶ kꭒ ntꭐꬴ, lꬶla, lꭖnꬶ ꭒbudilꬴ ꭒmꭐana.« Pꬶ ꭒaliṅkuṅꭑꬶńya pa ꭒꭑꬶnꬶ ꭒꭐa Kadꬴꭑꬴ'nzulꬴ, ꭒndäla akahꬴꭒꭢta ꭒꭒꭒhꬴꭒꬴtꬴ, ꭒmmamadyꬴ mańya akakꭖmbela. Vo asikꬴ Ukadꬴꭑꬴ'nzulꬴ, akatama pa ꭒꭑꬶnꬶ, ꭒpꭒ ꭒaṅgꬶnitsꬴ ꭒmꭐana. Undäla akata: »ꭒukꭒmbuda ꭒmꭐana.« Umꭐꬴnꬴ Ukadꬴꭑꬴ'nzulꬴ akaꭒusa elꭖtꬴsu, ꭒo aꭒusitsꬴ, akambꬶna ꭒmꭐana, asꭐꬴ. Undäla palakata: »lꬶla, ꭒmbudilꬴ ꭒmꭐana.« Umꭐꬴnꬴ akata: »bakꬶ, ꭒbudilꬴ ꭒꭒeꭒꬴ, ꭒs ndäla!« Akatꬶla esꬶnzꬶ aliṅkuntꬶꭒa ꭒndäla, aliṅkuntoꭒa, aliṅkusꭒꭖma. Pꬶ akaꭑꬶdꭑka ꭒndala kꭒmyaꭒꬴ.

Zusammenhängende Übersetzung nebst einigen Erklärungen.

1. Der Schakal.

Es hatte einmal eine Frau vier Kinder. Da sie selbst zu ackern hatte und bei dieser Arbeit die Kinder nicht recht beaufsichtigen konnte[1], verbarg sie dieselben in einer Höhle, deren sich viele in den Bergen befinden. Sie sagte zu ihren Kindern: nun verhaltet euch recht ruhig und seid hübsch artig. Dann ging sie zu ihrem

---

[1] Auch den Kinga geht es wie den hiesigen Landleuten zur Zeit der Feldarbeiten, daß sie die Kinder ohne Aufsicht lassen müssen; denn sie arbeiten zur Ackerzeit, Mann und Weib, vom frühen Morgen bis zum späten Abend.

Acker, in der Meinung, ihr Bestes getan zu haben, zumal diese Höhlen nicht leicht von jemand zu entdecken sind. Die Kinder wohnten nun in dieser Höhle, sangen und spielten, machten sich aus runden Bambusstücken kleine Trommeln, indem sie über die Öffnung des Bambusrohres ein Stäbchen befestigten, auf das sie dann mit einem andern etwas größeren Stäbchen schlugen, wie man auf eine Trommel schlägt. Als die Mutter am nächsten Tage dort vorbei kam und das Getrommele hörte, rief sie von weitem: »Kinderchen dort mit euern Trommeln, seid ihr noch alle da?« Die Kinder antworteten: »Ja, wir sind noch alle hier und sind unserer vier.« Da ging dann die Mutter vergnügt an ihre Arbeit.

Am nächsten Tage kam sie wieder dort vorbei und rief wieder: »Kinder, seid ihr noch alle da mit euern Trommeln?« Und wieder antworteten die Kinder: »Ja, wir sind noch alle hier; wir sind unserer vier.«

Fröhlich ging nun die Mutter weiter zu ihrem Acker, um dort zu arbeiten. Ein Schakal[1] aber, der sich in der Nähe aufgehalten, hatte das Zwiegespräch der Mutter mit den Kindern mit angehört und sich die Frage der Mutter wohl gemerkt. Als nun die Mutter fort war, rief auch er mit seiner groben Stimme: »Ihr Kinderchen dort mit euern Trommeln, seid ihr noch alle da?« Die Kinder, in der Meinung, ihre Mutter sei noch einmal zurückgekehrt, antworteten wie zuvor: »Ja, wir sind noch alle hier; wir sind unser vier.« Da ging der Schakal der Stimme nach, kam an die Höhle, holte sich das älteste der Kinder heraus und fraß es auf. Als am nächsten Tage die Mutter wiederkam und wie früher rief: »Kinderchen mit euern Trommeln, seid ihr denn noch alle da?«, da antworteten sie mit kläglicher Stimme: »Ein böses Tier ist gekommen und hat das Älteste von uns gefressen.« Da ging die Mutter hin zur Höhle und fragte, als sie hingekommen war: »Aber Kinder, was war denn das für ein böses Tier? Wie kam es denn her?« Da sagten die Kinder: »Als du fort warst, rief uns jemand noch einmal, genau so wie du es tust. Da dachten wir, du seist es und antworteten; da kam zu unserem Schrecken das Tier und fraß eins von uns.« Da fragte die Mutter, wie denn das Tier gerufen habe. Die Kinder sprachen: »Es hatte eine ganz grobe Stimme.« Da sagte die Mutter: »Liebe Kinder, antwortet nur ja nicht wieder, wenn jemand anders ruft oder das Tier zurückkehrt; antwortet nur mir, wenn ich euch rufe.« Dann ging sie wieder ihrer Arbeit nach.

---

[1] Der Schakal wie alle im folgenden aufgeführten Tiere werden personifiziert gedacht, behalten aber ihre Gestalt bei.

Da kam denn auch der Schakal richtig wieder und rief mit seiner groben Stimme wie gestern. Die Kinder aber blieben ganz ruhig und schweigend. Da rief er denn zum andern Male; wieder erhielt er keine Antwort. So ging er denn zu einem weisen Manne und fragte den, was er tun müsse, um eine feinere Stimme zu bekommen; denn er hatte wohl erkannt, daß seine grobe Stimme ihn diesmal verraten habe. Dieser sagte nun zu ihm: »Geh und such' dir einen Ameisenhaufen; da hinein setze dich dann und laß dich von den Ameisen tüchtig beißen [1], so wird deine Stimme ganz fein werden.« So ging denn der Schakal zu einem Ameisenhaufen und ließ sich von den Ameisen am ganzen Körper beißen. Er ertrug den Schmerz stillschweigend und versuchte immer wieder, ob seine Stimme nicht schon feiner geworden sei. Als er endlich hörte, daß sie ganz fein geworden war, ging er wieder zurück und rief nun diesmal mit feiner Stimme. Da sagten die Kinder zu sich: »Das ist unsere Mutter«, und antworteten wie früher. Da kam denn der Schakal hin zu ihnen, holte sich das zweite der Kinder und fraß es auf. Als nun die Mutter wirklich kam und wie früher rief: »Kinderchen dort bei den Trommeln, seid ihr alle da?«, da antworteten die beiden übrig gebliebenen: »Es ist ein böses Tier gekommen und hat sich das andere von uns geholt; nun sind wir nur noch zwei.« Da weinte die Mutter, kam zur Höhle und sagte: »Ach nein, ihr meine Kinder, seht, jetzt seid ihr nur noch zwei. Gehorcht mir doch und antwortet nicht wieder, wenn das böse Tier wiederkommt.« Traurig ging sie von dannen auf ihren Acker. Aber wieder kam der Schakal und rief, wie er es zuvor getan, und wieder antworteten die Kinder. Da kam er denn zur Höhle, holte sich das dritte, fraß es auf und ging vergnügt von dannen.

Als die Mutter vom Ackern heimkehrte, rief sie wieder ihre Kinder und sagte: »Kinderchen dort mit den Trommeln, seid ihr noch alle da?« Da antwortete das einzig übrig gebliebene: »Ich bin nur noch allein, denn das böse Tier hat den andern geholt.« Da kam die Mutter und weinte laut und sagte: »Ach du mein Kindchen, sei doch nur vorsichtig; sieh mal, du bist jetzt nur noch ganz allein, antworte ja nicht.« Dann ging sie davon.

---

[1] Es ist interessant, daß auch die Kinga dem Safte der Ameisen, der sich doch beim Biß auf den Körper überträgt, eine gewisse Wirkung zuerkennen; wird doch auch bei uns von vielen der Saft der Ameisen als Mittel gegen Rheumatismus usw. gebraucht, teils als Ameisenspiritus, teils dadurch daß man einzelne Glieder, wie die Hand usw., in einen Ameisenhaufen steckt.

9*

Der Schakal aber kehrte zurück, kam in die Nähe der Höhle und rief. Das Kind anwortete, da es die Stimmen nicht unterscheiden konnte. Da holte der Schakal sich auch dies und fraß es auf. So waren sie denn alle aufgefressen. Als nun die Mutter rief, tat sie es vergeblich; denn es war niemand da, der hätte antworten können. Sie rief zum andern Male, aber vergeblich. So machte sie sich denn auf, kam zur Höhle und fand — die leere Höhle.

Nun weinte und jammerte sie, rief alle Leute zusammen und sagte: »Helft mir doch, indem ihr mit mir zum Zauberdoktor geht und dort die Zaubermedizin trinkt um meinetwillen, damit der Mörder offenbar werde.« Und siehe, alle, alle machten sich auf und kamen mit ihr zum Zauberdoktor. Dieser zündete ein großes Feuer an, in das er seine Zaubermedizin tat, und sagte dann: »Nun alle, die ihr da seid, springt mal alle durch dieses Feuer.« Da sprangen sie denn alle, alle nach der Reihe durchs Feuer. Da war die Schlange, die da sprang; da war das Reh; auch der Hase sprang in großen Sätzen; sogar das Huhn sprang mit; alle, alle ohne Ausnahme. Der Schakal aber stand wohlweislich ganz hinten und wartete bis zuletzt. Als sie aber nun alle gesprungen hatten, mußte er auch heran und springen. Aber siehe, als er sprang, fiel er, plumps! ins Feuer. Er ließ sich aber nicht irre machen, sondern sagte: »Nanu! Da hat mich gewiß der Schwanz gehindert«, ging hin, hieb diesen ab und warf ihn fort. Dann sprang er zum zweiten Male, und wieder fiel er plumps! ins Feuer. Aber noch gab er seine Sache nicht verloren, sondern sagte: »Das dumme Bein hat mich gehindert«, ging hin, hieb das Bein ab und sprang von neuem. Aber wieder fiel er plumps! ins Feuer. So schnitt er ein Bein nach dem andern ab und sprang schließlich ohne diese, aber sein Gewissen war zu schwer belastet, plumps! lag er im Feuer und verbrannte. Die Frau aber rief hocherfreut: »Seht Ihr! Jetzt ist es offenbar geworden, wer meine Kinder gefressen hat.« Damit ging sie, sammelte einen großen Haufen Brennholz und legte es sehr sorgfältig aufs Feuer, damit er ja ganz und gar verbrenne und so völlig zugrunde gehe.

2. Der Schakal. [1]

Drei Mädchen gingen einstmals, um eine Art kleiner Hülsenfrüchte zu graben. Zwei der Mädchen waren fleißig und hatten ihre Arbeit bald beendet, das dritte aber kam nur langsam bei

[1] Hier ist der Schakal als Mensch gedacht.

seiner Arbeit vorwärts. So gingen denn die ersten beiden, als sie
mit Graben fertig waren, nach Hause; dabei mußten sie über einen
Fluß, der viel Wasser hatte. Als sie nun dort ankamen, sangen
sie: »Lieber Fluß, werde doch niedrig!« Da sank das Wasser, so
daß sie bequem hindurchkonnten. Als später das andere Mädchen
auch mit ihrer Arbeit fertig war, ging sie auch nach Hause. Als
sie ebenfalls an den Fluß kam, sang auch sie, der Fluß möge
niedriger werden; dieser aber stieg statt dessen immer höher und
höher und nahm zuletzt auch noch ihren Bergstock mit fort. Da
lief es voller Furcht davon und eilte so schnell es nur konnte auf
ein Feuer zu, das es in der Ferne leuchten sah. Es kam zuletzt
auch dort an, aber bei strömendem Regen. Als es angelangt war
bei dem Hause eines Mannes, Schakal genannt, klopfte es an die
Tür und sprach: »Ach, lieber Schakal, öffne mir doch die Tür, ich
möchte mich wärmen.« Der aber verhielt sich schweigend. Da
rief es denn zum andern Male: »Ach lieber Schakal, mach' mir doch
die Tür auf, daß ich mich wärmen könne!« Er aber schwieg auch
diesmal. Da sagte es denn zum dritten Male: »Lieber Schakal,
mach' mir doch die Tür auf, daß ich mich wärme, denn ich zittre
vor Kälte und Regen.« Da antwortete der Schakal: »Wie käme
ich dazu, dir zu öffnen, bist du etwa meine Frau?« Das Mädchen
antwortete: »Ach, ich friere ja so und möchte mich wärmen.« Da
machte er ihm auf, und das Mädchen wärmte sich. Als es dunkel
wurde, sprach der Schakal: »Nun hast du dich erwärmt, darum
geh nach Hause.« Das Mädchen aber sprach: »Aber Schakal, weshalb verjagst du mich? Es ist doch dunkel geworden, wie leicht
kann ich da gefressen werden.« Da sprach er: »Nun denn, so
werde mein Weib!« Da weigerte sich das Mädchen und sagte:
» Nein, morgen früh kehre ich wieder nach Haus.« So saßen sie
denn und kochten ihr Essen, jeder sein eigenes. Da sprach der
Schakal zum Mädchen: »Gib mir doch von deinem Essen etwas
ab, ich gebe dir etwas von dem meinigen«; dabei gab er dem Mädchen etwas von seiner Mahlzeit, und diese gab ihm etwas von ihrer.
Als sie sich dann zur Ruhe legen wollten, bat das Mädchen um
eine Schlafmatte; da sagte der Schakal: »Ach was, ich habe keine,
bist du etwa meine Frau, daß ich dir eine Matte geben müßte?«
Da sprach das Mädchen: »Gieb mir doch jene dort, die du aufgerollt hast.« Er aber sprach: »Fällt mir gar nicht ein, denn dahinein habe ich mein Kind gewickelt.« Das Mädchen holte sich
aber doch die Matte und schlief darauf. Am Morgen aber fand sie
das Kind, ging zum Schakal und sagte zu ihm: »Sieh, das Kind
fand ich in der Matte.« Der Schakal sagte darauf: »Aber ich hab'

dir's doch gesagt, daß ich mein Kind dahineingelegt hatte; sei nu_
jetzt meine Frau und ernähre mir mein Kind.« Da nahm sie e_
auf den Rücken und ging dann mit ihm nach Hause. Der Schaka_
(der von ihrem Aufbruche nichts gemerkt hatte), trat hinaus un⊏
sah sie in einiger Entfernung gehen; da rief er ihr zu: »Wo gehs⯈
du denn hin? Du wirst sicher mein Kind töten.« Die Frau sprach _
»Wie käme ich dazu, dein Kind zu töten?« Da sagte er: »Solltes■
du Läuse auf dem Kopfe meines Kindes sehen, so laß sie ja sein▄
ja nicht etwa töten, denn das ist sein Leben.«[1] Die Frau sagte⹀
»Jawohl!« und ging dann nach Hause. Dort angekommen, sagte si⹀
ihrem Vater und ihrer Mutter die Sache von den Läusen.

Als sie eines schönen Tages mit ihren Eltern zum Ackern ging,
sagte sie zu ihren jüngeren Geschwistern: »Hört ihr Kleinen, gebt
hübsch Obacht auf dieses Kind, und wenn ihr Läuse auf seinem
Kopfe sehen solltet, so laßt sie nur und tötet sie ja nicht, denn
das ist sein Leben.« Als sie nun gegangen waren, sprachen die
jüngeren Geschwister: »Ach was, wieso sollte es sterben? (Wir
sterben ja doch auch nicht davon).« So sahen sie denn nach und
fanden auch richtig Läuse auf des Kindes Kopfe; als sie sie nun
töteten, starb das Kind aber doch. Da nahmen sie denn das Kind
auf den Rücken, obgleich es tot war (und trugen es umher). Dort
aber, wo die Eltern ackerten, kam ein Vogel angeflogen, setzte sich
dort nieder und sang: »Mögt ihr hier ackern und wieder ackern,
während das Haus leer geworden ist?«[2] Die Frauen riefen dem
Manne zu: »Schlage doch dieses Vogelvieh!« Der kam denn auch,
erschlug es, röstete es sich am Feuer und aß es auf. Als er es
verzehrt hatte, sitzt auf einmal der Vogel wieder da und singt:
»Mögt ihr immer ackern und wieder ackern, während es zu Hause
leer geworden ist?« Da sprachen sie: »Aber so was! Dieser Vogel!
Schlag ihn!« Der Vater schlug ihn wieder, röstete und aß und
sagte: »Kommt doch auch ihr und esset!« Sie aber wollten nicht.
Da setzten sie sich dann wieder nieder, da begann der Vogel wieder
wie zuvor zu singen. Wieder schlug der Mann ihn, tötete ihn und
band ihn dann in Gras ein, um ihn mit nach Hause zu nehmen.
Dann sagte er: »Was dieser Vogel wohl hat! Wollen mal sehen,

---

[1] Jeder Kinga, dessen Haare etwas länger sind, hat diese lieben
Tierchen, die von schwarzer Farbe sind. Läßt er sich scheren, so ist er
sie natürlich auch mit den Haaren los; sobald die Haare aber wieder die
gehörige Länge haben, stellen sich auch diese »lieben Tierchen« wieder ein.
Kleiderläuse gibt es wegen Kleidermangel nicht. Der obige Ausspruch
kehrt in den verschiedenen Märchen immer wieder.

[2] Eine Redensart, wenn jemand gestorben ist.

ob er jetzt auch noch aufersteht.« Als sie nun aufsehen, da sitzt
wie dort (in einiger Entfernung) wieder ein Vogel und singt: »Mögt
ihr immer wieder ackern und ackern, während es zu Hause leer
geworden ist?« Da sagten sie: »Aber so was! Was hat denn der
Vogel nur?« und gingen nach Hause. Als sie dort ankamen, sahen
sie, wie die Kinder das verstorbene Kind herumtrugen. Da fragten
sie sie: »Was habt ihr denn nur gemacht?« Die Kinder antworteten
ihnen: »Wir haben Läuse gesehen und sie getötet, da starb das
Kind.« Da weinte die Frau und sagte: »Nun habt ihr doch das
Kind getötet, obgleich ich euch gesagt habe: geht gut Obacht!« Dann
nahm sie es auf den Rücken, ging nach dem Hause des Schakals,
legte es da hinein und ging dann davon.

Als der Schakal sie etwas später in einiger Entfernung sah,
rief er ihr zu: »Wo ist mein Kind?« Sie antwortete ihm: »Ach, das
ist gestorben, ich habe es ins Haus gelegt.« Da sprach er: »Das
habe ich dir doch gleich gesagt, daß du mein Kind töten wirst.«
Da sagte die Frau: »Nicht doch, ich habe es ihnen (zu Hause) gesagt, daß sie gut Obacht geben sollten und ja nicht die Läuse auf
seinem Kopfe töten; sie aber, als sie die Läuse sahen, töteten sie
doch, und darauf starb das Kind.« Der Schakal aber sagte: »Ach
was! Du, du selbst hast mein Kind getötet.« Dann rief er seine
Freunde zusammen und folgte ihr.

Die Frau aber lief davon, und als sie zu ihrem Vater kam,
sagte sie zu ihm: »Der Schakal folgt mir, er verfolgt mich mit einem
ganzen Haufen von Leuten.« Da rief denn auch der Vater seine
Freunde zusammen, die sich auch willig einstellten; und als dann
der Schakal herankam, kämpften sie miteinander und besiegten den
Schakal mit seinen Leuten. An einem anderen Tage sagte der
Schakal zu sich: »Ich werde ihm mal seine Sachen heimlich fortnehmen.« Der Vater der Frau aber sah ihn und fragte: »Was soll
das?« Da sagte der Schakal: »Ja, ihr habt mein Kind getötet.«
Da sprach der Vater der Frau: »Wann hast du denn meine Tochter
gekauft zur Frau, daß sie dir dein Kind ernähre?« Darauf kam
es zum Kampf zwischen beiden. Der Vater aber schlug den Schakal
auch diesmal und tötete ihn.

3. Die Reiherfeder.

Einst machten sich zwei Knaben auf den Weg, ihre Verwandten,
die weit entfernt wohnten, zu besuchen. Der eine von ihnen hatte
sich mit einer Krähenfeder geschmückt, der andere mit einer Reiherfeder. Sie gingen weiter und immer weiter, da sahen sie einige

aliṅkudeka eńyama, nitsa mbeva nitsa mene nitsa seṅga nitsa vanu. Va——
amalile, uvańyina akahusuka, avye ahuswike, valiṅkulya. Umenza aka——
kimbela, akajodoka ku ńyumba.
Ukadeje'nzule akajona; pa vusiku akalava ṅkujenda, akajenda—
akajenda akavavona avahenza vavo mmadovela. Avye atsikuvavwene,
avahenza vakatsosańya, vatye: »tuhéleke iṅiṅi kwa Ukadeje'nzule.« Atye
ummamadye: »une ndidwada, Ukadeje'nzule nnonu pa muńyi, pa kilo
ihambuka libonzu.« Atye unnuna: »ema, ndehéleke unene, uli ndwatsi,
vwatsikimbela«, aliṅkwema ukubeha kuhéleka. Akabeha akabeha akabeha, Ukadeje'nzule palatsibeha; akilaṅga akata: »Kadeje'nzule, ojo
iṅiṅi!« umwene akata: »vikuma pambale.« Akabeha akabeha akabeha
akavuja akilaṅga akata: »Kadeje'nzule, ojo iṅiṅi!« Ukadeje'nzule palaluta akata: »vikuma pambale.« Akabeha akabeha akemba akata:

»Kadeje'nzule, Kadeje'nzule, Kadeje'nzule, Kadejen'zule!
undindaje nane, Kadeje'nzule!«
Umwene Ukadeje'nzule akemba namwene akata:
»menza, menza, menza, menza!
ndasindakwoula, menza« usw.

Umenza po asike. Vakatama pasi ukulya iṅiṅi. Vo valye, vama-
lile iṅiṅi, po akata Ukadeje'nzule: »ve menza, uńyape ekisindi«; akańyapa
akańyapa, kikaṅata. Po akema Ukadeje'nzule akańyapa jo mwene,
ekisindi kikavuka, vo kivukile, lukavoneka ulwambo; akata: »ve menza,
tola!« Akavuka akańyapa ekiṅge, akatsivona inzululu, akata: »ve menza,
utole!« Akavuja akańyapa, avwene eṅguvo nekimaṅga. Akatsova ku
menza akata: »lino uswalade, ve menza!« Akaswala umenza syoni na
lulwambo neṅguvo ninzululu nekimaṅga. Avye aswalile, Ukadeje-
'nzule akata: »vuka ku ńyumba kwa juva, une ndibeha kwilola untejo,
najune ndivuja; ukabehaje kwijava amahembi.« Akavuka. Akatsisika
umenza ku ńyumba akambona uvańyina Ukadeje'nzule akata: »tube-
haje kwijava amahembi, Ukadeje'nzule avye kwilola untejo.« Umwene
akata: »kwo, vukuneka vovule, najojuṅge aṅekile, akimbye.« Umwene
akata: »bako! nandikimbela.« Vakavuka ku mahembi. Vakatsijava
vakajava, pili vavuja. Vavye vasike ku ńyumba, uvańyina Ukadeje'nzule
akambula umenza, ateleke amahembi; vo atelike, amahembi jakapie.
Gavye japie, uvańyina Ukadeje'nzule akitsa akata: »ukipule, ulitsaje
utudebe, amavaha utaje ku makona.« Umenza palakalya utudebe, amavaha akataja ku makona. Akitsa uṅkamwana akasika kwilola, akajudulila akata: »tupalapálaje ku makona ja vakamwana«, akahola amavaha, akaveka ṅkihelo. Akajudulila ulunge akata: »uṅkamwana ve ala-
tama nunswambaṅgo.« Po akata: »uteleke amajasi, japitsaje, jajevulaje,
Ukadeje'nzule nnonu pa muńyi, pa kilo ihambuka libonzu; uho leṅańye

dann wieder herauf. Nun gruben sie tiefer und tiefer. Als die
Grube tief genug erschien, sprach der mit der Krähenfeder zu
seinem Freunde: »Nun steige mal hinein und hole die hinein-
geworfene Feder!« Dieser stieg denn auch hinein. Als nun der
mit der Krähenfeder sah, daß sein Freund vollständig in der Grube
verschwand, auch sein Kopf gar nicht mehr zu sehen war, nahm
er schnell Erde, begrub ihn und verdeckte die Grube gut; darauf
ging er seine Verwandtschaft zu besuchen. Als er dort ankam,
fragten ihn diese, ob er denn allein gekommen sei. »Ja,« sagte
er, »ich war ganz allein.« So blieb er denn bei ihnen lange Zeit.
Eines schönen Tages machte er sich wieder auf die Heimreise. Als
er nun zu Hause ankam, fragten sie ihn dort: »Wo ist denn dein
Freund?« Er antwortete: »Ach, das weiß ich nicht; der ist wohl
noch zurück, wahrscheinlich geht er noch.« Darüber gingen sie
zur Ruhe. Am nächsten Tage fragten sie ihn wieder: »Wo ist
dein Freund?« Er antwortete: »Ja, das weiß ich auch nicht; ich
habe ihn zurückgelassen, der geht wohl noch.« Auch am nächsten
Tage war es dieselbe Sache; er aber kam nicht. Da sahen sie einen
Vogel, der dort stand und sang: »Euer Sohn ist nicht da; den beschuldigen sie, die Reiherfeder getragen zu haben, und haben ihn
deshalb im Morast vergraben.« Als sie das hörten, fragten sie ihn
wieder: »Wo hast du deinen Freund gelassen.« Er sagte: »Ich ließ
ihn zurück; er geht gewiß noch.« So schwiegen sie denn und
gingen wieder zur Ruhe. Am nächsten Morgen kehrte der Vogel
wieder und sang: »Euer Sohn ist nicht da; sie beschuldigen ihn,
die Reiherfeder getragen zu haben, und vergruben ihn im Moraste.«
Da fragten sie jenen: »Wo hast du deinen Freund gelassen?« Der
sagte: »Ach was! ich hab ihn zurückgelassen, er geht wohl noch;
gewiß kommt er morgen.« Da sprachen sie: »Und der Vogel, der
da ist, was singt der?« »Ach,« antwortete er, »das weiß ich auch
nicht, der ist gewiß nur betrunken und singt sich nun selbst etwas
vor.« So schwiegen sie denn wieder und gingen abends zur Ruhe.
Am nächsten Tage sang der Vogel wiederum: »Euer Sohn ist nicht da;
sie beschuldigten ihn, die Reiherfeder getragen zu haben, und haben
ihn im Morast vergraben.« Da fragten sie ihn abermals: »Wo hast
du deinen Freund gelassen?« Er sprach: »Ich habe ihn zurückgelassen, er ist noch auf dem Wege und wird gewiß morgen
kommen.« Sie sprachen: »Und der Vogel da, was singt der?« Er
erwiderte: »Ach was, der ist betrunken und singt sich selbst nur
was vor.« Sie aber sprachen nun: »Auf, laßt uns gehen, daß wir
sehen, was es zu bedeuten hat.« So gingen denn die Mutter des
Getöteten, dessen Vater und einige andere und forschten nach. Als

sie noch gar nicht weit gegangen waren, trafen sie mit Leuten au
dem Wege zusammen und fragten diese, ob sie die Knaben zu —
sammengesehen hätten, als diese zurückkamen. »Nein,« antwortete
die Leute, »das haben wir nicht gesehen, sondern wir sahen nu
diesen (den Mörder) allein.« So gingen sie denn weiter. Als sie
wieder Leute trafen, fragten sie, ob sie (die Knaben) noch beiein—
ander waren, als sie hier durchgingen; diese antworteten: »Gewiß
wir sahen sie beide, aber der eine ist dort in der Schlucht ver—
schwunden, den sahen wir nicht wieder.« Als sie nun in die
Schlucht kamen, sahen sie Morast an der einen Stelle; da fragten sie
(den Übeltäter): »Was ist dies für Morast?« Der antwortete: »Der
Morast fanden wir schon vor, als wir uns hier amüsierten, der ist
von hier (ist alt)«. Die Mutter (des Getöteten) sagte: »Aber de
Morast sieht doch so aus, als ob jemand frisch gegraben hätte
Da wollen wir doch mal nachgraben und sehen.« Da grub sie
denn nach und sah bald einen Kopf sichtbar werden. Da sagte
sie: »Wer ist denn dies hier? Du hast ihn hier begraben!« Da er—
griffen sie denn auch ihn, gruben eine Grube, warfen ihn da hinein
und verschlossen die Grube mit Erde. Dann gingen sie nach Hause.
Als sie zu Hause angekommen waren, fragte die Mutter des andern
»Wo ist mein Sohn?« Diese antworteten: »Ja, den haben wir auch
getötet, nachdem wir ihn erkannt haben als den, der unsern Sohn
getötet hat.« Da weinte sie und sprach: »Weshalb habt ihr ihn,
meinen Sohn, getötet? Doch nur um sagen zu können, ich soll
bezahlen (Strafe). deshalb habt ihr nun einen Menschen getötet.«
Sie aber sagten: »Wir haben ihn als den erkannt, der unsern Sohn
getötet hat: da sagten wir uns. nun, dann mag auch er sterben.«

4. Die Alten.

Einstmals wohnten zwei Männer an einem Flusse, und zwar der
eine am Oberlauf, der andere am Unterlauf. Der oberhalb Wohnende
sprach eines Tages zu seinem Freunde am Unterlauf und sagte zu
ihm: »Wir wollen unsere Mütter töten; ich werde meine Mutter
zuerst töten, und wenn du gesehen hast, daß ich sie getötet habe,
dann töte auch deine Mutter.« Dieser ging darauf ein. So gingen
sie von einander.

Der am Oberlauf wohnte, nahm dann Brombeeren, zerstampfte
sie gehörig und schüttete sie in den Fluß, so daß das Wasser davon ganz rot ward und aussah wie Blut. Als der am Unterlauf
Wohnende das rote Wasser sah, sprach er: »Jetzt hat mein Freund
seine Mutter getötet; da will denn auch ich meine Mutter töten.«

So nahm er denn sein Haumesser (ein großes Messer an einem 1¼ Meter langen Stiel), tötete damit seine Mutter und warf sie in den Fluß. Als er sie hineingeworfen hatte, ging er zu seinem Freunde, der am Oberlauf wohnte, und erzählte ihm: »Auch ich habe nun meine Mutter getötet.«

Dann ging er ins Haus, und wen sieht er darin? — die Mutter seines Freundes.

Da sprach er zu ihm: »Höre mal, mein Freund, du hast mich beschwindelt; ich habe meine Mutter getötet, und du hast deine Mutter am Leben gelassen; töte nun auch deine Mutter.«

Sein Freund aber sprach: »Ach wo, ich habe nur Brombeeren in den Fluß geworfen.« Da antwortete sein Freund: »Konntest du mir nicht sagen, daß du Brombeeren in den Fluß werfen wolltest? Ich habe meine Mutter getötet (wie wir verabredet hatten), nun töte auch deine Mutter.« Da sprach der andere: »Ach was, du bist ein Dummkopf, ich habe (meine Mutter) am Leben gelassen.« Darauf sprach der andere: »Nein, ich habe sie (meine Mutter) getötet, sie ist gestorben, nun töte auch du die deine; siehe, es tat mir meine Seele weh, als ich sie tötete. darum töte auch deine Mutter.«

Da sprach der andere: »Ach nein; wenn es sein muß, dann töte du sie.« Dieser nahm nun das Haumesser und tötete nun auch dessen Mutter. Als er sie nun getötet hatte, weinte sein Freund, und sie stritten sich fortwährend; denn er sprach: »Nun hast du meine Mutter getötet.« Dieser antwortete: »Du hast mich ja dazu verleitet, deine Mutter zu töten; da habe ich sie eben getötet.«

Da kamen (zuletzt) ihre Genossen (dazu) und sprachen: »Laßt doch voneinander ab (mit dem Streiten); ihr habt (nun einmal) eure Mütter getötet, sie sind gestorben, und zwar beide, so vertragt euch nur wieder (was hilft da alles Streiten!).« Da versöhnten sie sich (denn auch wieder).

5. Der See oder Teich.

Eine Anzahl von Leuten, groß und klein, gingen einstmals zu einem Flusse. Dort angekommen, sprachen sie: »Laßt uns eine Grube graben!« und gruben nun (geraume Zeit). Dann sprachen sie zu einem der Knaben, er solle (die Tiefe) messen, (dadurch, daß er hineinsteige. Dies tat er auch). Als sie sahen, daß (ihm) die Grube bis zur Hüfte ging, sprachen sie: »Komm heraus!« Dann gruben sie weiter und weiter, die Grube wurde immer tiefer. Da sprachen sie: »Versuche (nun einmal) zu messen!« Der (Knabe)

stieg hinein, die Grube reichte bis zur Schulter. Da halfen sie ihm
heraus. Darauf gruben sie weiter, immer tiefer und sprachen dann:
•Nun steig mal hinein, damit wir sehen (wie tief die Grube ist)!•
Als er hineingestiegen waren, sahen sie, daß er (vollständig) ver——
schwand, auch sein Kopf war nicht mehr zu sehen. Da nahmen
sie Erd- und Grasschollen, vergruben ihn (darunter) und schütteten
(die ganze Grube zu) bis obenhin, dann gingen sie nach Hause. ___
Die Mutter dieses Knaben erwartete (daheim) ihren Sohn, der aber
kam nicht. Da fragte sie seine Genossen (die mit ihm gegangen
waren), wo er denn wäre? Die aber sprachen: •Nanu! das wissen
wir doch nicht.• Auch am nächsten Tage erschien (der Knabe)
nicht. Er wurde (von den Eltern) gesucht und gesucht, aber ver——
geblich; sie fanden ihn nicht. Da ging eines Tages die Schwester
des, den sie (lebendig) begraben hatten, um Wasser zu holen. Sie
hielt die Wasserkalabasse (Kürbisflasche) ins Wasser und hörte (bei
dem Gluckern des Wassers, das in die Flasche lief) einen Menschen
(folgendermaßen) sprechen: •Du, die du (das Wasser in die Flasche)
gluckern läßt, wenn du meine Schwester bist, so sage doch meiner
Mutter, daß man ihren ältesten Sohn (lebendig) begraben habe.•
Das Mädchen lief (voll Furcht) davon, schwieg auch zu Hause (angekommen von der Sache).

Am nächsten Tage sprach des Mädchens Mutter: •Geh und
hole Wasser•. Da ging es denn, um Wasser zu schöpfen. Als nun
das Wasser in der Flasche gluckste, sprach (wieder) ein Mensch:
•Du, die du (das Wasser in die Flasche) gluckern läßt, wenn du
meine Schwester bist, so sage doch meiner Mutter, daß man ihren
ältesten Sohn (lebendig) begraben habe.• Das Mädchen ging nach
Hause. Dort angekommen, sagte sie auch diesmal nichts. Auch
am nächsten Tage ging es in derselben Weise. Als es aber am andern
Tage wieder Wasser geschöpft hatte, erzählte es seiner Mutter (die
Sache) und sprach: •Als ich Wasser schöpfte, sprach ein Mensch
(den ich nicht sah, nur hörte): ,Du, die du (Wasser in die Flasche)
gluckern läßt, bist du meine Schwester, so sage doch meiner Mutter,
daß man ihren ältesten Sohn (lebendig) begraben habe.'• Da sprach
seine Mutter: •Also doch! Nein geh doch auch heute noch einmal
(ich gehe mit) und verberge mich, damit ich höre; vielleicht ist er
es doch (nämlich der Vermißte).• So gingen sie denn (beide) und
kamen zum Fluß. (Dort angekommen), verbarg sich die Mutter,
das Mädchen aber schöpfte Wasser. Da hörten sie einen Menschen
sagen: •Du die du Wasser in die Flasche gluckern läßt, falls du
meine Schwester bist, sage doch meiner Mutter, daß man ihren
Sohn (lebendig) begraben habe.•

Da trat die Mutter herzu, entfernte die Erd- und Grasschollen und erblickte seinen (des Knaben) Kopf. Da holte sie eine Hacke herbei, grub ihn (den Knaben) heraus und erkannte ihn; er war es (ihr Sohn). Sie weinte (nun) und weinte, denn sie sahen, daß das Kind an der einen Seite verwest war. Sie trugen ihn nun und legten ihn in (ihrem) Hause nieder.

Drei Tage blieben sie (beieinander zu Hause). Da machten sie sich auf, um ackern (zu gehen). Ehe sie gingen, sagten sie zu dem Sohne: »Hole nicht etwa Feuer; wenn Leute kommen (und sagen, du sollst es tun), so weigere dich.« Damit gingen sie davon. Als sie gegangen waren, kamen Häuptlinge (setzten sich vor die Hütte, riefen den Knaben) und sprachen: »Heda! Junge, bring uns mal Feuer, damit wir Tabak rauchen können.« Er aber sprach: »Ach nein, ich hole kein Feuer (ich darf es nicht).« Sie sagten (zum andern Male): »Hole Feuer!« Er aber sagte: »Nein, ich hole kein Feuer.« Da nahmen sie einen Stock und wollten ihn schlagen. Da holte er denn Feuer. Als er aber das Feuer geholt hatte, verwandelte er sich in Wasser, und es entstand (an der Stelle) ein See (Teich). Die Häuptlinge aber liefen davon (als sie das sahen).

Die Eltern aber sahen dort, wo sie arbeiteten, einen Vogel, der sich dorthin gesetzt hatte und nun sang: »Wollt ihr hier ackern und wieder ackern, während zu Hause ein See (entstanden) ist?« Da sprach das Mädchen: »Nun seh einer diesen Vogel, schlag ihn Vater.« Der schlug ihn. Der Vogel aber kehrte wieder und sang in derselben Weise. Da sprachen sie: »Na, dann wollen wir nur nach Hause gehen (und sehen, was eigentlich passiert ist).« So kehrten sie denn um und gingen nach Hause. Dort angekommen (sahen sie) o Schreck! den See.

Da gingen sie (in der Verzweiflung) zu denen, die das Kind (lebendig) begraben hatten und erhängten sich in deren Hütte. Diese aber töteten sie vollständig (damit sie nicht etwa mit dem Leben davon kämen und dann gegen sie klagbar werden möchten).

6. Umwavujejemba
(oder der kleine Held).

Zwei Söhne, ein älterer und ein jüngerer, bereiteten ihrer Mutter einstmals ihren Garten vor [1] und gingen dann nach Hause.

---

[1] Zur Vorbereitung eines Gartens gehört, daß zunächst Gras, Gesträuch, Unkraut und dgl., die auf den ruhenden Äckern sehr üppig wachsen, mit den Haumessern niedergemäht werden; diese Arbeit wird gewöhnlich

Die Mutter bewarf die vorbereiteten Beete mit Erde. Da kam
plötzlich ein Kerl zu ihr und erschreckte sie so, daß sie (aus Furcht)
entfloh. Als sie nach Hause kam, fragten die Söhne, was denn geschehen sei; da sagte sie: »Ach! da kam plötzlich ein Unmensch
und erschreckte mich, komme doch und lege dich im Grase nieder
(um ihn abzufassen).« So ging denn der älteste Sohn mit, um sich
im Grase zu verbergen. Die Frau aber bewarf die Beete weiter
mit Erde. Da kam der Kerl (wieder); der Sohn sprang auf (um
ihn zu fassen); der Kerl erschreckte aber auch ihn und verjagte
nun beide. So kamen sie beide zu Haus an. Da fragte der Jüngste:
»Nun, was ist geschehen?« Da sprach der Älteste: »Ach, wir sind
überwunden (wir konnten nichts tun).« Der (Jüngste) sprach: »Was,
ihr seid überwunden?« Der (Ältere) antwortete: »Ja!« Da machte
sich der Kleine auf, um sich auf die Lauer zu legen und nahm
Honig und einen Stein mit sich; den Stein legte er in ein glimmendes
Beet, daß er glühend werden möchte. Als nun der Kerl (wieder)
kam, sprach der Kleine: »Sita, Großvater, sita!« [1] Dann nahm er
etwas Honig und gab ihm denselben; der Mensch sagte: »Das ist
recht, mein Enkelchen, das schmeckt einmal gut; gib mir doch
noch etwas davon.« Da holte der Kleine noch etwas und sprach:
»Nun tu deinen Mund weit auf.« (Als dies geschehen) fütterte er
den Menschen (mit Honig). Der sprach: »Ach ja, mein Enkelchen,
das schmeckt wirklich gut.« Nun holte (der Kleine) den glühenden
Stein und sprach: »Jetzt tu mal den Mund ganz weit auf!« Dabei
warf er ihm den Stein in den Mund, daß er im Munde, im Halse
und im Leibe alles verbrannte, so daß der Mensch starb. Dann
gingen sie nach Hause. Dort angekommen, sprach der Kleine:
»Nun ist's bewiesen, du bist ein Hasenfuß! Sieh, ich habe jenen
Kerl getötet.« Der (andere) sprach: »Seit wann denn?« Da sagte
der Kleine: »Komm, ich werde es dir zeigen.« So gingen sie denn
und dort angekommen, sahen sie wirklich, daß der Kerl tot war.
Da sprach der Älteste: »So etwas! du hast ihn getötet (du Knirps!),
und ich wurde überwunden!«

---

von Männern getan. Dann wird das Umgehauene zu länglichen Haufen zu-
sammengescharrt, mit Grasstücken, die mit der Hacke durch flaches Einhauen
mit derselben gewonnen werden, bedeckt und das Ganze angezündet. Während die so entstandenen Beete brennen, bewerfen die Frauen dieselben
mit Erde, damit das Feuer nicht lichterloh, sondern langsam alles durch-
brennt. Das ist nebenbei die Art, wie die Kinga düngen.

[1] Sita! Ausdruck des Mitleids, des Erbarmens, des Beileids. In diesem
Falle wäre es etwa zu übersetzen: »Ihr seid gewiß recht müde usw., Großvater, ich bedauere Euch herzlich.«

Die Frau aber ging nun und beendete ihre Arbeit.

Darauf sprach der Ältere zum Jüngeren: »Du bist doch so ein Held; wenn du zu Mwavu̱je̱je̱mba¹ gehen würdest, würdest du wohl von dort zurückkehren?« Der sprach: »Gewiß kehre ich wieder zurück.« Der Ältere sprach: »Du wirst gewiß nicht zurückkehren«; er aber antwortete: »Doch! wenn ich ginge, würde ich auch zurückkehren.« Da sprach seine Tante: »Wenn du gehst, so wirst du große rote Tiere sehen, welche singen; sieh nicht dahin, wo sie sich befinden, sondern sieh wo anders hin und geh ruhig vorüber.« So ging er denn, kam an einen Wald, der in einiger Entfernung vom Wege lag, und sah dort die roten Tiere, welche sangen. Da lief er zurück und sagte es seiner Tante. Diese sprach: »Ich habe dir doch gesagt, daß du nicht dorthin sehen solltest, sondern nach der andern Seite.« Da ging er denn (zum andern Male), und als er an den Wald kam, ging er ruhig vorüber, ohne dorthin zu sehen, mit seinen drei Hunden Sammler, Zusammensetzer und Belecker. So ging er denn weiter und weiter; da kam er an eine Schmiede, deren Insassen den Blasebalg² bewegten und, als sie ihn kommen sahen, sprachen: »tügu, tügu, das Fleisch bringt sich selber.« Da nahm auch er die Blasebalgstäbe in die Hand, bewegte sie auf und nieder und sprach: »tügu, tügu, das Fleisch wird auch wieder nach Hause gehen.«

Als es Abend geworden war, ging er mit ihnen nach Hause. Dort angekommen, bereitete der Schmied mit seinen Leuten einen Brei. Die Hunde (die zusahen), bemerkten, wie sie ein Rasiermesser im Teige verbargen, kamen (zu ihrem Herrn) und sagten zu ihm: »Iß doch ja nicht die großen Stücke Brei, sondern die kleinen Portionen, die wir dir bezeichnen werden dadurch, daß wir mit unsern Pfoten über dieselben hinweggehen und dabei hineintreten werden.« Da brachte Mwavu̱je̱je̱mba (denn dieser war es) mit seinen Leuten den Brei, und die Hunde traten in die kleinen Portionen. Die Leute aber sprachen: »Iß doch die große Portion, die ist sehr schmackhaft.« Er aber sagte: »Ach nein! ich für meine Person sammle die Portionen, die meine Hunde zertreten haben.« Da antworteten sie: »Nicht doch, iß doch die große Portion«; er aber

¹ Name eines berüchtigten Mörders, der keinen lebendig ließ, der zu ihm kam.

² Der Blasebalg ist 2teilig mit langen Stäben als Handhaben; gewöhnlich sind 3, 4 und mehr junge Leute als Lehrlinge bei dem Schmiede, die diese Blasebälge mit den Händen bewegen. Das Geräusch, das dabei entsteht, lautet: *tügu, tügu!*

sagte: »Nein, wir essen die von den Hunden zertretenen Portionen (damit ihr sie nicht zu essen braucht).« So aß er sich denn tüchtig satt. Als sie zur Ruhe gingen, sprachen sie: »Du kannst im Mädchenhause schlafen«; dem Mädchen aber (die in dem Hause schlief) waren die Haare geschoren. Als er nun in der Nacht fest schlief, schoren ihm die Hunde die Haare, legten sie auf den Kopf der Tochter (des Hauses), nahmen ihres Herrn Perlen, gaben sie dem Mädchen, dessen Baumwolle aber (die sie trug), gaben sie dem Herrn. In der Nacht kamen dann die Eltern des Mädchens mit dem Beile, töteten das Mädchen (in dem Glauben, es sei der Fremdling) und trugen es in die Scheune. Der Bursche aber (von den Hunden geweckt) stand auf, als sie (die Mörder) gegangen waren, öffnete die Ställe der Rinder, Ziegen und Schafe und ging mit der ganzen Herde davon.

Als es hell ward, kamen sie (die Mörder) heraus, sahen in die Scheune und sprachen: »O weh! wir haben unsre Tochter getötet«; dann verfolgten sie (den Flüchtling). Die Hunde wandten sich auf dem Wege um, und als sie (die Verfolger) sahen, schufen sie (ein dichtes Gebüsch) vom Juckstrauch (der, wenn man ihm zu nahe kommt, ein furchtbares Jucken am ganzen Körper verursacht). Als die (Verfolger) näher kamen, hieben sie die Jucksträucher alle nieder und nahmen dann die Verfolgung wieder auf. Da schufen die Hunde einen dichten Wald. Als sie auch an diesen Wald kamen, hieben sie ihn ebenfalls nieder. Während der Zeit kam der (Flüchtling) in einem Flußtale an, und da er ganz erschöpft war, kletterte er hoch hinauf auf einen Baum, die Rinder, Ziegen, Schafe und Hunde aber gingen in den Fluß und verwandelten sich in Steine.

Da kamen denn auch die Verfolger hin, und als sie sahen, daß er einen Baum erklettert hatte, hieben sie so lange darauf ein, bis er umfiel. Dann nahmen sie den (Mann), zerstückelten ihn, verstreuten die Stücke und gingen davon. Nun kamen die Hunde wieder aus dem Flusse heraus, der Sammler sammelte die Stücke zu einem Haufen; der Zusammensetzer setzte die einzelnen Teile zusammen, daß es ein Mensch wurde; der Belecker aber beleckte ihn ganz und gar, Gesicht, Nase, Mund und Ohren, und machte ihn so lebendig. Da stand er auf, desgleichen die Rinder, Ziegen und Schafe.

Als sie nun alle erstanden waren, sprach er (zu einem Schaf): »Du, Schaf, wenn ich dich nach Hause senden würde, was würdest du dort sagen?« Es sprach: »Wenn ich ankäme, so würde ich sagen Mäh! hole deinen Sohn, der bei Mwavujejemba war, er ist auf dem wüsten Felde.«

Da rief er eine Ziege und sprach zu ihr: »Wenn ich dich senden würde, was würdest du sagen?« Die sprach: »Ich würde sagen Mäh! dein Sohn, der bei Mwavu̯je̯jemba war, er ist auf dem wüsten Felde.«

Da rief er ein Rind und fragte in derselben Weise. Das sprach: »Ich würde sagen Buh! dein Sohn, der bei Mwavu̯je̯jemba war, er ist auf dem freien Felde.«

Da rief er einen Vogel und sprach: »Wenn ich dich senden würde, was würdest du sagen?« Der Vogel sprach: »Ich würde sagen tsutswi tsutswi! dein Sohn, der bei Mwavu̯je̯jemba war, er ist auf freiem Felde.« Da sprach er: »Geh!« Als der Vogel nun zu seinem Vater kam, sang er: »tsutswi tsutswi! dein Sohn usw.« Sein Vater sprach: »Verjagt diesen Vogel, was sagt er?« So verjagten sie ihn. Der Vogel aber kam wieder und sang: »tsutswi tsutswi! dein Sohn usw.« Der Vater sprach: »Verjagt diesen Vogel, was fällt ihm ein.« Da verjagten sie ihn. Er kam aber wieder und sang in derselben Weise. Wieder verjagt, kehrte er doch wieder und sang wie vorher.

Da sprach der Vater: »Auf denn, laßt uns gehen!«

So gingen sie denn, und als sie über den Hügel kamen, sahen sie ihn (den Sohn) mit Rindern, Ziegen und Schafen im Flußtale. Da gingen sie zu ihm und fragten ihn: »Bist du von Mwavu̯je̯jemba zurückgekehrt?« Er antwortete: »Ja! ich bin von dort zurückgekehrt.« Da fragten sie: »Und wo hast du denn die Rinder hergeholt, und die Ziegen und Schafe?« Da sagte er: »Die habe ich mir zugeeignet, denn man wollte mich töten.« [1]

Da trieben sie die Herde nach Hause. Ein Rind aber übergab er dem Vogel (der als Bote gedient) zur Bezahlung. Zu Hause angekommen, teilte er seinem älteren Bruder 10 Rinder, Ziegen und Schafe zu und sprach: »Siehst du, du Hasenfuß, wie ich von Mwavu̯je̯jemba zurückgekehrt bin?«

So wohnte er (wieder) bei ihnen, von ihnen gefürchtet (als der kleine Held).

7. U̯ñyande̯mu̯la.

(Gefunden und wieder verloren.)

Es waren einmal zwei Schwestern, eine ältere und eine jüngere. Eines Tages schickte die ältere Schwester die kleine zum Wasser und sprach: »Schwesterlein, geh und schöpfe Wasser!« Damit gab sie ihr eine Kalabasse (Kürbisflasche), die entzwei war; daher lief denn auch das Wasser heraus, und sie vertrödelte (viel Zeit) am

---

[1] Der Kinga sieht die gewollte Tat als wirklich geschehen an und verschafft sich dann in der oben angedeuteten Weise sein Recht.

Wasser (da sie versuchte, den Riß zu heilen). Zu Hause angekommen, sprach sie dann zur älteren Schwester: »Du hast mir ja
eine Kalabasse gegeben, die entzwei war, ich habe viel Zeit dort
am Wasser zubringen müssen.«

Nachdem aber die Kleine gegangen war, hatte die Große sich
ein Huhn geholt (von den Hühnern der Eltern), es geschlachtet,
den Kopf entfernt und ihn auf den Söller der Hütte gelegt; das
Huhn aber hatte sie verzehrt.

Am nächsten Tage sandte sie die kleine Schwester wieder mit
einer schadhaften Kalabasse. [1] Da sprach die Kleine (obwohl sie
keinen Riß sah): »Die Kalabasse ist (gewiß wieder) entzwei, gestern
habe ich auch eine ganze Zeit dort am Wasser zugebracht.« Die
Große aber sprach: »Sieh dich nur vor und trage sie gut.« Darauf
ging die Kleine. Die Große aber tötete hinterher (wieder) ein
Huhn, den Kopf aber legte sie wieder auf den Söller zu dem andern;
das Huhn verzehrte sie. Als sie gegessen hatte, kam ihre junge
Schwester zurück und sagte: »Na, weißt du, Große, du hast mir
(wieder) eine zerbrochene Kalabasse gegeben, ich habe eine lange
Zeit dort am Wasser verbracht; ich dachte, ich könnte (die Kalabasse) mit Lehm verschmieren, doch bin ich überwunden, sie wollte
nicht (da der Lehm nicht hielt).« Da sprach die Große: »Morgen
gebe ich dir eine andere, eine gute.« Als es (am nächsten Morgen)
hell ward, sprach sie: »Kleinchen, das ist heut' (aber) eine gute
(Kalabasse), geh nur!« Die Kleine ging zum Wasser, die Große
aber ergriff wieder ein Huhn, tötete es, legte den Kopf oben hin
und aß (es). Die Kleine kam dann wieder vom Wasser zurück und
sprach: »Du sagtest doch, die Kalabasse wäre heil; dabei war sie
doch wieder entzwei.«

Am nächsten Morgen sprach sie: »Geh, Kleinchen, zum Wasser!«
Die aber sagte: »Ach, ich gehe nur immer hin und her mit zerbrochenen Kalabassen.« Da sprach die Große: »Nein, heute ist sie
ganz«; damit holte sie eine andere und gab sie ihr. Da ging die
Kleine. Sie aber tötete hinterher wieder ein Huhn, legte den Kopf
wieder oben hinauf und verzehrte das Huhn. Die Kleine kehrte
vom Wasser zurück und sprach: »Vier Kalabassen hast du mir nun
gegeben, und alle waren entzwei.« Die Große sprach: »Nein, aber
morgen gebe ich dir eine gute.«

Als es am nächsten Morgen hell ward, gab sie ihr wieder eine
Kalabasse und sprach: »Gehe zum Wasser!« Hernach aber griff

---

[1] Die Kalabassen bekommen oft Risse, die man so gar nicht sehen kann; erst
wenn sie mit Wasser usw. gefüllt werden, sieht man, daß sie nicht dicht sind.

sie sich wieder ein Huhn, tötete es, legte den Kopf oben hinauf; das Huhn aber aß sie.

Als die Kleine nun, am Fluß angekommen, sah, daß die Kalabasse lief, kehrte sie sofort zurück, kam und sah, wie die größere Schwester das Huhn tötete und den Kopf oben auf den Söller legte. Als sie das gesehen hatte, sprach sie: »Also so (machst du es), Große, mich schickst du zum Wasser, und du schlachtest ein Huhn!« Da sprach die Große: »Seit wann denn Schwesterchen?[1] Ich gebe dir auch etwas davon ab, sage nur den Eltern nichts davon.« So aßen sie denn das Huhn, ohne etwas übrig zu lassen.

Als aber ihre Eltern kamen, sagte die Kleine zu ihnen: »Ihr denkt, ein wildes Tier holt eure Hühner. Nein, weit gefehlt! meine große Schwester legt die Hühnerköpfe auf den Söller, die Hühner aber ißt sie.« Da sprachen die Eltern: »Und wo bist du in der Zeit?« Sie sprach: »Ich bin am Wasser mit zerbrochenen Kalabassen (die sie mir gibt, um damit Wasser zu schöpfen, damit ich mich recht lange dabei aufhalte, da sie alle laufen und ich das Wasser nur mit großer Mühe herbeischaffen kann.)«

Da ergriffen sie die Große und sprachen: »Wir dachten, ein Raubvogel macht unsere Hühner alle, dabei ißt du sie.« Damit schlugen sie sie tüchtig. Als sie sie gehörig geschlagen hatten, lief das Kind davon. Als sie in einem Flußtale angekommen war, kam ein Regenstrom[2] (den Berg herab), riß sie um und führte sie davon.

Nachdem der Regenlauf sie davon geführt hatte, nahm die Kleine eine Kalabasse und ging zum Wasser; am Flusse angekommen, schöpfte sie und schöpfte, ihre große Schwester aber (im Flusse verborgen) sang:

Die du das Wasser in die Kalabasse gluckern läßt, *dudwa*, *dudwa*[3]
Bist du meine Schwester? » »
Bist du es, die mich verklagte? » »
Daß sie mich im Stampfblocke stampften? » »
Und mich dann in die Luft warfen? » »
Es kam ein reißender Regen, » »
Der führte mich in die Talsenkung. » » [4]

---

[1] *ndaki* Redensart zur Beruhigung, etwa: »sei nur still«, »es ist gar nicht so schlimm«, Grundbedeutung: »wann«.

[2] Bei starkem Regen gleichen die Wege Bächen; gehen die Wege bergunter wie in diesem Falle, so haben diese eine so große Gewalt, daß sie einen Menschen wohl umreißen können.

[3] Nachahmung des Gluckerns, das beim Schöpfen mit der Kürbisflasche entsteht.

[4] Zeigt die Art der Kingagesänge; jede Zeile wird nach einer bestimmten Weise gesungen mit dem betreffenden Refrain. Die Noten zu Obigem würden etwa sein des, des, des, des, c, c; Refrain: d, des, des, d, des, des.

10*

148

Dann stieg sie heraus (aus dem Fluß), setzte ihrer Schwester die Kalabasse auf den Kopf (und verschwand); die Schwester aber ging nach Hause.

Am nächsten Morgen brach sie früh auf mit ihrer Kalabasse, kam (zum Fluß) und schöpfte, bis (diese) voll ward. Die ältere sang (wieder):

»Die du das Wasser in die Kalabasse gluckern läßt, *dudwa, dudwa* usw.«

Dann kam sie heraus und half ihr (der Schwester) die Kalabasse auf den Kopf. Diese ging darauf nach Hause. Am nächsten Tage nahm sie einen (irdenen) Wassertopf, kam und schöpfte, bis er voll ward. Die Große sang (wieder): »Die du das Wasser usw.«, kam dann heraus und half ihr den (Wassertopf) auf den Kopf, worauf die Kleine nach Hause ging. Am nächsten Morgen nahm sie einen ganz großen Topf, da sprachen die Eltern: »Wohin gehst du mit dem großen Topf, du willst ihn wohl zerschlagen?« Sie antwortete: »Nein, meine große Schwester ist ja da, die wird mir den Topf schon auf den Kopf setzen.« Da sprachen die Eltern: »Wenn es so ist, dann wollen wir nur zusammen gehen, wir werden uns verbergen.« Darauf antwortete sie: »Ja, geht nur und verbergt euch, ihr werdet sie schon sehen.« Da kamen sie denn auch an (den Fluß) und verbargen sich. Das Kind aber schöpfte Wasser, bis der Topf voll ward. Die Große sang dann wieder: »Die du das Wasser usw.« Als sie gesungen hatte, kam sie und setzte dem Kinde das Gefäß auf den Kopf. Auch die Eltern sahen sie und wollten sie ergreifen, sie aber entschwand (ihnen unter den Händen), so daß sie sich gegenseitig festhielten. Als sie so einander hielten, sprach der Mann: »Na ja! du Frau, du hast sie losgelassen.« Die Frau aber sagte: »Nein, du Mann du, du hast sie losgelassen.« Nachdem sie eingesehen, daß sie doch nicht zu Rande kämen, sprachen sie: »Wir wollen nur nach Hause gehen und morgen wieder (hierher) kommen.« So gingen sie denn nach Hause.

Am nächsten Morgen gaben sie dem Kinde einen Wassertopf; sie selbst gingen mit und verbargen sich. Die Kleine schöpfte, bis der Topf voll ward; da sang (wieder) die ältere Schwester: »Die du das Wasser usw.« Dann kam sie heraus und half der Schwester den Wassertopf auf den Kopf. Die Eltern griffen zu, doch war sie verschwunden, während sie zugriffen, und sie hatten sich (wieder) gegenseitig erfaßt. (Wieder) stritten sie sich wie am vorherigen Tage, der Mann sagte: »Na ja, du Frau!« und die Frau sagte: »Na ja du Mann, du hast sie auch schon gestern losgelassen.« Da sagte denn der Mann: »So was aber auch, wir wollen nur nach Hause

gehen und uns morgen früh wieder auf den Weg machen.· So
gingen sie denn nach Hause.

Am nächsten Morgen gaben sie dem Kinde den Wassertopf,
sie selbst gingen vorauf, sich zu verbergen, (das Mädchen, als es
den Fluß) erreicht hatte, schöpfte Wasser, bis der Topf gefüllt war.
Wieder sang die Große, kam heraus und half der Kleinen (den
Wassertopf) auf den Kopf; die Eltern sprangen aus ihrem Verstecke
hervor und griffen zu, und wieder hatten sie sich selbst erfaßt; die
(Tochter) war verschwunden. Da sprachen sie: »So was aber auch!
was haben wir denn nun wieder mal gemacht? sie ist verschwunden.
Wir wollen uns einen Freund werben, der genau auf uns achtgibt.«

Das nächste Mal kamen sie wieder, verbargen sich im Grase,
auch der (mitgebrachte) Freund verbarg sich. Als die Kleine Wasser
geschöpft hatte und das Gefäß voll war, sang die ältere (wieder),
kam heraus und setzte der Schwester den Wassertopf auf den Kopf.
Da sprangen die Eltern aus ihrem Versteck hervor und griffen zu,
sie aber entschwand (wieder). Da fragten sie ihren Freund, ob er
sie gesehen hätte (wohin sie gegangen wäre), der verneinte und
sagte: »Nein, ich habe sie nicht gesehen, sie ist einfach verschwunden.« Da sprach die Frau: »Dann wollen wir nur nach Hause
gehen und durch den Zauberer die Sache entscheiden lassen.«

So kamen sie denn zum Zauberdoktor, der machte seinen
Hokuspokus und sagte: »Nun geht an der Schöpfstelle in das Flußtal hinein und verfolgt dasselbe abwärts, so werdet ihr einen See
sehen. Wenn ihr den See gesehen habt (also dort angelangt seid),
so mußt du, Frau, singen.«

So kamen sie denn (den Rat des Zauberdoktors befolgend) zu
dem See, und die Frau sang:

> »*Nyandemula, Nyandemula, Nyandemula, Nyandemula!*
> sieh doch für mich nach dem Kinde, *Nyandemula!*
> der Weg ist doch groß und breit   *
> sie (du mit deinen Leuten) sind doch sehend   *
> wenn es irgendwo vorbeigeht   *
> *Ahē Nyandemula!*

Er aber (Unyandemula) schwieg.
Da sang das Weib zum andern Male.

Darauf kam Unyandemula heraus, antwortete ihnen und sagte:
»Nein, wir haben das Kind nicht gesehen.« Da sagten sie: »Der
Weg ist doch so groß, vielleicht haben sie es gesehen irgendwo
vorübergehen.« Er sagte: »Nein.« Als er verneint hatte, kam eine
alte Greisin (Hexe) heraus mit Triefaugen, die sprach: »Lecke mir

die Triefaugen ganz klar, dann will ich dir etwas sagen.« Da leckte
sie und leckte, und als sie fertig war, sprach die Hexe: »Nun ver-
folge nur das Flußtal weiter, dann wirst du einen andern See sehen.«
Als sie dorthin kamen, sahen sie den See, und die Frau sang wieder:
»Nyandemula usw.« Unyandemula aber schwieg. Da sang das
Weib zum andern Male, worauf er erschien und ihr antwortete:
»Nein, wir haben das Kind nicht gesehen.« Da kam eine Hexe
mit Triefaugen heraus, die sich anscheinend nie gewaschen hatte,
die sprach: »Belecke mich, dann sag' ich dir's.« Da leckte die
Frau und leckte, also daß die Hexe ordentlich schön aussah. Als
sie mit dem Lecken fertig war, sprach sie: »Nun verfolge nur das
Flußtal weiter, dann wirst du dort unten einen See sehen.« So
gingen sie denn weiter und kamen an den See. Wieder sang die
Frau: »Nyandemula usw.« Wieder schwieg Unyandemula, und erst
als die Frau zum zweiten Male gesungen hatte, kam er heraus und
antwortete: »Nein, wir haben das Kind nicht gesehen.« Sprach das
Weib: »Der Weg ist so groß, vielleicht habt ihr gesehen, daß sie
irgendwo vorübergegangen ist.« Er sagte aber: »Nein.« Da kam
wieder eine Hexe heraus mit Triefaugen und sagte: »Leck' mir die
Augen klar, dann werde ich dir's sagen.« Da leckte sie und leckte,
bis sie fertig war; als sie fertig war, ging die Hexe hinein und
brachte eine große Schar Mädchen heraus und fragte, ob es eine
von ihnen wäre. Die Frau sagte: »Nein, sie ist (wohl) noch im
Hause.« Da ging sie wieder hinein und kam mit einer anderen
Schar Mädchen und fragte, ob sie dabeiwäre. Sie sprach: »Nein,
sie ist nicht dabei, sie ist (wohl) noch im Hause.« Da ging die
Hexe andere zu holen, kam mit ihnen heraus und fragte, ob das
die rechten wären. Die Frau sprach: »Nein, sie ist noch im
Hause.« Da ging sie wieder. Die Mädchen aber waren alle. Da
holte sie junge Frauen, kam heraus und fragte, ob sie dabei wäre.
Sie sprach: »Nein, sie ist noch im Hause und ist ein Mädchen.«
Da ging sie wieder, holte andere Frauen, kam zurück und fragte,
ob es die seien; sie aber verneinte und sprach: »Nein, sie ist
noch im Hause.« Da ging die Hexe und holte alte Frauen heraus
und fragte, ob sie dabei wäre. Die Frau aber sprach: »Nein,
sie ist noch im Hause und ist noch Mädchen.« Da ging sie zurück
und brachte nun endlich das Mädchen heraus und fragte, ob es
diese sei. Da sprach die Frau: »Ja, das ist sie.« Da sprach die
Hexe: »Nun ja, so gehe denn mit ihr nach Hause, unterlaß es aber,
sie zu schelten; sowie du sie schiltst, verwandelt sie sich zu Wasser.«
Sie sprach: »Ja, es ist gut!« So gingen sie denn mit ihr nach
Hause und wohnten lange Zeit beieinander, sagten es auch ihren

Freunden, daß sie sie nicht schelten möchten. So verging eine lange Zeit. Eines Tages aber schalt die Frau das Kind, und sowie sie es gescholten hatte, verwandelte es sich zu Wasser. Da weinte der Mann und sagte: »Du (böse) Frau du, du hast das Kind gescholten, von dem die Hexe uns gesagt hatte, unterlaß es, dasselbe zu schelten. Sieh, nun hat sie sich in Wasser verwandelt (wie die Hexe es vorausgesagt hatte).«

8. Ukadegenzule.[1]

Ukadegenzule ging einstmals, auf seinem Streichinstrument[2] klimpernd, an einem Acker vorbei, auf welchem zwei Mädchen, ältere und jüngere Schwester, iñiñi[3] ausgruben. Da sprach die Ältere: »Wir wollen ihm iñiñi hintragen.«[4] Sprach die Kleine: »Ja wohl, ich werde sie hintragen, da ich die Kleinste bin!« Sprach sie (die Große): »Du bleibst! ich werde gehen, denn ich bin die Große.« Damit stand sie auf, nahm iñiñi und ging, um sie (dem Manne) hinzubringen. So ging sie denn und ging (ihm nachfolgend); Ukadegenzule aber ging immer weiter (ohne sich umzusehen).

Da rief sie und sprach: »Kadegenzule![5] nimm doch die ñiñi!« Ukadegenzule aber sagte: »Sie[6] werden (sie) mir dort weiter hinten geben.« Damit ging er immer weiter. Da rief sie zum andern Male: »Kadegenzule! nimm doch die ñiñi!« Ukadegenzule aber ging weiter und sprach: »Sie geben (sie) mir weiter hinten.« So ging denn das Mädchen immer weiter[7] und sang (zuletzt):

---

[1] enzule, unbekannte Vogelart, akadege = Vogel; es wäre also zu übersetzen Vogel: enzule, als Nomen proprium eines märchenhaften Menschen.

[2] eligombu: kleines Streichinstrument, dessen Resonanzboden durch eine abgeschnittene Kalabasse gebildet wird. Junge Männer nehmen diese Instrumente mit auf den Weg, um sich durch Klimpern die Zeit zu verkürzen.

[3] iñiñi: eine fingerstarke, ein bis zwei Finger lange Erdfrucht, die der Kartoffel an Geschmack sehr nahe kommt.

[4] Die Kinga sind sehr mitteilsam, namentlich junge Mädchen gegen junge Männer und umgekehrt.

[5] Als Vokativ ohne vokalischen Anlaut.

[6] Sie: 3. Person Pluralis, höfliche Anrede, etwa unserm »Ihre Gnaden« entsprechend.

[7] Daß beide weitergehen, ist ein Zeichen, daß sie aneinander Wohlgefallen haben, sonst wäre das Mädchen umgekehrt und hätte den Mann unhöflich gescholten.

»Kadegenzule, Kadegenzule, Kadegenzule, Kadegenzule!
Warte doch auf mich, Kadegenzule!
•   •   •   •   •
Ahee!
Da sang auch Ukadegenzule:
Mädchen, Mädchen, Mädchen, Mädchen!
Warum sollte ich's dir nicht sagen, Mädchen!
Daß mein Zuhause weit ist,   •
im Gehen kannst du dich verlieren,   •
(so weit ist es)
und wenn du den (letzten) Hügel
überschritten, so findest du,   •
ein dunkles Gebüsch rauschen,   •
welches die Gegend erfüllt und aus-
sieht wie eine versammelte
Menschenmenge,   •
Ahee, Mädchen!«

Zuletzt kamen sie beide zusammen (er ging langsamer, sie
schneller) und setzten sich nieder, die ñiñi zu essen. Als sie fertig
waren mit Essen, sprach Ukadegenzule: »Du Mädchen, reiß einmal
diesen Grasbüschel heraus.« Da riß sie und riß, aber er wollte nicht
(herausgehen). Da stand Ukadegenzule auf und riß ihn selber
heraus, da ging er sofort. Als er entfernt war, kamen Perlen zum
Vorschein, da sagte er: »Nimm sie, Mädchen.« Dann ging er etwas
weiter und riß einen anderen Grasbüschel heraus, darunter sah er
eiserne Schellen und sprach: »Nimm sie, Mädchen.« Darauf riß er
einen anderen Grasbüschel heraus, darunter sah er ein (schönes)
Fell und (Armringe von) Messing; da sprach er: »Nun Mädchen, be-
kleide dich damit.« So schmückte sich denn das Mädchen, indem sie
alles umlegte, die Perlen (um den Hals), das Fell (um die Schulter),
die Schellen (um die Fußgelenke) und die Messingringe (um die Arme).
Als sie fertig war mit dem Ankleiden, sprach er zu ihr: »Nun geh
nach Hause zu meiner Mutter,[1] ich gehe erst noch die aufgestellte

---

[1] Sie waren also stillschweigend übereingekommen, daß sie ihm folgen
werde, so machte er ihr das übliche Brautgeschenk. Er selbst hätte ihr
die Gegenstände nicht geben dürfen, daher das Rupfen der Grasbüschel.
Der Sitte nach darf der junge Mann nie persönlich mit dem Mädchen
sprechen, das er heiraten möchte, dazu sind sogenannte Brautwerber (ava-
tuni), Freunde des Betreffenden, die die Braut und die Schwiegereltern fragen,
ob sie einwilligen, da die auch die Geschenke und die Morgengabe übermitteln.
Im Märchen sind Ausnahmen natürlich gestattet, während sich sonst im ganzen
Volkssitte und Charakter ziemlich genau widerspiegeln in den Märchen.

Falle zu besehen, doch komme ich bald zurück; geh nur und grabe (amahembi) Knollen.«[1] Das Mädchen ging und kam zum Hause, sah die Mutter des Kadegenzule und sprach (zu ihr): »Laß uns gehen, Knollen zu graben, Ukadegenzule sieht erst nach der Falle.« Die sprach: »Schön, mein Kind.« So ging sie denn mit seiner Mutter zu den Knollen. Dort gruben sie (eine ganze Anzahl) und kehrten dann (nach Hause) zurück. Als sie zu Hause angelangt waren, sprach die Mutter Kadegenzules zu dem Mädchen: »Nun koche die Knollen (tüchtig).« Als sie die Knollen gekocht hatte und diese gar waren, ging sie zur Mutter Kadegenzules, ihr dies zu sagen. Diese sprach: »Nimm sie vom Feuer und iß, und zwar sollst du die kleinen essen, die großen aber zu den Schalen legen.« Sie aber (nicht dumm, denn die größten schmecken am besten), aß die großen und warf die kleinen zu den Schalen. Als sie nun mit dem Essen fertig war, kam die Mutter Kadegenzules, schnalzte (bei geschlossenem Munde) mit der Zunge und sprach: »Nun wollen wir mal die Schalen unserer Schwiegertochter auseinanderscharren.« Da sah sie denn, daß gar keine großen Knollen zwischen den Schalen lagen (sondern nur kleine), schnalzte wieder mit der Zunge und sagte: »Die Schwiegertochter wird nicht bei meinem Sohne bleiben.« Dann sprach sie (zu dem Mädchen): »Nun koche einmal Wasser, ordentlich heiß, daß es Wellen schlägt; denn Ukadegenzule ist nur schön am Tage, nachts verwandelt er sich in einen Löwen; ferner sammle die Holzkohlen zusammen und lege sie an den Eingang (der Hütte). Wenn er dann in die Tür hereintritt, so gieß ihm das Wasser auf seinen Kopf.« Als sie ihr dies gesagt hatte, kam Ukadegenzule von[2] seinem Gange zurück über den (nächsten) Hügel, einen Gesang singend, folgendermaßen:

»Ich bin eine Riesenschlange, ich bin eine Riesenschlange,

. . . .

Ich bin gegangen und habe alles überwunden, ich Riesenschlange,

. . . .

Ahee! ich Riesenschlange.«

Nun langte er am Hause an; als er draußen stampfte, sprach die Mutter: »Halte das Wasser bereit!« Da kam Ukadegenzule herein. Als er in die Tür trat, lief das Mädchen schnell hinaus und davon. Da kam seine Mutter, nahm das Wasser und goß es ihm über den Kopf, zog ihm das Fell ab und legte es in die Hütte hinein und

---

[1] amahembi: scharfe, in der Kehle furchtbar kratzende Knolle, die nur nach sehr langem Kochen genießbar wird.

[2] uku akale: von da, wo er hin war = von seinem Gange.

161

gab ihm die Holzkohlen und frisch gekochtes Bier, die Kohlen aß
er, und das Bier trank er. Als er fertig war, erbrach er lauter
Fleisch von Ratten, von Ziegen, von Rindern und von Menschen.
Als er fertig war, wusch es die Frau, und als sie es gewaschen
hatte, setzten sie sich nieder und aßen. Das Mädchen aber lief und
kehrte nach Hause zurück.

Nachdem Ukadegenzule geruht hatte, machte er sich eines
Morgens frühe auf, um spazieren zu gehen, da sah er dieselben
Mädchen wieder auf dem iñiñi-Acker. Als er sie sah, sprachen
die Mädchen (die ihn ebenfalls sahen) miteinander: »Wir wollen
Ukadegenzule iñiñi hintragen.« Da sprach die Ältere: »Ich fürchte
mich, denn Ukadegenzule sieht nur am Tage schön aus, nachts aber
verwandelt er sich in einen Löwen.« Da sprach die Kleine: »Gut,
bleibe, ich werde sie selber hintragen, du bist ja ein Hasenfuß und
(neulich) ausgerückt.« Damit stand sie auf, um ihm die ñiñi zu
bringen. Sie ging und ging (wie auch damals ihre Schwester).
Ukadegenzule ging immer weiter. Da rief sie: »Kadegenzule, hier
sind iñiñi.« Der aber sagte: »Die geben Sie mir weiterhin.« Weiter
ging sie und weiter. Da rief sie wieder: »Kadegenzule, nimm doch
die ñiñi.« Ukadegenzule aber ging weiter und sprach: »Die geben
Sie mir weiter hin.« So ging sie denn immer weiter und sang:

Kadegenzule, Kadegenzule, Kadegenzule, Kadegenzule!
:|: Warte doch auf mich,   .   :|:
        Ahee, Kadegenzule.

Auch Ukadegenzule sang:

:|: Mädchen, Mädchen! :|:
Sollt' ich dir's nicht sagen, Mädchen!
daß es zu mir nach Hause sehr weit ist, Mädchen!
Es ist zu gehen fast ohne Aufhören,   .
Übersteigst du den letzten Hügel, so siehst du   .
dichtes rauschendes Gebüsch   .
so viel, daß es aussieht, als wäre eine
    große Menschenmenge bei einander   .
        Ahee, Mädchen!

Da erreichte ihn das Mädchen. So setzten sie sich nieder, um
iñiñi zu essen. Als sie gegessen hatten und die ñiñi alle waren, sprach
Ukadegenzule: »Mädchen, reiß den Grasbüschel heraus!« Sie versuchte
ihn herauszureißen, doch weigerte er sich, nachzugeben. Da stand
denn Ukadegenzule auf und riß ihn selbst, da kam der Grasbüschel
heraus. Als er beseitigt war, wurden schöne Perlen sichtbar; da sprach
er: »Nimm sie, Mädchen!« Dann rupfte er einen anderen, da kamen

Schellen zum Vorschein. Da sprach er: »Nimm sie, Mädchen!«
Darauf rupfte er einen andern, da fand er ein (schönes) Fell und
Messing (-Armringe). Da sprach er zum Mädchen: »Nun schmücke
dich, Mädchen!« Da legte sich das Mädchen alles an, die Perlen,
das Fell, die Schellen und die Armringe. Als sie damit fertig war,
sprach Ukadegenzule: »Nun geh nach Hause zu meiner Mutter, ich
gehe erst, um nach der Falle zu sehen, ich kehre aber auch (bald)
zurück, gehe nur und grabe Knollen.« Damit ging er. Das Mädchen
kam zum Hause, sah die Mutter Ukadegenzules und sprach: »Wir
sollen gehen und Knollen graben, Ukadegenzule sieht nach der
Falle.« Sie aber sprach: »Ach was!. du betrügst mich nur, die
andre hat mich auch betrogen und ist davongelaufen.« Da antwortete (das Mädchen): »Nein, ich laufe nicht davon.« Da gingen
sie denn, Knollen zu graben, und als sie genug gegraben hatten,
kehrten sie zurück. Als sie nach Hause zurückgekehrt waren,
sagte die Mutter Kadegenzules zum Mädchen, sie solle die Knollen
kochen. Als sie sie gekocht hatte und sie ganz weich waren,
kam die Mutter Kadegenzules und sprach: »Nun nimm sie vom
Feuer und iß die kleinen, die großen aber wirf zu den Schalen.«
Darauf aß denn auch das Mädchen die kleinen und warf die großen
in die Schalen. Da kam die Schwiegermutter, um nachzusehen,
schnalzte (mit geschlossenem Munde) und sprach: »Nun wollen wir
mal in den Schalen der Schwiegertochter scharren.« Dann nahm
sie die großen (Knollen) und legte sie in einen Korb. Darauf
schnalzte sie noch einmal und sprach: »Die Schwiegertochter wird
bei meinem Sohne bleiben.« Darauf sagte sie: »Nun koche recht
heißes Wasser, das da Wellen schlägt; denn Ukadegenzule ist nur
schön bei Tage, nachts verwandelt er sich in einen Löwen. Sammle
die Holzkohlen und lege sie an den Eingang, und wenn er zur Tür
herein kommt, dann schütte ihm das Wasser über den Kopf.«
    Da kam Ukadegenzule von seinem Gange zurück über den
Hügel und sang:

»Ich Riesenschlange, ich Riesenschlange,

    .   .   .   .

Ich ging und überwand alles, ich Riesenschlange,
    Ahee, ich bin eine Riesenschlange.«

Die Mutter sagte: »Das ist er! er kommt, stell' dir das Wasser
zurecht.« Als er dann hereinkam, nahm das Mädchen das Wasser
und goß es ihm auf den Kopf, zog ihm das Fell ab und legte es
ins Innere der Hütte, gab ihm die Holzkohlen, die er aß; desgleichen
aß er die Knollen; das frische Bier, das sie ihm gegeben, trank er.

Als er damit fertig war, erbrach er Fleisch, und zwar von Ziegen, von Ratten, von Schafen, von Kühen, von Menschen, alle, alle Sorten; sie aber (Mutter und Schwiegertochter) wuschen es. Als sie es gewaschen hatten, setzten sie sich nieder und aßen alle zusammen, sie aber (das Mädchen) wurde seine Frau und gebar ein Kind.

Als das Kind etwas größer geworden war, kam ihre ältere Schwester (zu Besuch). Da sprach eines Tages die jüngere zur älteren Schwester: »Gib doch mal Obacht auf das Kind, ich gehe zum Wasser, und wenn du eine Laus auf des Kindes Kopf siehst, so unterlaß es, diese zu töten, denn sie ist des Kindes Leben.«

Als sie nun gegangen war, sah sie (die ältere Schwester) eine Laus auf dem Kopfe des Kindes und tötete sie. Kaum hatte sie sie getötet, da starb das Kind.

Als nun die Jüngere zurückkam, sah sie, daß ihr Kind tot war und sprach: »Habe ich dir nicht gesagt, unterlaß es, die Läuse auf dem Kopfe (des Kindes) zu töten? Siehst du, nun ist das Kind tot.«

Da legten sie (das Kind) auf das Lager Kadegenzules, die Frau aber mahlte Mehl, während die ältere Schwester davonlief. Als Ukadegenzule kam, setzte er sich auf seine Lagerstätte, dahin, wo sie das Kind hingelegt hatten. Da sprach die Frau: »Du tötest ja das Kind!« Da entfernte Ukadegenzule die Matte, und als er sie entfernt hatte, sah er das tote Kind. Da sagte die Frau: »Siehst du, nun hast du das Kind getötet.« Er aber sprach: »Nein, du, Frau, hast es getötet.« Damit holte er einen Stock, schlug die Frau tüchtig durch und jagte sie davon.

Da ging denn die Frau nach Hause zurück.

Isisago

(Rätsel).

1. Kō kili kinu, okyo nakitoma uludasi.
   akavwa, andre amahembi.
2. Alutila umunu, ikuva elidombu.
   elidede, oder ein Mann, der Mais entkörnt.
3. Kitye dibu! na kuno na kuno.
   isambula.
4. Kō kili kinu ekita: ninininini.
   amakombo (oder ninininini ku vende).

5. Ndali nymwana, nda ludeje, ilovoka.
   esugatsi.
6. Evanyina egonile, emwana jilya (oder jihenga).
   yhoala nanyevete lo.
7. Emagidula elya, eli navana vo losu.
   enanga, avana: unsuvu, unkombe, emondelo usw.
8. Ndali nymwana, nakumanyika nakumiho nakunkongo.
   esyagaha.
9. Kuno kyd! kuno kyd!
   uluketo.
10. Kimbela palya, tukaadane.
    ulusito, andre uluvejo.
11. Kivalasu mpetu.
    elitsiva.
12. Ungagendade vwivona vitsova kikyu.
    ukulima, avanu vo vilima.
13. Elikumbulo lyane ndapondile, nalitila.
    ukoajo.
14. Umwene iva mpamato, avanu viva vo losu, ikuvate kutsa.
    enzala.
15. Ndakolile umwana vane, ndatye: ndekimbele, umwene palitsa mbele.
    umwitsitsi.
16. Ungateme nanyengo, napakato loke.
    eliganga.
17. Ndeholile umwana vane, ilinda igenda nakilo namunyi, nide la
    agataluke.
    ulugasi.
18. Angakome ningoha ndupade?
    esula vo itima, upade ndeti?
19. Ndaholile umwana vane, nide la avuke.
    eliganga, manya ame lile baho.
20. Umwana vane, ndavwibata?
    eme po.
21. Ndahengile undunda, ngamota vouletsi, ngavye ndibena, ngabene la
    pa kivoko.
    ulujwili.
22. Kuli munu, nidwada untwa.
    ulunyeti.
23. Kuli vanu, vigenda vahanine vovu le, navijagana lusiku.
    inolo.
24. Ndeholile avana, vo vatenzi voni.
    insuke.

Freie Übersetzung.

1. Was ist das für ein Ding, das im Wasser nicht naß wird?
   Akavwa, ein kleines Tier, das im Sumpf lebt und im Πιεɪ
   trocken erscheint,
   oder *amahembi*, eine Erdknolle, die ein sehr großes Blatt
   hat, von dem das Wasser immer abläuft, so daß es
   selbst beim Tropenregen trocken bleibt.

2. Wer ist das, der vorübergeht und auf dem (Saiten-) Instrument
   spielt?
   elidedz, eine Wespenart, deren Zirpen mit dem Klimpern auf
   genanntem Instrument große Ähnlichkeit hat,
   oder ein Mann, der Mais abkörnt. (Da ist die Handbewegung
   gemeint. Der Mann hält mit der linken Hand den Mais-
   kolben und körnt ihn mit den Fingern der rechten ab.)

3. Allenthalben macht es *dibu l*
   Gemeint ist das Geräusch, das die nußartigen Früchte
   des Sambulabaumes verursachen, wenn sie zur Zeit der
   Reife von selbst abfallen.

4. Was macht *nininini*?
   Gemeint ist der Eindruck, den die *makombo*, Pflanz-
   löcher von etwa 15 cm Tiefe, auf das Auge machen,
   mit denen die Äcker vor der Aussaat versehen werden,
   und zwar ziemlich dicht beieinander.

5. Was kommt über den Fluß, auch wenn er noch so voll ist?
   esujatsi, die Spinne; sie spinnt den Faden darüber hinweg.
   Man muß dabei bedenken, daß die Flußufer stets mit
   Bäumen und Gesträuch bewachsen sind, die ein Befestigen des Fadens ermöglichen.

6. Was ist das für eine Mutter, die fortwährend stilliegt, während
   ihr Kind beständig ißt (oder mäht)?
   uhwala großer Mahlstein, der liegen bleibt.
   enyevetelo kleiner Mahlstein, mit dem gemahlen wird.

7. Ich kenne jemand, der hat viele Kinder; wer ist das?
   Der Amboß, zu ihm gehören Blasebalg, Zange, Hammer usw.
   Der Kinga geht von dem Standpunkt aus, daß der bloße
   Amboß zwecklos wäre und kann sich denselben nur
   im Zusammenhange mit den genannten Dingen denken,
   die er darum Kinder nennt.

8. Was ist das für ein Ding, bei dem man vorn oder hinten nicht
   unterscheiden kann?
   Die Bienenpuppe.

9. Was sagt allenthalben *kyẹ*?
   ulukelọ, das Rasiermesser, das, gewöhnlich nicht sehr scharf, beim Scheren ein ziemlich starkes Geräusch verursacht.
10. Was trifft, fortlaufend, doch wieder zusammen?
    ulusitọ, der Bambusstreifen, mit dem die einzelnen Baustangen, die die stets runde Hütte bilden, befestigt werden, und der natürlich bis zum Anfang zurückkehren muß.
    Ebenso *uluoeẹọ*, der Zaun, der, ringsherumgeführt, am Ausgangspunkt zusammentrifft.
11. Was ist ganz weiß (= schneeweiß)?
    Die Milch.
12. Wann tun alle Leute dasselbe?
    Zur Ackerzeit, in der alle Leute ackern.
13. Ich habe eine Hacke, die wird trotz aller Arbeit nie alle; welche ist das?
    Der Fuß, mit dem man beim Gehen immer wieder den Erdboden gleichsam schlägt, wie mit der Hacke beim Ackern.
14. Wer überwindet als einzelner alle Menschen, die doch viele sind?
    Der Hunger.
15. Vor wem flüchtet man vergeblich?
    Vorm Schatten.
16. Was bleibt beim Schlagen mit dem Haumesser doch unversehrt?
    Der Stein.
17. Was geht Tag und Nacht, ohne jemals zu ruhen?
    Der Fluß.
18. Gegen welche Speere kann man sich nicht schützen?
    Gegen den Regen. (Ein gelinder Tropenregen ist stärker als der stärkste Regen hier, außerdem kennt der Kiñga keine Regenschirme usw., die auch nicht sehr viel nutzen würden.)
19. Was bewegt sich nicht von der Stelle?
    Der Stein, der eingewachsen ist.
20. Was läßt sich nicht greifen?
    Der Wind.
21. Welche Ernte ist nach dem Schnitt in der Hand zusammenzufassen?
    Die Haare, wenn sie geschoren sind.
22. Wer fürchtet auch den König nicht?
    Die Glätte. (In der Regenzeit werden selbst ebene Wege so glatt, daß groß und klein, also auch der Häuptling oder König, hinfällt.)

23. Was geht stets gemeinsam, ohne sich zu trennen?
   Die Schafe (die im Gegensatz zu den Ziegen stets bei-
   einanderbleiben).
24. Wer zeugt nur streitbare Helden?
   Die Bienen.

Ein Beispiel,

wie die Vakiṅga ihre Häuptlinge rühmen und loben.

Ena ntwa vaṅgo! Etwa:	Jawohl, mein Herr!
» *duma!*	• mein Freund!
» *juva!*	• meine Mutter!
» *Ṅguluve!*	• mein Gott!
» *ivavi ntimi!*	• Segenspender!
é kipeṅyemesu,	o, du gibst eine fette Ziege,
» *kumbele pili jipapa,*	ach, und die lammt hernach,
» *kitahemba;*	und du, o, du forderst sie nicht zurück;
» *unavone uhembile,*	solltest du sie zurückfordern,
» *ekilunga kigwa.*	da würde eher die Welt zugrunde gehen.
» *juva va ku misito,*	O, du Mutter der Wälder (= Ziegen),
emivyale, eḋyo 'javile,	was du gepflanzt (= geschenkt) hast
Uṅguluve, liḋaṅga,	als Gott, das ist wie ein Stein,
elijavile, nalilavuke.	der tief eingegraben ist und niemals weicht.

Wörterverzeichnis.

Bei den Kinga-Wörtern sind die Vorsilben von den Stämmen durch einen Bindestrich getrennt. Die Klassen sind durch eine Zahl nach dem Stamm bezeichnet. In der 3. Klasse und dem Plural der 7. Klasse (pluralia tantum) ist der Stamm in Klammern beigefügt. Man beachte die Veränderungen, welche die Präfixe dieser Klassen bei dem Anfangskonsonanten der Stammwörter hervorrufen.

Die alphabetische Ordnung richtet sich nur nach den Stämmen und nicht nach den Präfixen.

Vor die Verbalstämme tritt das Infinitivpräfix bzw. die Pronomina personalia.

»Mit *ḏu* konstr.« deutet an, daß die mit diesem Vermerk bezeichneten Verbalstämme den Pronominalstamm von »*untima*«, also »*ḏu*« als Pron. pers. erfordern, auch wenn das Verbum selbst den betreffenden Zustand usw. einer Person zueignet; z. B. der Mensch ist ärgerlich = »*umunu ḏuvipile*«, nicht *umunu avipile*.

a

eḱy-a) Stämme, die hier fehlen, siehe
ym-a) unter *ha*.

a Genitivpartikel
abḏsa anrühren
ely-aḏaha 6 Wabe
ḏḏana einander begegnen
aḏdnila begegnen mit
uḱw-aḏe 7 Tierhaar
ḏḏuldnya) etwas Neues beginnen,
aḏula) dichten, komponieren
dhama Mund öffnen
uḱw-ajo 7 Fuß
ḏjula gähnen
umw-aka 2 das Jahr
eky-aka 4 Stiel
alale / Gruß beim Scheiden auf lange Zeit; etwa leb' oder lebt wohl!

uḱw-aḷa 7 großer Mahlstein
ala ausbreiten, aushängen
alálula 1. von oben abheben; 2. blättern im Buch
eky-aḷe 4 Wochenhütte
umw-aḷevango 1 (meine) Tochter
dluka auskriechen
dlula Ausbringen von jungen Bienen
amba 1. in Empfang nehmen, die Hand aufhalten; 2. Falle stellen für Ratten usw.; 3. gegeneinander aufreizen
ámbela fangen mit Lockspeise
umw-ambo 2 das Ufer, mit Demonstrativen oder Lokativen: diesseits, jenseits
uḱw-ambo 7 Perlen
ambuka 1. Fluß überschreiten; 2. anstecken (v. Krankheit)

ambuhetsa anstecken (v. Menschen), übertragen

ambukela jemand anstecken (von Krankheit)

ambutsa Verlegenheit bereiten

ambula die gestellte Falle auf-nehmen

eky-amembe 4 Brustbein

amula 1. anfangen (bei großen Äckern); 2. antworten

eky-amwembe 4 Brustbein

anánana austauschen, wechseln

andánanya zum Tauschen, Wechseln bewegen

uvw-anasyale 8 — uvw-anyasyale 8 Niere

anda antworten, erwidern

andeka antworten (intr.)

andesa etwas wiedertun

anduka sich verändern, größer werden

andula etwas verändern, von einem Ort nach dem andern legen, vertauschen, vergrößern

ely-andundulu 6 Schwanz vom Büffel

ánika ausbreiten zum Trocknen

ánikila 1. für jemand ausbreiten; 2. Holz auseinanderlegen; 3. vom Blitz erschlagen werden

anula das Ausgebreitete hereinholen

eky-anga 4 Scheune der Herren

ángupa schnell machen, sein, laufen

ángusa) etwas beschleunigen,
angusanya) schnell etwas tun

apa hier

apo 1. hier; 2. dann, ja dann, wenn es so ist

asama perplex sein, sich etwas nicht erklären können

uvw-aswa 8 Vogelnest

ava diese

avasa anrühren

b

em-b) die hier fehlenden Wörter suche
um-b) unter v.

babadala knirschen, knittern

babaduka Schlagen des Donners

bada flachmachen, -drücken

badama anhangen, anhaften, neben-einandersein

badenana angrenzen, nebeneinander-sein

badebade flach

uvu-baga 8 Suppe (dicke), dickes Bier (frischgebrautes)

baha hier, hierbei

bahapa gerade hier, hierbei

baho gerade dabei

baho baho daselbst, sofort, sogleich, soeben

baka einschmieren, salben

eki-bake 4 Stirn, Flasche

bako nein, Verneinung

eli-bamandela 6 kleine Tür

bametsa etwas mit Gewalt hin-werfen, daß es zerschellt

bamila Haus usw. ausfüllen

eki-bana 4 Scheune der Leute

banda flach machen, durch Ab-hauen von Holz usw.

banduka Abplastern von Borke, von Eisenspänen beim Schmieden

bandula Abschlagen von Borke usw.

banga Nachlese halten

banyilitsa bedrängen, einengen

batsuka zerbersten, auseinander-spalten

batsula zerspalten

bedama gebogen sein

beha (Perf. bihe) gehen irgendwohin

um-beki 2) Baum
eli-beki 6)

eki-beki 4 Holz, Balken, Brett

ulu-beki 7 Stock, Rute zum Schlagen
beluka niederfallen, im Staube
  liegen, Rollen von Steinen usw.,
  abstürzen
belusa wälzen, rollen usw.
um-beta 2 Weg kleiner Tiere
eki-beto 4 Tor, Tür im Dorf
będa nicht achten, widerstreben,
  übertreten, nicht glauben
eli-beḍetsi 6 Ischias
beha speien
bela verneinen, untersagen
ulu-belega 7 Halm, Stengel der
  kleinen Kafferhirse
bena Ernten der kleinen Kafferhirse
em-bene 3 Ernte des Kafferkorns
eli-beto 6 1½ Faden, altes Längen-
  maß; das Stück Zeug wird um
  die Hüfte geschlungen und muß
  dann mit beiden Enden auf die
  Erde reichen
betsa verneinen, bestreiten, nicht
  glauben wollen
eki-bgva 4 Muskel
em-bgva 3 Ratte
bīda schmerzen (im Leib), kneipen
bina in Gras oder Zeug einwickeln,
  Paket machen
ulu-bina 7 Paket
bītsula schlagen
e-bōba 3 (ohne Nasal) Aussatz
eli-boma 6 Schutzmauer
ulu-boda 7 Gemüse
em-bodo 3 Büffel
bonda zum zweiten Male durchackern, bei großem Kafferkorn
bosola blind sein
bosotsa blind machen, blenden
bosu blind
bosyoleka verschleiert sein, vom
  Himmel, Augen

bota Seil drehen
buda töten, entzweimachen
em-buda 3 Räuber, die jemand
  auflauern und töten
budika Geschlossensein der Hand,
  um 5 zu zeigen, mit Daumen
  zwischen Ring- und Mittelfinger
budika kupamato neun
budisa Hand schließen, um 5 zu
  zeigen, Faust machen
budula 1. Niederbrechen der Erbsen
  in der Blüte; 2. Abziehen grüner
  Bohnen; 3. Hühner köpfen
em-bujuma 3 Kuh, die schon gekalbt, Ziege, die gelammt hat
bunga zudecken, etwas darauf-
  decken
bungilila Verbinden der Augen usw.
butula mit Saughorn einen Gegenstand aus dem kranken Körper
  entfernen
eli-buje 6 Feder
eki-butsu 4 Knöchel, Gelenk
eli-bwi 6 Gepard

d

en-d } Stämme, die hier fehlen, siehe
un-d } unter l.
ama-daba 6 pl. t. Morast
dabela beschmutzen mit Dreck
däda wundern (von Frauen und
  Mädchen gebraucht)
dada nicht aus dem Wege gehen
  beim Begegnen
u-dada 1 mein Vater
dadaluka auseinandersein, voneinander entfernt sein
dadalula auseinanderbringen (Menschen, Pflanzen usw., wenn Viele)
dadávuka langsam gehen
dádavuka Schritt für Schritt gehen
dadeka treten

dadekela auf etwas treten

daǵa 1. nichts mit jemand zu tun haben wollen; 2. verjagen

in-dakamba 3 pl. t. Kuhdung

eḷi-dako 6 Gesäß, Hintere

dakuḷa kauen

dakuḷela 1. vorkauen, päppeln; 2. mit Zunge schnalzen, wenn ärgerlich; 3. schnalzen beim Locken der Ziegen usw.

daḷa Blühen von Bäumen und Sträuchern

daḷa verstockt, eigensinnig sein

daḷeka herausfordernde Stellung einnehmen

un-dambango 1 mein Schwager, meine Schwägerin

dana 1. kratzen, schrammen; kratzen der Hühner; kratzen beim Suchen von *nini*; 2. auf heitern vom Himmel: *kidanile kukyanya*

danyika eine Hand quer zur andern legen, um daraus zu trinken

dapa ⎫ in Empfang nehmen, Lohn
dapuḷa ⎭ oder Geschenk

un-dapo 2 Eisen (wie es gegraben wird)

uḷu-dasi 7 s. t. Weide, Grasfläche, Feld

data binden

datu drei

datuḷa ⎫ auseinandermachen,
datuḷanya ⎭ voneinander entfernen

datuḷana voneinander entfernt sein

datuḷa ⎫ aufbinden
datuḷanya ⎭

deǵa voll sein, gefüllt sein, viel sein

uḷu-deḷeḷi 7 Rückgrat

eki-deḷi 4 Kürbisflasche, große

dema hüten, weiden, behüten, schonen

eki-demo 4 Herde

denda schließen, zuschließen, zumachen; (rel.) für jemand

denduka offen sein, auf sein

dendula öffnen, auftun; (rel.) für jemand

detsa füllen

debe klein, wenig, gering

deda ⎫ stehen, herumlungern, belästigen, beim Arbeiten
dedama ⎭ nicht vom Fleck kommen

eḷi-dede 6 Wespenart

dedeḷetsa jemand etwas aufreden, das er nicht getan

deǵa sich wundern, staunen

eki-dede 4 Vogel

eḷi-dehani 6 Schneeballstrauch

deka sich übergeben, erbrechen

deke weich, milde, schwach

dekepa weich, schwach werden

dekesa schwach, weich machen, auflockern, erweichen, schwächen

dela sich zwischen zwei Schlafende legen, um geschützt zu sein

deḷeḷesa etwas sagen, das nicht wahr; etwas voraussagen, das nicht eintrifft

eḷi-denzu 6 Reiher

eki-denge 4 Bierkalabasse, Kürbisflasche

uḷu-dengu, *uḷu-denu* 7 Milz

denya etwas zerbrechen, knicken, (rel.) für jemand

denyeka zerbrochen sein, geknickt sein

depa krumm sein, sich neigen

depanika schwanken vom Rohr

desa zum Brechen bringen, dazu reizen, kaus. von *deka*

desa neigen, beugen, krümmen, kaus. von *depa*

detema sich fürchten, zittern vor Furcht

dĭbiduka verfaulen, von Fischen
dĭda etwas drücken
dĭdivala 1. bewölkt sein vom Himmel; 2. ärgerlich sein (mit *ḍu*-konstr.); 3. zum Brechen geneigt sein
dĭeḍa sich fernhalten; sich weigern, wohin zu gehen
dĭetsa jemand fernhalten, verbergen — kaus.-rel. verborgenen Sinn in etwas legen, jemand etwas aufschieben
dika fein mahlen (Mehl)
dikila 1. für jemand mahlen, 2. etwas im Sande verscharren, in der Erde oder im Grase verbergen
en-dili 3 geflochtener Biertrinkbecher
ulu-dilu 7, *endīlu* 3. Kreisel
ulu-dilu 7 Queckengras
dĭluka in Sprüngen abstürzen, abspringen, federn
dīlula 1. kaus.; 2. kreiseln, davon *endīlu* Kreisel
dima herabfallen, herabstürzen, vom Abhang usw.
   dimya kaus.
dīnĭndīka herunterrollen, -stürzen
ditsuka zerquetscht werden, aufplatzen
ditsula zerquetschen, aufplatzen machen
dŏda etwas durch Zeichen verraten, jemand verraten durch Zeigen (in der Ferne)
dŏda mit dem Daumen am Hals drücken, um jemand zu erwürgen
emi-doḍoda 2 p. t. Eiter (in den Augen)
doja 1. Pressen von Rizinus, 2. tief ackern

dojola blutig schlagen, geißeln, Kopf blutig schlagen
dokola in den Zähnen stochern
dola zeichnen, malen, schreiben
dombanyuka sich über das Essen andrer hermachen
domela feststampfen (Pfahl)
domelela begleiten, auf den Weg bringen, auch kaus.
donyola tröpfeln von Regen, Tränen — kaus. *donyoletsa*
dopa schwanken, von langen, dünnen Gegenständen
dopa-dopa schwanken, von Lianenbrücken usw.
eki-doto 4 großer geflochtener Korb
dora bitten, betteln, etwas erbitten
eki-dorano 4 Gabe, erbetene
dorela rel. von *dora* bitten für jemand
eki-dorela 4 Beet, Hügel der *nini*, Kartoffelart
dūda ausgießen, ausschütten; rel. in etwas hinein, für jemand
dudika verschüttet sein; rel. für jemand ausgegossen sein
duduma Gluckern des Wassers
dudumya Gluckern des Wassers beim Schöpfen mit Flasche
dudumbala einen Buckel haben, krumm sein von Gliedern
duja bis wohin reichen, grenzen, aufhören
eki-dujala 4 Berg
umu-dujudiko 2 Kafferhirse (eingeweichte)
duka schimpfen, schmähen; kaus. *dusa*
eki-duku 4 unteres Ende des Rückgrats, Steiß
en-dukuta 3 großer Federbusch

dula / eduḳiḳwa { sich weigern wohinzu- gehen, überdrüssig sein, eigensinnig sein

dulama auf einer Höhe stehen, hoch sein

dulamuka abschüssig, schräg sein, abfallen nach einer Seite, auch bücken; kaus. dulamula

dūlüka reif, stark, fest, ausge- wachsen sein; kaus. stark, fest machen, trösten, kräftigen

dūlüka Loch — Öffnung sein

dūlüla Loch — Öffnung machen in Haus, Dach, Wand; überhaupt durchstechen

dulúmbuka 1. abschwemmen von Erde; 2. dehnbar sein, sich dehnen

dulúmbula (trans.) dehnen

eḷi-duma 6 Panther

duma! Freund, Kamerad — ena duma! so ist's recht mein Freund!

dumuka abbrechen, abfallen, um-, abgehauen sein

dumula abhauen, fällen, abschneiden vom Weg, einer Sache ein Ende machen

dumulanya mitten durchhauen, mitten durchgehen

dundumala nicht grüßen beim Kommen oder Vorübergehen = unhöflich sein

dūnuṅgala stumpf sein, flach sein

dūnuṅgitsa flach schlagen, ab- stumpfen

dunu rot

dunupala rot sein, gelb werden von Blättern usw.

dutu dick, fett

dutuba dick, fett werden

dütsanya zerkleinern, Holz, Kno- chen usw.

dula aufhäufen auf Korb und mit Gras umbinden, endulu also auf- gehäufter Korb

dulela abwärtsgehen, in einer Ver- tiefung verschwinden

en-dulu 3 Aufhäufung von Essen auf Körben

dülüla das aufgehäufte Essen aus- schütten s. dula

ulu-dululu 7 Faulheit

eḷi-dunuṅgu 6 schwarze Ameise

uvu-duṅga 8 fein geflochtener Frauengurt

dwada fürchten

dwatsa Furcht einjagen

un-dwatsi Furchtsamer, Feigling

dwatsi feige, furchtsam

eki-dwibudwibu 4 } Quelle
ulu-dwibudwibu 7 }

dwibuka hervorquellen

dyoǵa Brei rühren = vomba

e

um-e } Stämme, die hier fehlen,
eṅy-e } s. unter he.

eky-ebako 4 Butter

ebuda sich töten

edabela sich beschmutzen, mit Kot

ēdeka zustimmen, glauben, auf einen Ruf antworten

ēdeka (rel.) zustimmen zu, Refrain singen

ēdehetsa zustimmen, darauf ein- gehen

edema = eḷinda, sich hüten, schonen, vorsichtig sein in bezug auf sich selbst

edola sich bezeichnen, beschmieren mit farbiger Erde

edulusa sich zusammennehmen, ge- trost sein, sich selbst festmachen

eǵa nachäffen, nachahmen

eǵatatsa sich ermüden, müde machen

eǵetsa sein Heil versuchen, etwas zu tun wagen, probieren

eǵima stöhnen, krächzen, mit Baßstimme reden

eǵwiya sich rühmen, überheben

eǵumbitsa (*nuntwe*) sich den Kopf stoßen

ēhéwa außer sich sein = *ēhē*

ehusa sich selbst erhöhen, überheben

ulw-ehuso 7 Überhebung

ejeǵamitsa sich anlehnen

ejisa sich herunterlassen, sich erniedrigen, demütigen

ejomeletsa sich zu etwas zwingen, sich keine Ruhe lassen

ejuṅgula sich absondern, abseitsstellen vom Haufen

ekaṅgatsa sich abhärten

ekumbata die Arme kreuzen

ekuǵa außer sich sein über ein Geschehnis

ekutsa sich selbst großziehen, überheben

ekweǵa sich verziehen, aus dem Wege gehen

eleta sich darbringen

elolela sich vorsehen, auf sich achtgeben

elaǵa sich mit Reisegedanken tragen, sich zur Reise bestimmen

elamya sich schmutzig machen

elapelela sich verwünschen, verfluchen

elekela auf etwas stürzen, fallen, etwas bedecken, erdrücken

elehwa (*lya*) essen

eleǵeha sich absondern

elekelwa abstehen, von einer Sache

ema stehen, (mit *na*) anfangen, beginnen

emeka erhöhen, ehren, aufrichten

emya stellen

emba singen

umw-embo 2 1. Brenneisen, zum Durchbohren der Hackenstiele usw.; 2. Verleugnung, Schwindel

ulw-embo 7 Gesang

ēno nun, in diesem Falle

eṅyaṅya enzasi sich sorgen um, so daß man krank wird

epaǵa sich abwehren

epaka sich einschiffen, sich anschließen

epala 1. sagen, was man auf dem Herzen hat; 2. Sünde bekennen; 3. sich abmelden

esajela denken, nachdenken, bedenken

ulw-esajelo 7 Gedanken, das Denken

esaja beten

ulw-esajo 7 Gebet

esamusa sich begrüßen (mit Umarmung)

esavula sich alles zurechtlegen

umw-esesi 2 Schatten, von Menschen

esiṅgela sich abschließen

esravula sich waschen, Gesicht

esweka sich bekleiden

etavula sich abmelden

etoteka festwurzeln, Wurzel, Fuß fassen

etuleka sich erhängen

ulw-etseñi 7 Fuß von Bergen, Hügeln usw.

etsora für sich reden, sich meinen

etweka sich etwas auf den Kopf legen, um es zu tragen

evandela vorsichtig sein, etwas vorsichtig tun

evekela Essen usw. aufbewahren
evenga sich selbst vertreiben
ebépe leicht, nicht schwer
ebépuka leicht werden
egama angelegt sein
egamitsa etwas wogegen lehnen, stellen
egeka etwas anlehnen an —
eha gespaltenen Bambus glätten
eheju, eju, gweju, vweju Zustimmung, ja
uvw-eja 8 Abgrund, Abhang
ely-ela 6 s. t. Asche
ela sichten
umw-elela 2 Spreu
elelo (Adv.) heute
elelo eji der heutige Tag, das Heute
enzeluka 1. abwehren mit Händen; 2. etwas verneinen
ena Leib einziehen
enelela Leib einziehen
enemuka aufgerichtet, erhoben, in die Höhe gerichtet sein
enemula aufrichten, etwas anheben, in die Höhe richten
enga brauen, Bier kochen
ulw-engo 7 großer Biertopf
ely-eve 6 Geburtshaus
eveletsa 1. etwas verschwinden lassen, 2. etwas unsichtbar tun
evwana } jedenfalls, wahrscheinlich
ehwana }

g

gadula Klappern der Zähne bei Frost oder Furcht
gadutsa knirschen mit Zähnen
gaga plagen, anhaften, von Krankheit usw., groß werden, hart werden, gerinnen
ulu-gaga 7 Bein der Tiere

gagala verweilen bei etwas, sich abmühen
gagelanila um etwas streiten, starrköpfig beharren auf etwas
gagelwa geplagt werden von Krankheit
gaha tun, machen
gala berauscht sein, betrunken sein, auch von Tabak
eli-gala 6 Feder
galagddeka etwas Unrechtes sagen oder tun
uvu-galagala 8 Verschlagenheit, Geriebenheit, Überlegenheit
un-galagala 1 verschlagener Mensch
en-galape 3 (Stamm *galape*) Kriegshorn
uvu-gala 8 Brei
en-gama 3 (Stamm *gama*) Stößer, Habichtart
gana lieben, gern haben, Wohlgefallen haben an
ulu-gano 7 Liebe
ulu-ganda 7 Richtplatz, Ort, wo Getötete hingeworfen werden
ulu-gando 7 Messingperlen
eki-ganza 4 Handfläche
eli-ganga 6 Stein
enanga 3 desgl.
gangdjuka staunen über etwas, das man zum ersten Male hört
en-gano 3 (Stamm *gano*) Hinterkopf
un-gasi 2 Tunke
ulu-gasi 7 Fluß
ama-gasi 6 p. t. Wasser
en-gasimula 3 (Stamm *gasimula*) großer Adler
en-gasinga 3 (Stamm *gasinga*) desgl.
gatala müde sein
gatatsa müde machen, jemand ermüden

ɟataluka ruhen, rasten, ausruhen
ɟatalusa zur Ruhe bringen, ausruhen lassen
ɟati, mit *mu̱*, *pa*, *ku̱* zwischen, mitten, drinnen
eñ-ɟatiñga 3 (Stamm *ɟatiñga*) große Trommel
ɟatsa betrunken machen, betäuben
ɟatru (Adj.) arm
u̱ñ-ɟatru 1 Armer
u̱vu̱-ɟatru 8 Armut
ɟatrupa arm sein, werden
ɟava teilen, abteilen
ɟavana untereinander teilen
ɟavañya austeilen
u̱vu̱-ɟembe 8 Bier
ɟeɟa bringen, tragen, führen, (Rel.) bringen zu, übergeben
ɟeɟeletsa bringen, von mehreren zusammen
u̱ñ-ɟeka 1 Säugling
u̱lu̱-ɟeka 7 desgl.
ɟela 1. messen, etwas versuchen, probieren; 2. versuchen jemand, lauern auf
  ɟelaɟela dies immer wieder tun
ɟeleka aufeinanderstellen, -legen, auch über Kreuz
eñ-ɟeleka 3 (Stamm *ɟeleka*) große Geschwulst, tritt an Kopf, Ellenbogen und Knien auf, heilbar
ɟeleñanya aufeinanderstellen
ɟeleñana auf- oder übereinander sein
eḵi-ɟeḵo 6 p. t. Versuch
ɟeluka übersteigen, Berg, Zaun
ɟeluñana neidisch sein, gleich sein wollen
ɟeluñanya 1. = *ɟeluka*; 2. an zwei Orten dasselbe sagen, zwei Personen entzweien durch üble Nachrede

ɟelusa hinüberbringen über Berg usw.
ɟenda gehen
ɟenda vusiñyinza ins Blaue hineingehen, gehen ohne auf den Weg oder das Ziel zu achten
ɟendaɟenda spazieren
ɟendelela herumgehen
ɟenza gehen machen, zum Gehen bringen
u̱lu̱-ɟenge 7 Abhang
ɟetsa versuchen, wagen, unternehmen
u̱lu̱-ɟi 7 Saite
ɟida verschneiden
uñ-ɟide 2, *eñgide* 3 verschnittener Bulle oder Bock
ɟiduka schmutzig werden von Zeug usw., kaus. *ɟidusa*
ɟidula trampeln, stampfen, kaus. *ɟidutsa*
ɟila, *ɟilila* etwas verachten, verleugnen, daran vorübergehen, als kenne man es nicht, übersehen, nicht mögen
ɟilimbala hart werden von Händen, hart werden von etwas, das zuvor weich war
ɟilimbuka streiken, davongehen, jemand verlassen
  ɟilimbula dazu veranlassen, auch Herde vor sich hertreiben
eḵi-ɟima 4 } Abhang, Absatz
u̱lu̱-ɟima 7 }
ɟimba etwas anhaltend, mit Anstrengung tun
eñ-ɟimo 3 (Stamm *ɟimo*) Horn mit Zaubermedizin
ɟinzamuka erschrecken, zusammenfahren, kaus. *ɟinzamula*
ɟōɟa schwanken, zu fallen drohen

ǵobeka = ǵoṅgọla jemand bitten, etwas zu tun, jemand mieten, dingen

ǵodoka nach Hause gehen, heimgehen, von der Arbeit nach Hause gehen

eli-ǵodovwe 6 Esel

ǵoǵa jemand würgen, erwürgen, erdrosseln

eli-ǵoǵa 6 s. t. Ärger, Mut, Zorn

ǵoǵolo alt an Jahren (Adj.)

uṅ-ǵoǵolo 1 Greis, Greisin

uvu-ǵoǵolo 8 das Alter

ǵoǵomboka Aufgehen von Erbsen, Bohnen, Kürbissen

eṅ-goha 3 und eli-ǵoha 6 Wurfspeer

ǵoha Aushöhlen der Stampfblöcke, (eliǵohelo Instrument dazu)

ǵoka ⎫ beraten über jemand, mit
ǵokana ⎬ schlechter Absicht, um
          ⎭ ihn zu töten usw., beratschlagen

eṅ-golo 3 (Stamm ǵolo) Kriegsruf, Kriegsgeschrei

ǵoloka gerade, gerecht, recht, richtig sein

ǵolola geraderichten

ǵolosa etwas geraderichten, Arm ausstrecken, recht handeln, gerecht handeln

ǵolosu gerecht, richtig, gerade

ǵolorondala sich neigen, krümmen

ǵoloronde krumm sein, gebeugt sein

ǵoma 1. pfänden; 2. jemand etwas wegnehmen, um ihn zu zwingen, eine Schuld zu zahlen, oder eine Streitsache zu schlichten usw.

eki-ǵomano 4 Geplündertes

ǵomba umzingeln, einschließen

eli-ǵombu 6 Saiteninstrument

ǵona liegen, ruhen

ǵona etulo schlafen

ǵona enzanza auf dem Rücken liegen

ǵona lukeǵi auf der Seite liegen

ǵona amagonasivi = träumen

ama-ǵonasivi 6 p. t. Traum

ǵonda jemand aufpassen, beobachten, kundschaften

ulu-ǵonde 7 Bogen

ǵongela auflauern

ǵonza, Perf. iŀe 1. ernten von Mais und großem Kafferkorn; 2. aufrollen, zusammenrollen von Matten usw.

ǵonzela mit hineinrollen, einwickeln

ǵonzola Matte, Decke aufrollen, ausbreiten

uṅ-ǵoṅgo 2 Rücken; mit Lokativen: hinten

ǵoṅgóla jemand bitten, ersuchen, auffordern etwas zu tun, mieten dingen

ǵonya etwas hinlegen, jemand zum Schlafen bringen, jemand einschläfern

ǵonya eliǵonyo jemand einschläfern, um ihn hernach zu töten; jemand in eine Falle locken

eli-ǵonyo 6 s. t. Verrat durch Einschläfern; uṅyaliǵonyo Verräter, der den Eingeschläferten ausliefert

eṅ-ǵosa 3 (Stamm ǵosa) Bündel, von Gras, Lianen, Schilf

uṅ-ǵosi 1 ein Mann, männlich

eṅgosi 3 großer dicker Mann

ulu-ǵosi 7 Bursche von 14 bis 20 Jahren

eṅgosi 3, eki-ǵosi 4, uṅ-ǵosi 2 Genick

ǵosipa alt sein, — werden, von Menschen

eṅ-ǵoso 3 (Stamm ǵoso) Feindschaft

goṣóḷela Rufen, Locken der Henne (von Küchlein)

uḷu-goṣu 7 Baumart, deren Milch gekocht ein gutes Bindemittel liefert

goṭoḷa übergeben von Eigentum, zurückbringen

gubákuḷa abdecken, was geschlossen

gubeka zudecken, aufeinanderdecken

gubeḷenanya zudecken, aufeinanderdecken

gubenana zugedeckt sein, aufeinandersein

gubenanya zudecken, aufeinanderdecken

gubukuḷa Deckel abnehmen

guja zusammenlegen, -falten, -biegen

gujana zusammengefaltet, -gelegt, -gebogen sein

gujanya zusammenlegen, -falten, -biegen

gujiḷinana zusammengefaltet, -gelegt, -gebogen sein

gujiḷinanya zusammenlegen, -falten, -biegen

gumba (nenọndẹ) mit der Faust schlagen

gumbitsa mit dem Kopf anstoßen, sich an etwas stoßen

eñ-gumbwẹ 3 (Stamm gumbicẹ) Schlafloch für Mädchen

guna jemand absichtlich übersehen, ihm nicht antworten = giḷa, giḷiḷa

gundama sich beugen, neigen vor Menschen

gundamika etwas beugen

eñ-guniko 3 (Stamm guniko) Stoßspeer

guñgulyuka krummen Buckel haben, gebeugt sein beim Schleichen

guñgumaḷa festliegen, unbeweglich sein oder sitzen .. Stein im Fluß usw.

eñ-guñguni 3 (Stamm guñguni) Wanze

eñ-gube 3 (Stamm gube) Schwein, wild und zahm

eḷi-gugu 6 Rohr, Schilf

guḷa kaufen, kaus. gutsa

uru-guḷe 8 Gekauftes

guḷuka fliegen

uñ-gunda 2 Garten

guñguḷa entsagen, vermeiden, weil nicht erlaubt

gutsa verkaufen

uñ-gutsi 1 Kaufmann

uru-gutsi 8 Kauf

uñ-guwa 2 Zuckerrohr, Stengel vom Mais und großem Kafferkorn

gwa 1. fallen; 2. heiraten; Rel. 1. fallen auf, — in; 2. dem Mädchen Morgengabe geben

gweda sich kratzen, wenn es juckt

eñ-gwehe 3 (Stamm gwehe) Wildschwein

eñ-gwembe 3 (Stamm gwembe) der Schild

h

hāja (imajọ) schneiden. impfen, schröpfen, tätowieren

hajala Holz sammeln

uḷu-hajala 7 Brennholz

hajeka } etwas wogegen legen, um
hajekeḷa } hinaufzusteigen oder zu klettern

hajuḷa etwas unterlegen, um einen Gegenstand zu erhöhen; rel. desgl.

haja hin- und herreden, -suchen, überspringen, nicht nach der Reihe tun

haka treibjagen durch Aufscheuchen
ulu-hāla 7 s. t. Weisheit, Verstand, Klugheit
hāla (*pa ñyumba*) erben, nachfolgen
hāla 1. auswählen, erwählen; 2. aufsuchen, aufheben von der Erde; kaus. *hāsa*
eli-halasu 6 rote Ameise
ulu-hale 7 s. t. Viehgras
eñy-alutsi (Stamm *halutsi*) 3 kleine Rehart
hama verziehen; kaus. *hamya*
eli-hamba 6 s. t. frisches Gras nach dem Brande
hamba sich zerstreuen
hambuka anders werden, sich verändern, sich verwandeln
hambula verwandeln, anders machen
um-ana (Stamm *hana*) 2 Leib, Körper
hanza) etwas vermischen, ver-
hanzañya) mengen
eli-hanzi 6 Gebüsch
ulu-hañano 7 Malwenart
hanga vermischt sein
um-anga 2 Sand, Erde
eñy-anga 3 (Stamm *hanga*) desgl.
eñy-anga (Stamm *hanga*) 3 Höhle
hāñya Wasser zugießen, z. B. zu Speisen, wenn diese trocken usw.
hāñya 1. Knochen zerkleinern; einknicken, wenn zu lang; zerschlagen der Erdstücke beim Ackern; 2. Verlorenes suchen durch Fühlen mit Stock usw. im Wasser usw.
eki-hañyasi 4 kleine Raupe
hāta 1. Bambus in schmale Streifen spalten; 2. kratzen trans. *hāta* würzen, salzen
eñy-ato (Stamm *hato*) 3 Riesenschlange

hasa) zerstreuen, auseinander-
hasañya) treiben, bringen
ama-haswa 6 p. t. Lunge
ūmatsa (Stamm *hatsa*) 1 Schwester (vom Bruder gesagt)
hāva) klein machen, zer-
hāvañya) kleinern
hāva säumen (mit Neg.), verzaubern, verhexen
eki-hāva 4 Gefäß (eigtl. kleine Messingglocke)
havagula mit Wasser verdünnen
um-avi 1 Zauberer (Stamm *havi*)
uvu-havi 8 Zauberei
hega richten, schlichten, rechtsprechen
eki-heki 4 Baumstumpf
hēleka hinbringen zu jemand, (nie herbringen)
hēlela frieren, zittern vor Kälte
hēmba zurückfordern = *tsigila*
hēnza ausschlachten (von Vieh), zerlegen
hēñanitsa jemand mit Essen entgegengehen, wie Frauen ihren Männern bei der Rückkehr aus dem Kriege, oder nach anstrengender Arbeit
hepa (*emepo*) kalt sein = es ist kalt, es friert
hetsa stehlen
hebéluka rauchen, aufsteigen (von Rauch); kaus. *hebélusa*
hebuka schwitzen = *tugutila*
hega aus dem Wege gehen; (rel.) jemand weichen, Platz machen für jemand
hegelela sich nähern
hegeletsa nähern, näher bringen
heha leise sprechen, flüstern, über jemand reden, verleumden
hekelela immerwährend verleumden

hǎka lachen, fröhlich sein, auslachen, kaus. hǫsa
hǎkǫla sich freuen, fröhlich sein
ulu-hekelǫ 7 s. t. Freude
ulu-hekǫ 7 s. t. Gelächter
ekị-hẹla 4 abgeschnittene Kürbisflasche, wird von Zauberern mit
Medizin gefüllt
eḷi-hẹla 6 größere desgl.
ekị-hẹlǫ 4 kleiner flacher Korb
hẹlula verachten
hǎlula wiederkäuen
hǎma davonlaufen, wenn geschlagen;
verziehen
hẹmbula ausgraben (Kartoffeln usw.)
ulu-hẹmu 7 s. t. Absturz, Abrutsch
hẹmuka abstürzen, abrutschen,
(Berg usw.)
hǎna grob mahlen
hǎna ausweichen (auf Wegen), s.
hẹǧa
hẹndama verleumden, verklatschen,
Unwahres über jemand sagen
hẹnga Gras mähen; Gras, Gesträuch
umhauen
hẹngama schräg sein
hẹngamika schräg stellen = hẹngeka
hẹngeka 1. umgemäht, umgehauen
sein; 2. schräg stellen = hẹngamika
ịny-engǫ (Stamm hẹngǫ) 3 Haumesser
ịny-enyenge (Stamm hẹnyenge) 3
Stechfliege
hǎpa zurückstehen vom Kauf
hẹpula jemand lächerlich machen
hẹpulwa lächerlich gemacht werden
hẹsa jemand aufheitern
hẹtsa wegräumen, aus dem Wege
rücken
eḷi-hẹve 6 Haus, Hütte
hẹvela mahlen s. dika, batsa, hẹna
uvu-hẹvẹte 8 Mehl

hodeka knüpfen, knoten
hodekela erwachsen, mannbar sein
hodenana) verheddert, verknotet
hodelenana) sein
hodenanya) verknüpfen, zusam-
hodelenanya) menknoten
ulu-honza 7 Rauheit des Körpers,
Behaarung
hopa (iseke) Frucht tragen, bringen
ekị-hope 4 kleiner Haufen Menschen
um-otsi (Stamm hotsi) 1. Regenmacher; 2. Tunke vom Fleisch
hoǧa zusammensetzen, zwei oder
mehrere Dinge zu einem verbinden
hoǧana) zwei Dinge, die mit-
hoǧelenana) einander verbunden
) sind, z. B. zwei Hügel
hoǧelenanya = hoǧa
hoǧǫna schlaff, hängend sein, von
Schnur usw.
hoǧǫsa nachlassen, wenn zu straff,
von Schnur usw.
hoja-hoja) unstät, unbeständig,
hojanika) ruhelos sein
hojanitsa unstät, unbeständig, ruhelos sein (aber auch trans.)
hǫka = pǫna vom Tode errettet
sein
hǫla 1. gebären (von Menschen);
2. aufheben, aufsuchen = hǎla;
3. erwählen, auswählen = hǎla
hǫlenanya zusammensuchen
hoḷoǧota durchstoßen (mit Stock
oder Speer durch Tür oder Wand,
um jemand zu töten, oder etwas zu
fühlen, in den Bienenkorb, um
die Bienen aufzustören)
hoḷoǧǫtetsa ersticken, überwuchern
von Schlingpflanzen, Unkraut =
hopotsa
hoḷonga tiefgraben

họlọngala tief sein, Loch usw.
họma stechen mit Speer usw., Dorn
họmba bezahlen; kaus. *họsa*
ẹli-họmbọ 6 und *ụlụ-họmbọ* 7 Lohn,
   Bezahlung
họmọla 1. ausziehen, Dorn usw.;
   2. blühen (von Mais und kleinem
   Kafferkorn)
họna nähen, flechten
họna ụlụlẹmbẹ stopfen
họna ụvụswa Nest bauen
ụlụ-họnẹlọ 7 Nadel
họnga lehren, einführen, verführen
họngẹla glücklich, froh sein usw.
họngetsa Glück wünschen
iṅy-ọṅgọ (Stamm *họngọ*) 3 Galle
họnọla 1. herausfordern zum Kampf;
   2. Nachlese halten = *baṅga*
hoṅyama hocken
họpọla abwerfen; zu früh gebären,
   von Tieren
họsa auf Zahlung dringen, zahlen
   machen
ụm-ọsi (Stamm *họsi*) 1 einer der auf
   Zahlung dringt
họtsa immerzu fragen, als ob man
   eine Sache nicht gehört hätte
họtsa (von *họla*) ernähren, erziehen
họva verführen zum guten oder
   bösen, jemand umwandeln, überreden; (rel.) zum Kampf reizen,
   aufreizen
ẹli-họvẹ 6 Krähe
họvẹka Griff an Hacken schmieden
họvẹla jemand verunreinigen, dadurch, daß man ihn zwingt etwas
   zu essen oder zu tun, das er für
   unrein hält
huhutila Kriegsruf ausstoßen
huka Schütteln der Milch, daß sie
   zu Butter wird; dann schütteln
   überhaupt; kaus. *husa*

huṅgẹlẹla hineinsehen von außen,
   hinaussehen von innen = *mẹha*
husa } anstoßen, bewegen, er-
husaṅya }   schüttern
husana sich bewegen
husụja etwas waschen, reinigen
   mit Wasser
ẹli-huvẹ 6 Schaum
e-hụla 3 Zierhaumesser
hụla schaffen, erschaffen, hervor-
   bringen = *pẹ̌la*
hụla ụvụdẹkẹ sich entschuldigen;
   machen, daß jemand mild ge-
   stimmt wird
eki-hụlụ 4 Flußtal, Tal, Vertiefung
hụlụla durchregnen, beim Hause;
   laufen, von Gefäßen
hụma ausgehen; herausgehen; herkommen von, aus
hụmbẹ! wenn es so ist! ja dann!
   dann vielleicht! dial. auch *kụmbẹ!*
kụmba! k wie deutsch ch
hụmya hinaus-, herunterbringen,
   herausziehen; rel. *hụmehetsa*
hụnza jemand abgeben von dem,
   das man hat; zu jemand freundlich sein; so tun, als ob man
   etwas geben will und dann die
   Hand schnell zurückziehen
hụnzaṅya Freundschaft halten einander, gegenseitig mitteilen
ụvụ-hụṅga 8 Schießpulver
ụlụ-hụṅgọ 7 s. t. Gnade
hụsa etwas erhöhen, daß es weit
   sichtbar ist; hochheben
hụtsa auspressen
hụtsụla braten; perf. *ịlẹ*
hụvẹla hoffen, vertrauen; kaus.
   hụvetsa
hwaja (*o*) treiben, Vieh auf die
   Weide; wegtreiben
hwaja (*u*) Bellen der Hunde

hwana gleichen, aussehen wie
hwanana gleich sein, ähnlich sein
hwananya gleich machen, ähnlich machen
eki-hwani 4 Bild
eki-hwanihitso 4 Gleichnis
hwanga einlegen, -stecken, in Sack, Tasche, Kasten usw.
hwangula herausnehmen, auspacken, aus Sack usw.
hwega (u) 1. Singen der Gottesgesandten; 2. Bellen des Schakals
hwenula 1. Abreißen, Raufen der Kafferkornähren, Abreißen von Zeug, Abziehen von Bohnen; 2. Spalten von Bambus in schmale Streifen

i

ibata fassen, halten, ergreifen, greifen, festhalten
ibatela für jemand etwas halten, etwas worauf-, wogegenhalten
ibatelela führend halten, leiten, führen, auch beaufsichtigen
ibatetsa halten, behalten machen, zum Halten geben
umw-ibato 2 Zange
ijolo gestern
iju frisch, grün, unreif, naß
ijuta satt sein; kaus. *ijusa*
el-iho 6 Auge, Öhr
uhw-ihotsi 7 Träne
ika herunterkommen, -gehen, -steigen, -klettern
uhw-iko 7 Löffel
ila sich weigern etwas anzunehmen, weil zu klein oder zu wenig
ima geizen
inama Kopf nach vorn beugen
inamila bückend trinken, ohne ein Gefäß zu gebrauchen, essen mit

dem Munde, ohne einen Löffel zu gebrauchen
inamuka Kopf hochrichten, die Augen erheben
inamula jemand den Kopf hochrichten
el-ino 6 Zahn
umw-inyo 2 Salz
ipi kurz, nahe
uvw-ipi 8 die Nähe
p-ipi 12 ⎫
kw-ipi 13 ⎬ (adv.) nahe
ipula (perf. *ipwe*) Essen vom Feuer nehmen und irgendwo hineintun = *auftun*
isa herunterlassen, erniedrigen, demütigen
ek-isu 4 kleiner weitmaschiger Korb
itsa kommen
uhw-itsi 7 Tür; pl. *inz-umw-itsitsi* 2 Schatten
itsutsi vorgestern
ilanga rufen, schreien
ingila hineingehen
ingitsa hineinbringen, -stellen, -legen

j

jaja 1. verschwinden, verloren gehen, verloren sein, irren, verirren; 2. auch vom Sterben neben *vuka* im Gebrauch: *umunu ajajile* der Mensch ist gestorben, *umunu avukile* der Mensch ist tot
u-jaja mein Onkel (Bruder der Mutter)
enzala (Stamm *jala*) 3 Hunger
jala 1. etwas verkleinern, verringern = Schuld durch schlechtes Richten; 2. sich die leichteste Last nehmen, sich immer das Leichteste aussuchen

uvu-jambála 8 Kantschu, Klopfpeitsche vom aufgetrennten Kuhschwanz

eli-jani 6, *eñyani* 3 (Stamm *jani*)
Hundsaffe

jañgamuka schnell aufstehen, sich
schnell erheben

enzasi (Stamm *jasi*) 3 Blitz

jatsa verlieren machen, etwas verlieren, vertreiben, irreleiten

java 1. graben, buddeln; 2. ein-
dringen vom Splitter usw. = verletzen; 3. abpflücken vom Gemüse. Viel gebrauchtes Wort,
auch mit schlechter Bedeutung

javela 1. für jemand graben usw.
(s. *java*); 2. da auch Medizinen
gegraben oder gepflückt werden
(Wurzeln oder Blätter) = gesund
machen, eigtl. jemand mit Medizin versorgen

eki-javo 4 Batatenhügelbeet

eli-javo 6 Batate (Süßkartoffel)

enzelo (Stamm *jelo*) 3 Wassertopf

jenza Zusammenrufen vieler

jeñgama zusammengekommen sein,
wenn zusammengerufen s. *jenza*

jegama ratlos, sprachlos sein

jéja Gras usw. umhauen und liegen
lassen, daß es fault

jeje unreif, klein, verkümmert von
Frucht

jejepala } nicht reif werden,
jejepalelwa } nicht viel Frucht
bringen

jéjéla sich nicht ans Licht wagen,
im Verborgenen schleichen

jéjélwa unreif, verkümmert sein,
von Früchten

jéjéma wenig regnen

jéla nichts tun

jélama stillsitzen, nichts tun

jeluka sich vermindern, weniger
werden

jelula alle machen, verringern, verschwenden

jesa etwas schnell beendigen

jétuka vergehen, verschmachten

enzila (Stamm *jila*) 3 Weg

ulü-joka 7 (pl. *inz-*) Schlange

jujuvala sich fürchten; wenn verschuldet, sich schämen

jujuvatsa jemand erschrecken, beschämen durch Vorhalten seiner
Schuld

jūmba 1. Schuld immerwährend
einfordern, mahnen, auch pfänden; 2. anschwellen, vom Fluß

eñyumba (Stamm *jumba*) 3 Haus

isi-jumba 4 pl. t. Dorf, Ortschaft

jumbáluka anwachsen, größer werden (schleichender Panther);
aufgehen, vom Brotteig; anschwellen, vom Fluß

eli-juñgu 6 großer Biertopf

judela schwappen, von halbgefüllten
Gefäßen beim Tragen

ulu-juke 7 (pl. mit *nz*) Biene

julula } beschämt sein
jululala }

juñgula hin und her fliegen, von
Vögeln; auf der Flucht, unstet
sein, von Menschen

u-juva meine Mutter

eñywabaho (Stamm *jwabaho*) 3 Tag, an
dem nicht gearbeitet werden darf

jweluka arm werden

jweta } laut reden, von Men-
jwetelela } schenmenge

k

ka! Ausruf des Erstaunens

ama-ka 6 p. t. Kraft, Macht, Gewalt

kada treten, trampeln, kneten

kdȷ́ahaḷa etwas anstaunen, das man zum erstenmal sieht

ama - kakaḷa 6 p. t. Kehricht, Schmutz, Müll

inakaḷa 3 (Stamm *kakaḷa*) pl. gefallenes Laub

kákaḷetsa verunreinigen durch Umherwerfen oder Liegenlassen von Abfällen, Schalen usw.

enaḷa (Stamm *kaḷa*) 3 Reif, Frost

eḷi - kaḷa 6 Holzkohle, auch glühende Kohle

kaḷaḋaḷa sich entwickeln, schlau, listig, unterrichtet sein

kaḷaḋatsa jemand etwas beibringen, daß er schlau, listig usw. wird

kaḷaḷa zornig werden

kaḷateḷeḷa aufmuntern, aufpassen, beaufsichtigen bei Arbeit usw.

kama melken

uḷu - kana 7 s. t. Grausamkeit

kanana streiten, bestreiten

kanika verneinen

kandáma zögern, sich verzögern, sich aufhalten, verspäten

inani (Stamm *kani*) 7 pl. t. Streitsucht, Verneinung

kanika bestreiten, leugnen

e - kanu 3 Boden, Söller

enanu (Stamm *kanu*) 3 Tier, Wild

enanzọ (Stamm *kanzọ*) 3 Schmiedemedizin

uḷu - kanaṅa 7 Gummiliane

enaṅga (Stamm *kaṅga*) 3 Zuschlagstein der Schmiede

kaṅgaḷa fest, hart, mutig, beherzt sein; kaus. *kaṅgatsa*

kaṅgasu hart, fest, mutig

eḷi - kaṅgaḷambua 6 Buschlaus

uḷu - kaṅgikuḷu 7 Regenbogen

enata (Stamm *kata*) 3 Grasring zum Tragen, Kniescheibe

kataḷẹ früher, vor langer Zeit

kava erwerben

eḷi - kavata 6 Schwabe

enavata (Stamm *kavata*) 3 Wanze

uḷu - kembetsi 7 Rippe

kemunu (mit *ḷi*) stumm, still, schweigsam

kēnza wünschen, wollen, Verlangen haben

eḷi - kēnza 6 Schlagfalle

e - kesa 3 s. t. (ohne Nasal) Erbarmen

ama - ketsi 6 pl. t. Ruß an Töpfen

kẹḋẹta abschneiden, durchschneiden, beschneiden

kẹka schneiden in Scheiben (von Kürbis)

kẹka atmen

kẹkaḋẹla schwer atmen, japsen

kẹla sich freuen

kẹlama stehen (vom Wasser, Vieh usw.)

kẹlamika Wasser abdämmen, es zum Stehen bringen

eṅẹlẹ (Stamm *kẹlẹ*) 3 oder *eṅiḷiḷi* (Stamm *kiḷiḷi*) 3 große Affenart

uḷu - kẹlẹma 7 Flöte

kẹlẹta abschaben

kẹlẹtsa verweilen, sich aufhalten, verspäten

uḷu - keṅgeḷẹ 7 Prinzessin

eḷi - kẹnu 6 = *eḷi - paḋaḷọ* 6

kenyemuka erschrecken

kenzuḷa lächeln

enenzẹ (Stamm *kẹnzẹ*) 3, *eḷi - kẹnzọ* 6 Ratte

kenẹ́na kleine Stücke hauen, abhauen

kẹ pa fallen (vom Wasser), weniger werden (von Nahrungsmitteln); kaus. *kẹsa kǭsa* fallen machen (vom Wasser), es zum Sinken bringen, weniger machen (von Nahrungsmitteln)

kǭsa noch einmal durchackern bei schon geackerten Feldern, die mit kleinem Kafferkorn besät werden sollen

kęta scheren, rasieren

elị-kęvalę 6 Heuschrecke

en̄ęvę (Stamm *kęvę*) 3 Schakal

kilịǵa umrühren

kilịlịka zittern vor Schmerz, Furcht usw.

kilịvụka sich umdrehen, umwenden, sich bekehren

kilịvụla etwas umdrehen, umwenden, jemand bekehren

kima Kriegstanz aufführen

ulụ-kimba 7 Batatenhügel

kina sich amüsieren

kin̄inika trocknen, was vorher naß war (intrans.)

un̄-kisa 2 Blut

kisu mutig, beherzt

kita jemand etwas sagen, überreden = *vụla*

kiva mutig sein, kaus. *kisa*

un̄-kịla 2 Schwanz

e-kịlǫ 3 Finsternis, Dunkelheit; s. *lǫ*

kimbęla fliehen, davonlaufen, ausrücken

un̄-kịnūnu 1 Stummer

kin̄ga Pflegen von Kranken, ihnen gut zu essen geben

kịtā́ (mit reiner Verbalform) ohne zu; *kịtā́lya* ohne zu essen; *kịtā́mę la* ohne zu wachsen = *vụtā́*

kịtsiǵǫ zehn, Zehner, Zehnheit

un̄-kịtatsǫva Stummer s. *tsǫva*

kịtupulan̄ǫpę Vormittag, etwa 10 Uhr, (*tupula*, *kǫpę* mit Präfix der 4. Klasse)

komba Vieh stehlen

ama-kotu 6 p. t. Kot (vom Menschen)

kova um ein Mädchen anhalten

kovakova frösteln, beben vor Kälte

kovata Ernten von Erbsen und Bohnen

kovatala zusammenkriechen; sich aufwärmen am Feuer; fast hineinkriechen ins Feuer, wenn man friert

kovęla für jemand um ein Mädchen anhalten

un̄-kovo 2 Weg großer Tiere wie Büffel usw.

kǫǵǫ́sa führen, leiten = Kranke, Blinde usw.

kohǫmǫla husten

ulụ-kohǫmǫlǫ 7 der Husten

ulụ-kǫję 7 s. t. Hungersnot

kǫla en̄gǫlǫ Kriegsruf ausstoßen

kǫlatęlęla aufmuntern, beaufsichtigen

en̄ǫlęko (Stamm *kǫlękǫ*) 3 Milch vom *ulụ-ǵǫsu*-Baum, die gekocht zum Befestigen der Speere usw. in den Schäften dient

kǫlęla etwas in die Hand nehmen, Spazierstock usw.

en̄ǫlǫ (Stamm *kǫlǫ*) 3 Schaf

ulụ-kǫlǫ 7 Freundschaft

kǫlaǵoka ausrenken

en̄ǫlǫkǫlǫ (Stamm *kǫlǫkǫlǫ*) 3 Eisengrube

kǫlǫlętsa (trans.) überwachsen (von Wegen)

kǫlǫlęlịwa überwachsen, unbetreten sein (von Wegen)

en̄oma (Stamm *kǫma*) 3 großer Blasebalg der Schmelzöfen

kǫmba am Handgelenk erfassen, dasselbe umfassen

kǫmbana eńǫmbǫ sich gegenseitig am Handgelenk halten (etwa beim Ringen), davon *uń-kǫmbǫ* 2 Zange
uń-kǫmbǫ 2 Zange
ama-kǫna 6 Schale, Pelle
kǫnda getreten, betreten sein (von Wegen); kaus. *kǫnza*
eńǫndǫ (Stamm *kǫndǫ*) 3 Faust
kǫnǫna schnarchen
ulu-kǫnzǫ 7 Finger, Zehe; Finger- und Zehnagel
kǫńga folgen, nachfolgen
kǫńgana folgen, der Reihe nach
uń-kǫńgǫmǫla 2 Gurgel
eńǫńǫ (Stamm *kǫńǫ*) 3 Wunde
kǫńǫmbala krummsitzen wie die Hunde
kǫńǫna hämmern, behauen von Steinen, meißeln, aufeinander- schlagen
kǫ̈ńya Baum entwurzeln, fällen
kǫ̈ńya wenig geben
kǫ̈ńyǫka entwurzelt sein (von Bäumen)
kǫ̈ńyǫka geizig sein
eńǫpǫ (Stamm *kǫpǫ*) 3 Augen- wimper
kǫta auffordern zu nehmen, was einem dargereicht wird (mit dem Worte *kǫ*!)
ulu-kǫtǫ 7 s. t. Fluch, Verdammnis
kǫ̈tǫla verfluchen, fluchen, ver- dammen (*ulukǫtǫ́* Fluch, Ver- dammnis)
kǫtsa feuern, Feuer anmachen, heizen; rel. *kǫtsǫhǫtsa* neben *kǫlǫtsa*
ekị-kǫtsi 4 Pfeiler, Pfosten
ekị-kǫtsǫ 4 Feuerherd, Feuerstelle
ulu-kǫva 7 Riemen
elị-kǫvǫ 6 junge Schoten von Erbsen

und Bohnen; *isinu silị makǫvǫ* = die Schoten bilden sich
kǫvǫka) etwas über Kreuz legen,
kǫvǫńańya (etwas worüber legen
kǫvǫńana über Kreuz sein
ekị-kǫvǫkanǫ 4 Kreuz
eńǫvǫ (Stamm *kǫvǫ*) 3 und *elị-kǫvǫ* 6 Banane
kǫvǫkǫla Zusammengesetztes aus- einandernehmen
uń-ku 1 Schwiegersohn, -tochter, -mutter, -vater
kuǵúta wehen, brausen vom Winde
eńuǵúta (Stamm *kuǵúta*) 3 s. t. Sturmwind
uń-kujo 2 wilde Feige
kula glatt machen durch Betreten, Gehen, dadurch, daß man immer wieder auf dieselben Stellen tritt
kulika sehr betreten, glatt (von Fläche) sein
kúlisa mit den Augen winken
uń-kulu 2 Stamm, Gemeinschaft
kuluǵa drängen, schieben, stoßen
kūlūla 1. Dach abdecken, 2. Haare ausreißen
kúlula Draht ziehen
kuluma donnern, donnerähnlich brüllen
kúluniǵa mitfortreißen (vom Fluß), schleifen
kuluńgala voll sein (vom Mond)
elị-kulutu 6 Schwabe
kumbata umarmen
kumbatana sich gegenseitig um- armen, auch eng, gedrängt bei- einander sein
kumbuhetsa erinnern (trans. u. in- trans.); daneben auch *kumbusa* (trans.) selten gebraucht
kuna fegen, reinigen
kundiaǵila hinken

12*

kūnika ausgefegt, leer, alle sein

künika etwas vorreden, nicht halten, was man gesagt oder versprochen

kunuka ausrücken, fliehen, geschlagen sein im Kriege, Streite usw.

kuṅga anschweißen

kuṅúna reinigen, ausklopfen, ausleeren

kuṅúnika rein werden

kupa (enǫ́ṅgwa) jemand herausreden, daß er unschuldig erscheint

uṅ-kusu 2 Grenze (zwischen Äckern)

iṅusu (Stamm *kusu*) 3 pl. Rost

ulu-kusu 7 Garbe, Erbsbündel

kūta schreien, rufen, heulen, stöhnen, kaus. *kūsa*

kūta ausraufen = *hwęnula*

kuja schnell laufen

kuka (trans.) wegspülen, Regen, Regenlauf (ohne Pers.-Obj.)

u-kuku 1 mein Großvater

eṅuku (Stamm *kuku*) 3 Huhn

kūla wachsen; kaus. *kūtsa*, wachsen lassen, erziehen, ernähren

kūla ausziehen, Pfahl, Zahn usw.

eli-kula 6 Kriegstrommel

eṅumba (Stamm *kumba*) 3 Zaubernägel

kumba nach etwas oder jemanden werfen, jemandem etwas zuwerfen

kumbéla tanzen, um Gaben zu erlangen; vor dem Häuptling tanzen, um Hacken zu bekommen

kunda folgen, verfolgen

eṅundelǫ (Stamm *kundelǫ*) 3 Grund-, Stützpfeiler

ku-nzi s. *nzi*

ulu-kuṅgo 7 s. t. Wüste

ulu-kuṅgudǫ 7 s. t. Nebel

kuṅgulula Aussuchen von Erbsen usw.

eli-kusi 6 Schwiele in der Hand

kuwa schwindeln, falsche Klagen führen

kuwa spielen, Instrument

kuwala sich den Fuß stoßen

eli-kuwalelǫ 6 Karawanenstraße

kuwdta dreschen

eki-kuwatelǫ 4 Dreschstock

kuwelela sausen, brausen (vom Winde), wehen, auch ins Blaue hineingehen

ulu-kuwelelǫ 7 Sturmesbrausen

kwa Morgengabe geben

kwalavdtula etwas entwenden im Vorübergehen, etwas stehlen und dann ausrücken

ulu-kwalę 7 s. t. Verrücktheit, Wahnsinn

eṅwalę (Stamm *kwalę*) 3 Rebhuhn

kwasa streifen (trans.)

kwdvuka schnell gehen

kwela ausreichen, langen, genügend sein

kwetsa machen, daß etwas ausreicht, auch allemachen

kwelelelę Geräusch, das die knarrende Tür verursacht

ulu-kwęma 7 Spalt, Kluft

kwęmuka ausgerissen, ausgespült sein durch Regen, Fluß usw.

kwęmula ausspülen, aushöhlen, von Wegen usw.

kwęta oberflächlich hacken, mit der Hacke jäten

kwǫni überall, von *ǫni* mit Lok. *ku*

kwǫnu irgendwo, von *ǫnu* mit Lok. *ku*

kya helle werden, erheitern, sich aufklären, Vorübergehen von Regen

kydndyǫ rechts

l

lala Rasten von Karawanen

lala alt

lalapala alt, schlecht werden (vom Zeug usw.)

*lāva*Verzieren der Häuser, streichen, zeichnen

lavela versprochen sein (vom Mann)

lavekwa versprochen sein (vom Mädchen)

leta bringen, herbringen, herzubringen; neben *leta*

lōvolela etwas entdecken, offenbaren

lola sehen; kaus. *lotsa* seinen Blick richten nach, gehen nach

lolela aufpassen, auf jemand sehen

lolesa umhersehen, sich umsehen

l

laǵa zeigen, sagen, weisen, weissagen, prophezeien

laǵela befehlen

laǵala herunterfallen, gestreut sein

eki-laǵalela 4 }
aka-laǵalela 5 } Brosamen, Krümel

laǵaluka trocknen, wenn naß gewesen

laǵalusa zum Trocknen bringen durch Aufhängen usw.

laǵasu trocken

eki-laǵo 4 kleine runde Wurzel, Mittel gegen Leibschmerz

unjamalaǵo Prophet, Weissager

laǵula durch Zauberbecher oder -würfel etwas herausbekommen (Mord, Diebstahl usw.), wahrsagen, zaubern; kaus. *laǵutsa*

laha werfen (mit Speer), werfen, säen

eki-laho 4 Wunde vom Speer

endakalaka 3 Kinnlade

laleka überbrücken, Brücke schlagen; (intrans.) anbrennen (vom Essen)

lalela (*elimenyu*) Überspringen der Stimme, heiser sein

lalesa Essen anbrennen lassen

eli-lalwe Schlange

endama (Stamm *lama*) 3 Färse

lama schmutzig werden, — sein

lamya schmutzig machen

eli-lamba 6 See, Tümpel

lambalala 1. Sinken der Sonne; 2. ausgestreckt sein

lambalika ausstrecken

lamula Streitende auseinanderbringen

lānda zudecken, bedecken, belegen, bestreuen

landelela streuen

landdla schlingen, ranken

landatsa lange Stiche machen

eli-lanzi 6 Bambus

uvu-lanzi 8 Wein (Bambuswein)

eli-langamuli 6 Fackel

languka } 1 kurzsichtig sein, schlecht sehen können
} 2 gut, sauber gefegt sein

langula gut fegen, sauber fegen (auch = *tova*?)

lapa verbieten, untersagen

lapelela verfluchen, verdammen, verwünschen

undaso (Stamm *laso*) 2 Pfeil

endata (Stamm *lata*) 3 unfruchtbares Tier

endatu (Stamm *latu*) 3 Sandale

lāva früh auf sein, früh aufbrechen

lāvata suppig sein statt fest; kaus. *lavasa*

lāvuka essen (am Tage), sich stärken

lāvuka ausplantschen

eli̯-lawa 6 verlassener Ort

undela (Stamm *lela*) 2 Baumart

aka-lelo 5 Ding zum Essen, Löffel

lemba aufheben, aufbewahren (vom Essen) usw.

eli̯-leva 6 kleine Schlagfalle mit Stein

uvu-leḏa 8 Gaumen

leḏa Ausrede suchen, wenn man keine Lust hat, etwas zu tun

ulu-leḏehe 7 Strick

leḏela ausgerenkt —, eingebrochen sein

leḏuka 1. abfallen, zu fallen drohen; 2. verleugnen

lejaleja schmutzig, liederlich sein (von Frauen)

leka lassen, unterlassen, sein lassen

leka ululeko hinterlassen

lekela jemandem etwas lassen

lekelanila, jemandem etwas überlassen, von dem dies bei anderer Gelegenheit ebenfalls getan wird

lekeñana sich trennen voneinander, auseinandergehen, sich verlassen sich verfehlen

lekeñaṅya trennen, auseinanderbringen

ulu-leko 7 s. t. Vermächtnis

lela bewirten, beköstigen

leledeka hin- und hertaumeln, gehen, ohne zu sehen

uvu-lema 8 Fehler, Krüppelhaftigkeit

lema überwinden, besiegen

lemwa überwunden sein, etwas nicht vermögen, nicht können, geschlagen sein

lemala sich verwunden, verunglücken

lematsa jemanden verwunden, unglücklich machen

lemba Ausschlagen der Bäume

e-lembe 3 kleine Wildkatze (ohne Nasal)

ulu-lembo 7 Stopfe

lenduka zerrissen sein

lendula zerreißen trans.

leṅga abschneiden

leṅgaleṅga glänzen, leuchten, schimmern, blank sein, blenden

leṅgalemuka bergab steigen

lesa (von *leka*) entwöhnen trans.

lesivwa entwöhnt sein

uvu-lesivwa 8 Entwöhnung

eki̯-lesu 4 Kinn

ulu-lesu 7 Bart

lesuka sich gut kleiden

lesuka überlaufen, wenn zu voll

uvu-letsi 8 kleine Kafferhirse

leva sich ergeben, sich unterwerfen, kaus. *lesa*

levalala viel Land bebauen, auch eben sein

levaleva 1. Sinken der Sonne; 2. weit gehen; 3. (mit *ḏu*) im Sterben liegen

uḏu-levulu 10 ⎱ Zehner
undevulu 2 ⎰

eli̯-levutsi 6 kleiner Kafferkorngarten

lia mit den Augen winken

uvu-liḏu 8 Hurerei

liḏupa huren und alles, was damit zusammenhängt

lika tüchtig verhauen, schlagen (mit Stock); Pass. *likwa*

limba Essen aufbewahren

ulu-limbo 7 Feuerlohe

lindima Beben der Erde

lipuka schnell laufen (auch vom Feuer bei Grasbränden und im Ofen) schnell verzehren (das Holz) *lịtama* still, ruhig, friedsam sein

lị sein

lịla weinen

lịlela weinen über

lịlela ekēsa sich erbarmen

lịma 1. ackern; 2. arbeiten

ekị-lịmela 4 Acker

wou-lịmẹ 8 Reichtum, viel Acker haben

lịnda warten, wohlauf sein, zu Hause sein, sich wohl gehaben

undịndeletsi (Stamm *lịndeletsi*) 1 Aufseher

lịndekelela verharren (bei einer Sache, an einem Orte)

ulu-lịndọ 7 Umgebung des Häuptlings, Stab

u-ńyalulịndọ 1 Hofmann

lịno jetzt, nun

lịńana gleich sein

lịńańya gleichmachen, ausgleichen, übereinstimmend machen, auch übereinkommen, einswerden

lịńya gleichmachen, ausgleichen, übereinstimmend machen

endolo (Stamm *lolo*) 3 unreife Frucht

endolu (Stamm *lolu*) 3 eine Schlingpflanze

ekị-lọ s. t. 4 Nacht s. *kilọ*

undọmọ (Stamm *lọmọ*) 2 Mund, Lippe

lọnda suchen

lọńga sagen, reden, sprechen, bestellen

lọngo la vorangehen, führen

lọńgọtsa führen lassen, — machen, vorangehen lassen (auch von Gefangenen, da diese immer vorangehen müssen)

lọta 1. vorhersagen, weissagen; 2. sich herausschwindeln

lọva fischen

lọvẹka einweichen in Wasser

lọvẹka esula Regen machen

lọvọka Fluß überschreiten

lọvọńańya Fluß überschreiten hin und zurück

lọvọla aus dem Wasser ziehen, — holen, — nehmen

lọvọsa jemanden übersetzen über Fluß; etwas hinüberbringen

lụdụla beim Geben schelten (so daß kein Segen auf den Gaben ruht)

endundulima (Stamm *lundulima*) 3 Geschwür an Stirn und Genick (unheilbar)

lụma 1. beißen; 2. abspenstig machen, das Mädchen vom Bräutigam abwenden

undụmi (Stamm *lụmi*) 2 Floh

elị-lumilakavelị 6 Ohrwurm

enduvulụwa (Stamm *lụvụlụwa*) 3 Stoßspeer

lụka flechten

lụkeǵi seitwärts, quer

ekị-lụ-keṅgẹlẹ 4 kleine Prinzessin; s. *ulụ-keṅgẹlẹ*

lụla dick, sauer werden (von Milch, Bier)

lụlala taub sein (der Ähren), nicht recht zur Reife kommen

elị-lulu 6 Binse

lụmba rühmen; schmeicheln, um etwas zu erlangen, oder wenn man etwas erlangt hat

lụmbela wiederrauben, wenn man beraubt worden

lụnda sammeln, aufhäufen

lụndeka aufgehäuft sein

lụndamańya versammeln, (trans.), vereinigen, zusammenrufen zur Versammlung

lụndamana sich versammeln, vereinigen, zusammenkommen

ek̦i-l̦und̦e 4, pl. *ama-l̦und̦e* 6 Bein
l̦unduval̦a dick, aufgetrieben sein
(vom Leib)
ek̦i-l̦uṅga 4 Erde, Land, Welt
l̦uṅga zusammensetzen
l̦uṅgama gerade ausgehen ohne
auszuweichen (von Menschen
und Wagen)
l̦uṅgekel̦a jemand etwas zeigen,
Bescheid sagen, hinweisen
l̦uṅgeńańya zusammen-, aneinandersetzen
l̦usa 1. loslassen, daß jemand oder
etwas vorübergeht, entkommt;
2. aufgeben etwas zu kaufen;
3. aus dem Wege räumen; 4. verführen
l̦usańya verführen
l̦usiku jemals, je, einmal
ul̦uṅge l̦usiku ein andermal
l̦uta vorübergehen; kaus. *l̦usa*
l̦uteńańya vorübergehen
uvu̦-l̦uva 8 Blume, Blüte
ek̦i-l̦uvaka 4 Stößer
induve̦ (Stamm *l̦uve̦*) 3 pl. t. Pocken,
Blattern
l̦wa kämpfen, streiten
l̦wel̦a (Rel.) für jemand oder einer
Sache wegen kämpfen oder
streiten
l̦wel̦a etwas verweigern, aufhalten
von Nahrungsmitteln usw. (ohne
Obj.)
l̦waṅgul̦etsa niederwerfen beim Ringen
l̦we̦mba kratzen, reißen, ritzen,
schrammen
l̦ya essen, sich nähren, fressen
   lȩl̦a Morgengabe essen, ver-
    wenden
   lȩvwa 1. gegessen, gefressen
    werden; 2. beraubt werden

und̦yaṅgo (Stamm *l̦yaṅgo*) 2 Tür,
Tor, Öffnung
l̦yul̦yusa Heißes essen, es im Munde
hin- und herdrehen

m

e-m } Stämme, die hier nicht zu finden
i-m } sind, suche unter *p*
um̦-m } Stämme, die hier nicht zu finden
um̦-m } sind, suche unter *um̦-* bei *ñ*
um̦-maje̦ 2 Messer
ek̦i-maje̦ 4 Erntemesser
makel̦o früh, ganz früh, vor Tages-
anbruch
mal̦a fertigstellen, -machen, fein-,
alle machen, beendigen
mal̦ańya alle machen; verschwenden, um damit fertig zu werden
el̦i-mal̦i 6 Frauenhaus
um̦-mama 1 ältere Schwester
mamuka leicht entzweigehen, entzweigehen, dünn, fadenscheinig
sein (von Zeugen usw.)
mamul̦a entzweireißen, — machen
mana (mit *mu̦*, *pa*) an der Seite
mańya wissen, erkennen, auch
denken
mańya denn, aber usw.; s. Konjunktionen
mańyana bekannt sein miteinander,
befreundet sein
mańyańya bekannt machen
mańyika bekannt —, gekannt sein
mańyisa bekannt machen, lehren,
unterweisen
el̦i-masiṅga 6 großer Adler
mata die Wände mit Lehm bewerfen, verputzen, auch weißen,
beschmieren mit Lehm, Kuh-
mist usw. (Wände, Fußboden,
Körbe, um sie dicht zu machen
usw.)

mataluka immer wieder abplatzen (vom Putz), sich nicht verputzen oder verschmieren lassen

mateka sich verputzen, schmieren lassen

matuka Abplatzen des Putzes

matula den Putz abkratzen

e-mavo 3 Wildkatze

mbala an der Seite, daneben

mbalembale seitwärts, daneben

mbela hinten, hinterher

eli-mbenga 6 Engerling

meka durch Tür, Fenster oder Ritzen sehen

um-mehe 2 weiße Ameise

eki-mela 4 Feststehendes, Festgewachsenes

mela Wachsen von Gras, Bäumen usw.; kaus. *metsa*

memena zerkauen, zerknacken mit den Zähnen

mena übertreten (Gebot), widerstreben, Verachten von Geboten und Gesetzen, Übermut treiben

ulu-meno 7 s. Übertretung, Widerspenstigkeit

eli-menyu 6 Rede, Wort

menyuka abgebrochen sein (von Brot, festem Brei usw.)

aka-menyukela 5 Brosamen, Brocken

menyula abbrechen von Brot usw.

mila schlucken, schlingen

eki-milavademi 4 kleiner See, großes Wasserloch

minya Geschwür ausdrücken

mitsa schleudern, spritzen mit der Hand

mitsila schleudern auf etwas, sprengen mit etwas

vou-mongolo 8 Tür am Tor (von aufgereihten Bambusstangen)

molamola langsam, sachte, vorsichtig, leise

mosa reich machen

mota reiche Ernte haben, alles im Überfluß haben

e-mote 3 reiche Ernte, reicher Ertrag, Reichtum

uru-mosu 8 Reichtum

ulu-muli 7 Licht, Leuchte

pa munyi am Tage

myalangula mit d. Zunge schleckern, ohne daß etwas vorhanden ist, oder bei der Vorstellung von leckeren Speisen

myanga lecken

myanza 1. lecken lassen; 2. futtern, päppeln

myatula glatt abhauen, abschneiden

n

en-) Stämme, die hier fehlen, suche
in-) unter *t*

na 1. und, mit, auch; 2 Verneinungspartikel

ulu-nalawue 7 s. t. Fels

namanyuka etwas unnötig, ohne Grund oder Zweck tun

nana acht (ohne Präfix)

napanza schlecht, faul, stinkend sein

ulu-navdnava 7 s. t. Abenddämmerung

nda sowie, gleichwie, als ob, ob (das *a* assimiliert sich dem folgenden Selbstlaut)

ndaku)
ndapi } wo s. Lokativ
ndamu)

ndali? wann? seit wann?

nde ich (Pron. pers. vor dem Verb)

nde so, folgendermaßen

ndeti? wie? (Art und Weise)

nema langen Zug bilden

nẹ́ma sich zieren, stolzieren

nẹna oben, oberhalb, höher hinauf (mit *kụ, pa, mụ, pakē, kụkē*); auch *kēnenanẹna*

nẹna sich unterwerfen, ergeben = *lẹva*

   nẹńya jemand unterwerfen = *lẹsa*

nẹnẹ ich bin es! bin ich es? ist es meine Schuld?

ekị-nẹ́ngẹlẹ 4 Rohrklapper

ni vier

ekị-nima 4 fliegender Hund oder Affe (?)

noǵa gut, schön, glatt, recht, würdig, friedlich, mit Frieden, schmackhaft sein

noǵanoǵa nach etwas verlangen (mit *ǵụ* konstr.)

noǵela wohlanstehen, würdig, wert sein einer Sache usw.; Gegenteil von *vipịla*

noǵra etwas gern haben, wollen, Verlangen haben nach

uvụ-noǵrẹ 8 Wunsch, Wille, Verlangen

nǫ́na 1. weißglühend sein; 2. fett sein

nǫ́na (Kibẹna) bei Kriegstänzen hin- und hergehen

nǫ́nẹla (Kibẹna) küssen

nǫ́nẹlana (Kibẹna) gegenseitig küssen

ulụ-nonẹlo 7 Kuß

e-noni 3 Geschwulst

e-noṅgṛa 3 1. Geschichte, Erzählung; 2. Streitsache, Sünde (1 wird mit *tụ̄la*, 2 mit *tụ̄la* konstruiert)

nonona leise reden, flüstern

notsa gut, recht, glatt machen, Ruhe, Frieden herstellen, — bringen, — machen

notsanotsa 1. durch immerwährendes Fragen eine Sache klarstellen wollen, verhören, obgleich das Urteil im geheimen schon gefällt ist; 2. Verlangen nach etwas erwecken und nicht befriedigen

ekị-ntsịgịlị 4 eine Hülsenfrucht

mụ-nu 1 Mensch

ekị-nu 4 s. Ding

esi-nu 4 p. t. Essen

nūna saugen mit den Lippen, auslutschen

un-nūna 1 jüngerer Bruder oder Schwester bei gleichem Geschlecht

nunala schweigen

nunatsa zum Schweigen bringen, stillen, ruhig machen, beruhigen, trösten

nūṅa riechen, stinken (intrans.)

nūsa riechen, schnüffeln (trans.)

nwaṅa lügen, schwindeln

nwasi schwer

nwẹka Ausschlagen der Bäume = *lẹmba*

enz-   Die hier fehlenden Stämme s.
inz-   unter *j* und *tĸ*

ku-nzi   draußen
pa-nzi

ň

e-ň   Stämme, die hier nicht zu finden
i-ň   sind, suche unter *k*

ňala leuchten (vom Feuer)

eli-ňala lyantwẹ 6 Totenschädel

ulụ-ňalo 7 s. t. Schein vom Feuer

ňani zuerst, zunächst, sofort, alsobald, ein für allemal (erfordert stets relative Form des Verbs)

ňaniňani schnell, schleunigst

eňaṅga s. *ǵaṅga*

e-ñāki 3 Linkheit, adv. links
ngluka weiß, bestaubt, schmutzig sein
nglusa bestäuben, abfärben, beschmutzen
nenela mit Fistelstimme reden, mit dünner Stimme reden, wie die Frauen und Mädchen beim Grüßen
nenya Abhauen kleiner Stücke
nenyanya zerkleinern, in kleine Stücke hauen
aka-netenete 5 kleine Farrenart
ngalavana leer
eki-ngalenga 6 Habicht
eki-ngoti 4 Nilpferdpeitsche
ulu-nguvenguve 7 s. t. Abenddämmerung
ulu-nguvesi dasselbe
niluka blitzen
ninuka plötzlich sterben
e-nini 3 Kingakartoffel
eki-nkongolo 4 Falle zum lebend fangen
eli-nongo 6 Schnabelvogel
eki-nonolo 4 Baumknorren
eki-nonyo 6 Schnecke
ulu-nuvalya 7 Pilz, eßbar

ñ

eny- Stämme, die hier nicht stehen, suche unter *h* und *j* sowie bei den Vokalen
ñya zu Stuhl gehen (obszön)
ñyaduka auf den Zehen schleichen
ñyaga etwas wegreißen
ñyage
ñyageka } ich weiß nicht
u-ñyakivaga 1 Prinz
u-ñyakiveja 1 Verschwender
u-ñyakulolela 1 Aufseher
ñyala welk, dürr werden (von Pflanzen, Kartoffeln usw.)

ñyalapwa ekeln (intrans.)
e-ñyale 3 Kerze (Fremdwort)
u-ñyalidjonyo 1 Verräter, der das Opfer einschläfert
u-ñyalipasa 1 Zwilling
e-ñyalubalama 3 hartes, trocknes Fell, das bei der Berührung knittert
u-ñyaluhonza 1 Mensch mit rauhem Körper; s. *honza*
u-ñyalu-kwale 1 Verrückter; s. *kwale*
ñyalula etwas mit dem Fuß oder Stock fortstoßen, fortschleudern
ñyaluka so weggeschleudert sein
u-ñyalulindo 1 Hofmann; s. u. *lindo*
u-ñyalutodjo 1 einer, der etwas auf sich hält, sich gut einrichtet usw. von *ulu-todjo* 7 Schmuck, Zierde
eki-ñyalwangula 4 kleiner Holzstuhl
u-ñyalwotsi 1 Künstler
e-ñyama 3 Fleisch
u-ñyamagelo 1 Versucher
u-ñyamalajo s. *lagjo*
u-ñyamijujulu 1 Schmutzfink
e-ñyandalwe 3 Schlange
ulu-ñyantivu 7 flache Kürbisranke
u-ñyañani 1 Streitsüchtiger; s. *kani*
ñyangemusi rötlich
u-ñyanguvo 1 Schwangere
ñyangu schnell
ñyanya 1. Feuer anlegen, anzünden (Gras usw.); 2. rösten (Bataten usw.)
ñyañyamala bedrängt sein, in die Enge getrieben sein
ñyañyamika bedrängen
ñyañyamuka = *hama* verziehen
E-ñyanza 3 Nyassasee
u-ñyanzala 1 Armer; s. *jala*

ńyapa ausrupfen (Gras usw.), jäten

ńyasa etwas wärmen, trocknen

ńyasa amavǫkǫ Hände wärmen, wenn klamm

ama-ńyasęńga 6 p. t. Pilze (nicht eßbar)

ęlį-ńyasi 6 Gras, auch Feld

u̱-ńya-sǫni s. *sǫni*

ńyava den Rührlöffel abkratzen

e-ńyavu 3 Katze

ńyęɟęla jucken, kitzeln (intrans.)

ńyęɟęsa kitzeln, krabbeln (trans.)

u̱-ńyęhę 1 Säugling

ńyęka feucht, beschlagen, naß sein

ńyęsu feucht (vom Land)

ęlį-ńyękęsi 6 Raupe, die Jucken verursacht

ńyęmɟluka entweichen, sich heimlich entfernen

ńyęńga umwickeln, umschließen, umgehen (bei Wegen usw.)

ńyęńgęlęla einwickeln

ńyęńgętęla etwas rund herum umgeben

u̱lu̱-ńyęti 7 s. t. Glätte

u̱lu̱-ńyika 7 Hügel

ękį-ńyikǫ 4 Tabakspfeife

ńyila rennen, laufen

ńyilįla wohin-, worauf zulaufen

u̱-ńyimalį 1 Schwangere; s. *malį*

ńyoɟǫtasu fein, weich, kostbar (vom Zeug)

e-ńyǫmbę 3 Wildkatze

ńyǫńgǫla drehen, herumdrehen, schraubenartig umwickeln

ńyuka zerreiben, gegeneinander reiben, daß etwas entzwei geht, (Strick usw.); 2. weich machen, weich schlagen, gerben

ńyulańyu̱la sanft regnen

ńyumuka ausgerissen sein (vom Haar usw.), abgerissen sein

ńyumu̱la ausreißen, abreißen

ńywa trinken

aka-ńywęlǫ 5 Trinkgefäß, Becher

ńywęsa tränken

ńywilįla 1. fest sein, fest stehen; 2. getrost sein

ńywilįtsa 1. feststellen, festmachen; 2. zureden, getrost machen, trösten

o

eńy-o) Stämme, die hier fehlen, suche
u̱m-o) unter *ho*

ōha begießen

ōja Verwesen von Früchten, Bataten usw.

u̱vw-okę 8 Honig

olu̱lala zerschlagen sein

olu̱lika zerschlagen (trans.) (vom Menschen)

oma trocken sein

omękwa durstig sein, dürsten

omi (Adj.) lebendig

u̱vw-omi 8 Leben

omu (Adj.) trocken

u̱vw-omu 8 Trockenheit, Trockenes

u̱vw-ondu 8 Mark

opa abnehmen

opęlęla in Empfang nehmen, empfangen, annehmen, aufnehmen

u̱lw-otsi 7 s. t. Kunst

ova sich verstecken

ovama auf dem Bauche liegen

ovamika auf den Bauch legen

ovata 1. brüten; 2. beschützen, beschirmen

oveka 1. saugen mit Zauberhorn, Saugglas; 2. zum ersten Male ackern, wo zuvor nie geackert wurde = *vanda*

ovętsa jemand verstecken

ovuka nächtlich überfallen

ovula 1. Fell abziehen; 2. Bataten-hügel verackern, die Oberfläche, Grasdecke abackern; Rel. = *java*

uko-odosi 7 s. t. Fontanelle

oja baden

ogama angewachsen sein von frisch Gepflanztem, Stecklingen usw.

ogeka pflanzen, Einstecken von Stecklingen

ogola ausgraben mit Wurzeln

umw-oja 2 Hauch

okela bezahlen, belohnen

eky-okelo 4 Lohn

ola markieren, zeichnen, einschneiden

olela, *oleka* überführen, es bezeugen, daß jemand gestohlen hat usw.

oloka sich vermehren, viel werden

olosa vermehren (trans.)

olosu viel

omeka / *omeñanya* / *omelenanya* } ineinanderstecken (Körbe usw.)

omokola / *omokolanya* } auseinanderziehen, -nehmen was ineinandergesteckt war (Korb usw.)

omola = *suna* senden, schicken. bestimmen

omolela jemand einen Boten, Führer oder Arbeiter geben

iny-omolo 3 Saugwarzen

oni alle, ganz

onza etwas gefangen haben

ona saugen (vom Säugling. jungen Tieren); *osa* saugen

onana vermischt sein

onanya vermischen

ongela / *ongeletsa* } hinzufügen

uvu-ongo 8 Hirn

ongomela 1. alle werden, getötet werden; 2. viel sein; 3. fortgeschwemmt werden, im Wasser umkommen

ongometsa alle machen, umbringen, fortschwemmen (trans.) (vom Wasser)

ongosu / *ongesu* } viel

ota sich wärmen am Feuer

otela sich wärmen an oder in der Sonne, sich sonnen

umw-oto 2 Feuer

otsa jemand baden, — taufen

otsiwa getauft sein

ova 1.rauschen (vom Regen); 2. Lärm machen

p

pa geben; Lok. auf

pabate flach

pabateka flach machen, abflachen

pabeka flicken

pabekela aufflicken, Flicken aufsetzen

paga sich schützen, — decken, ausweichen (beim Speer usw.)

emagalo (Stamm *pagalo*) 3 Dach

ama-pajalo 6 Dachsparren und Dachverzierung

pagasa in den Arm oder Schoß legen

pagata im Arm oder Schoß tragen, halten

eli-pajeka 6 Ast, Zweig

pajeka legen auf, hochlegen

paka 1. einpacken; 2. jemand mitnehmen

um-pako 2 Sack, Beutel, Blasebalg

pakuka herausfallen

pakula auspacken, abpacken

pala vorsingen

pála kratzen, scharren; (Adj.) grausam, schwierig
ekí-pala 4 Glatze
palanana sich zerstreuen
palananya zerstreuen (trans.)
eli-palasa 6 geniales Horn
palula irgendwo anders unterbringen, entfernen, trennen (wenn zwei oder mehrere)
pamato eins
pamba ansetzen (von Kartoffeln usw.)
pamba umuoto Feuer anzünden
ekí-pambaga 4 Brust
panza ausbrüten, ausbringen (von jungen Vögeln); Perf. *ik*
panza Nest herstellen für Vögel zum Brüten; Perf. *itse*
pa-nzi s. *nzi*
panga 1. erzählen, sagen; 2. aufhäufen (von Brennholz)
pangeka aufgehäuft sein
pange vielleicht, oder
pange-pange entweder — oder
panguka zusammen-, herunterstürzen
pangula 1. abnehmen, herunternehmen, abbauen; 2. zerstören (von Häusern usw.)
panyuka abbrechen (von Zweigen) (intrans.)
panyula abbrechen (von Zweigen) (trans.)
papa 1. auf dem Rücken tragen; 2. gebären (vom Vieh)
u-papa 1 mein Großvater
eli-papatelo 6 Flügel
eli-papelo 6 Nachgeburt
ekí-papu 4 Geschlecht, Familie
papuka losreißen, abreißen, abgehen (vom Zeug usw.)
papula 1. Äcker abtrennen, Gräben ziehen und dadurch trennen;

2. eingerissenes Zeug weiterreißen
um-papua 1 Prinz
pasa 1. mit Stiel versehen, in Stiel einlassen (Hacken, Speere usw.); 2. gut hüten, daß sich das Vieh vermehrt
pasiluka zerstreut sein
pasanila sich zerstreuen, auseinandergehen (von vielen)
pasanika zerstreut sein
ekí-paso 4 Buckel vom Rind
ulu-pate 7 s. t. das Alleingehen
ulu-patsi 7 Schmuckmuschel, weiße
patuka sich absondern, alleinhalten
pātula (absondern von der Herde,
patulanya (— von der Menge
patulana sich voneinander absondern
pava warnen
ekí-parekelo 4 Flicken
um-pato 2 Kriegsbotschaft, Verrat im Kriege
parusiku morgens, am Morgen
eli-pelete 6 Bandwurm
pēluka sich abwenden vom Häuptling, untreu werden
pēlusa abtrünnig machen; jemand dazu bringen, daß er unterläßt etwas zu tun, das er tun wollte, z. B. kaufen usw., daß er nicht kaufte usw.
pēmba tragen, heben, hoch-, anheben
penda spannen (Saite, Bogen usw.)
pendula etwas verdrehen, auch dolmetschen
pēnza hinderlich sein auf dem Wege usw., fallen machen, hindern
pēnga 1. etwas im voraus haben wollen, bitten, fordern; 2. bestellen, bekannt machen, daß man etwas haben möchte

peṅgama quer sein, — gehen (von
  Wegen usw.)

peṅgesana etwas herabsetzen,
  schlecht machen, um es selbst
  zu erwerben, — für sich zu ge-
  winnen

pēpa mit fortschwemmen, fortreißen, (vom Wasser)

petula unterfassen unter etwas, um
  es aufzuheben, — abzuheben

ulu-peke 7 pl. t. Frucht des Kafferkorns

um-pela 2 Gummi

pēla Bier in die Hand gießen

pēla schaffen, erschaffen, machen

pela aufhören, es nicht mehr tun
  wollen

peledeta = durchlöchern; *tolola*,
  dulula

um-pelela 2 Stamm, Gemeinschaft,
  Gemeinde

peleletsa etwas zureichen

peleletsa ekivoko die Hand hinaus-,
  heraus-, heraufreichen, -strecken

pelesela mit der Hand winken

um-pelwa 1 der Tor

uvu-pelwa 8 Torheit

pemba Bier saugen durch Strohhalm, Rohr usw.

uvu-pemba 8 große Kafferhirse

eli-pembelo 6 s. Krankenkost

ama-pembelo 6 pl. Wohlbefinden
  (als Gruß gebräuchlich)

penda nachsuchen, durch- (vom
  Feind oder im verlassenen Lager)

emene (Stamm *pene*) 3 Ziege

penza im Walde oder Gebüsch Platz
  machen, — Bahn bereiten, das
  Unkraut und Gestrüpp niederhauen

penzeluka heiter werden, hell — vom
  Himmel, der zuvor bewölkt war;

frei werden (Platz von Menschen, wenn sich vorher viele
  darauf befanden), auch freundlich
  werden (von Menschen)

penzelula heiter machen, erfreuen,
  wenn jemand betrübt oder böse
  war; eine Menschenmenge vertreiben

peña schnauben; davon *emeño* Nase

peñela anschnauben, anspucken.
  (von Fröschen, Schlangen usw.)

emeño (Stamm *peño*) 3 Nase

pepa 1. rauchen (Tabak, Hanf);
  2. Böses beratschlagen, auf Böses
  sinnen

eki-pepelo 4 Tabakspfeife

um-pepo 1 Geist

emepo (Stamm *pepo*) 3 Wind

uvu-peso 8 Opferstelle

peta Schütteln im Korbe, Getreide
  wannen

pēta Mais ernten

pétula Getreide reinigen

pevua 1. gegeben werden; 2. erhalten haben, begabt sein

eki-pevua 4, *uvu-pevua* 8 Gabe

eli-pi 6 Ohrfeige

pia kochen, brennen, sich ver-
  brennen

piopa heiß sein, warm sein, — im
  Fieber

piusa aufwärmen, warm machen

piusu heiß, warm

pida Stange usw. unter etwas
  stecken, um es zu heben;
  hebeln

eki-pidelo 4 Hebestange

po da

polapola ohne Aufenthalt, ohne sich
  umzusehen gehen = *pola*

pole schweig } alleinstehender Im-
poli schweigt } perativ

poḍola \
poḍolanya } teilen, abteilen (Haus durch Zwischenwand, Vorhang usw.)

poḍolana getrennt, abgeteilt sein, getrennt wohnen

ulu-poḍolanyo 7 Vorhang, Zwischenwand

poka 1. retten, erretten; 2. wegnehmen; reflexiv epoka 1. sich retten, sich selbst helfen; 2. sein Bedürfnis verrichten

eki-pokano 4 Raub, Geraubtes

pola 1. Gras strichweise niederhauen; 2. ohne Aufenthalt, ohne sich umzusehen, gehen; pōla-pōla wie 2, polanika wie pola

pola uṅḍunda = honga Gras usw. niederhauen

emombwe (Stamm pombwe) 3 Grab

pona heil werden, gerettet werden; Perf. itse davonkommen (vom Unglück usw.) entgehen, entschlüpfen

poṅya heilen; Rel. ponehetsa

poṅya schlagen; Perf. ile

ponda schmieden

emonde lo (Stamm ponde lo) 3 Hammer

emoṅgo (Stamm poṅgo) 3 Ziegenbock

posu angenehm, süß, nicht scharf

poḍuha Hände waschen

eki-poḍuhilo 4 1. Waschschüssel; 2. kleiner Armring

pojuka schwindeln, reden, was man nicht weiß

eki-pula 4 Spitze des Schiffes

pula blasen, anblasen (vom Feuer), pusten, anhauchen

eki-puli 4 Kloß, Kugel

puluḍuta 1. Durchstoßen der Knoten im Innern des Bambus oder Rohres; 2. Auskratzen der Kalabassen

pulusa abwischen, reinigen

eli-pumbu 6 Knoten im Bambus und Rohr

pumina ausklopfen = kununa

puna ärgerlich sein, von jemand nichts wissen wollen

punilitsa ungehorsam sein, tun was man nicht soll

punza füttern

punyuka gerupft sein (vom Huhn)

punyula Huhn rupfen

puḍa im Sterben liegen (mit ḍu konstruiert)

eki-puḍa 4 \
eli-puḍa 6 } großer Haufen Menschen usw.

puḍuka (elitsuwa) Stand der Sonne nachmittags etwa um 3 Uhr

puḍula die Feuerprobe durch den Zauberdoctor erdulden

puḍutsa die Feuerprobe anwenden (Es wird dabei dem Deliquenten die untere Hälfte einer abgeschnittenen Kürbisflasche, in welche Feuer getan wird, mit der offenen Seite auf dem Leibe hin- und hergerieben; saugt sie sich fest, so daß der Leib verbrennt, so ist die Schuld erwiesen, wenn nicht, ist er unschuldig)

pula schlagen, dreschen

puleka hören

pulehetsa genau hören, gehorchen, horchen

pulekeka gehört werden, sein; ruchbar, bekannt sein

pulula hobeln, glätten, abschaben (vom Holz)

eli-pululu 6 Pfütze, Regenstrom

puma rauben, plündern

um-pumbwe 2 Wüste, unbewohntes Land

punza schnitzen

emuṅgu 3 (Stamm *puṅgu*) Fieber, Krankheit

eḽi-puṅgu 6 Schnupfen

pupa = puma rauben, plündern, die Hütten ausräumen

eḵi-pupano 4 Raub, Geraubtes

pupuoala traurig sein

puoata) Geräusch verursachen,
puoateḽeḽa { lärmen

puoepa leise reden, flüstern

pya neu

pyatuḽa glatt abhauen, abschneiden

pyeḽa anflehen

*

saba = tsdba Brei usw. eintauchen in Sauce oder Gemüse

un-saǵa 2) Stock der Frauen
uḽu-saǵa 7 {

saǵa denken, nachdenken = *esaǵeḽa*

saǵańya (sich bedenken, nach-
saǵańyuka { denken, überlegen, bei sich beschließen

saǵaḽa behäufeln, mit Erde bewerfen (der *isuoe*, Kafferkornbeete, nachdem die Erd- und Grasstücke aufgehäuft sind, die die hügelartigen Beete bilden)

uḽu-saǵańyo 7 s. t. Gedanke, Ratschluß, Beschluß

ama-saǵo 6 p. Gedanken, Denken

saja segnen; reflexiv *esaja* beten, rel. *sajeḽa* fürbitten

sajana sich miteinander versöhnen

sajańya miteinander versöhnen, jemand versöhnen

uḽu-saje 7 Kelch, Schale, Gefäß

sajeḽa fürbitten, für jemand bitten, beten

e-sajo 3 Tabak

uḽu-sajo 7 s. t. Segen

saka beleidigen, beschimpfen

e-saka 3 Haus

sakaḽa rauschen (knistern, Stroh usw.)

sakaḽaḽa! das Geräusch des Knisterns = *kunzi kuḽi sakaḽaḽa* draußen geht es knitterknatter; Kaus. *sakatsa*

sakuḽa nach langer Zeit finden, was verloren war

uḽu-salaḽa 7 großer Wasserfall

salaḽa herabstürzen (von Wasser)

salama herabstürzen

saluka sich verändern, schlecht werden, elend aussehen usw.

saḽusa etwas unkenntlich machen, — verschlechtern, — verderben

samwa vergessen

eḵi-samwa 4 Vergeßlichkeit

sāna unterwürfig sein, sich — zeigen, gehorsam sein, auch danken

saṅga Zoll —, Steuern zahlen

saṅguḽa besteuern

un-saṅgutsi 1 Zöllner

saṅgaluka glücklich sein; alles haben, was man wünscht und braucht; in Frieden sein, selig sein

saṅgaḽusa glücklich machen, zufrieden —, selig —

un-saṅgaḽusi 1 Seligmacher

un-saṅgaḽusu 1 Seliger

eḽi-saṅgo 6 Zoll, Steuer, Abgabe

uḽu-saṅguḽa 7 Euter

sāńya Holz spalten

sańyika gespalten sein

sâpeḽa unrecht beschuldigen, auch *tâpeḽa*

sāsa etwas eintauchen

sāsa 1. hervorstehen (der Zähne); 2. grausam sein

eli-sasi 6 Zweig. Gesträuch

eki-sara 4 Kleiner Lederschurz der Männer

ulu-sarubra 7 Faden. Zwirn. Wolle

sarula , aussuchen. -lesen. wenn

sarulanya ? vermischt

sarula immerwährend stellen. und so die Hütte ausräumen

ulu-safele 7 Rizinusfrucht

seka im Licht sein. beschatten

eki-seko 4 Schutzding gegen Feuer

sekula aus dem Lichte. aus der Sonne gehen

sela begraben

selula ausgraben

selulela behäufeln

ulu-sepo 7 Scherbe

sesa Essen verbergen. wenn Gäste kommen. um es allein zu verzehren

segedya Zertreten (Dreschen) von Kafferkorn im Korbe

ulu-segele 7 Mähne

sehula aussuchen

sejuka abgeschunden. abgeschürft sein (von Haut)

sejula Haut schinden. abschürfen

ulu-seke 7 Same, Kern. auch Frucht

un-sekelesue 2 Kiessand. Benasalz

sela stehlen auf den Feldern

selela schwimmen

selema durchgehen. ziehend schmerzen

sema Untergehen von Sonne. verschwinden

usu-semo 8 Untergang der Sonne = Westen

senama schräg sein

seneluka umgefallen sein

seneka schräg stellen

eki-senete 4 Armring (ein Reif)

ulu-sesete 7 Armring

e-senga 3 Rind

— *eiambaku* (Stamm *kambaku*) Bulle. Ochse

— *embujuma* 3 Kuh. die gekalbt

— *endama* (Stamm *lama*) 3 Färse

senoemuka schlecht stehen, zu fallen drohen

senoemula zu Falle bringen

senyeluka schlechte Reden führen, schimpfen. schmähen mit schandbaren Worten

sepa kundschaften

sesa Kinder beschwichtigen, — beruhigen

un-sesi 1 Kundschafter (von *sepa*)

eki-sereja 4 Ferse, Hacken

serula obenauf ackern bei schon geackertem Felde, spreizen (von Pflanzen)

si Verneinungspartikel

eli-sija 6 Kochstein

sija zurück-, aufhalten, zurücktreiben

sigala überbleiben, zurückbleiben

sigatsa überlassen. zurücklassen, stehen lassen

aka-sigalela 5 Überbleibsel

ulu-sigi 7 Augenlid

sigidya Zerreiben von Kafferkorn mit den Händen, auch *sigiha*; Perf. *sigidye*, *sigihe*

eki-sijo 4 Türpfosten

siha etwas verstecken, verbergen

sihama verborgen sein

sika ankommen, anlangen

sila alle werden, abnehmen (vom Mond)

eki-sima 4 Schöpfloch, Brunnen

simama aufgerichtet sein (von Pfählen usw.)

simanza etwas genau erfragen

uṇ-simba 2 Leiche
simba 1. anschwellen; 2. Stock
  brennen
simika etwas aufrichten, aufstellen
ęli-simikę 6 großer Biertopf
ękį-simikę 4 Wand
simiḷitsa genau, eingehend etwas
  sagen
simiḷitsańya sich gegenseitig aussprechen, — etwas auftragen
simuḷa 1. Essen vom Feuer abnehmen; 2. Bäume, Pfähle ausreißen
ękį-sina 4 Stamm, Stengel
ama-sina 6 pl. Reichtum
e-sinda 3 Wachs
sindamaḷa sich beherrschen, beherzt sein
uwu-sindamasu 8 Mut, Furchtlosigkeit
uṇ-sinzi 2 Graben
sinzila im Sitzen oder Stehen einschlafen, einnicken, mit dem
  Schlafe kämpfen
ękį-siṅga Unkrauthaufen
siṅga drohen, bedrohen, verbieten
siṅgitsa zögern; unschlüssig sein;
  immer wieder bleiben, obgleich
  man gehen will und müßte
uṇ-siṅgo 2 Hals
siṅgutsa } etwas genau erfragen,
siṅgutsańya } erforschen, nach-
        } fragen
siṅińya kneipen mit den Fingern
e-sińyo 3 Maden
sipa etwas innerlich überwinden,
  (Schmerz, Hunger usw.); auch für
  fasten zu gebrauchen
sipuka Beben der Erde = _lindima_
sisa }
sisivaḷa } finster sein, finster
sisiḷinana }   blicken

sisimuka aufwachen, aufstehen (vom
  Lager), sich aufrichten
sisimuḷa jemand aufwecken, aufrichten
sita sich weigern
sita! Beileidsruf, -ausdruck; pl.
  vasite! siti!
sitso sehr, tüchtig
siva 1. umnähen (von Stoffen, Körben usw.); 2. Wasser abdämmen;
  davon _ękisiva_
sinda nicht voll (mit _lį_ konstruiert
  = _ękidoto kįlį kisinda_ oder _kįlį
  sinda_ der Korb ist nicht ganz voll)
siṅgeletsa etwas umgehen, es stehen
  lassen (Pflanze, Baum im Garten),
  es beim Ackern nicht umackern,
  einen Platz freilassen
ękį-sola 4 Wirbelwind
sola hassen
u-soṅgi 1 meine Tante
uṇ-sogę 2 Traube und Strunk vom
  Rizinus
soka s. _doda_ verraten
sokęla einstampfen (in Korb usw.)
sokoka mager werden, — sein
sokosu mager
sōla immerwährend reden
soḷenana eine Streitsache ausfechten
e-somba 3 Fisch
e-somi 3 Madenart, die Menschen
  im Schlafe beißen
sona Regen vertreiben durch Me-
  dizinstock oder durch Horn
ulu-sona 7 Glückwunsch nach Geburt
sonęsa uḷusono den Wöchnerinnen
  nach der Geburt seine Glück-
  wünsche aussprechen
uṇ-soni 2 Unterschenkel
i-soni 3 p. t. Scham
u-ńya-soni 1 einer, der sich schämt

13*

e-sgnzu 3 ⎫ Stock mit Knopf
u̱lu̱-sgnzu 7 ⎭
sgnga verführen s. *hgnga*. *lusa*
sgpa hinwerfen. streuen von (Samen usw.. auch von Reden = *sgpa ekisgpo* Stichelreden führen)
sgsgla jemand drohen mit Finger oder Stock
e-sgsglo 3 Laus
sgta aufhäufen
sgtama aufgehäuft sein, viel sein
sgtgka 1. im Grase verbergen: 2. ackern wo sich sonst keine Äcker befinden
u̱lu̱-sgtso 7 Ähre von kleiner Kafferhirse
e-sgoa 3 geschmiedete Eisenstücke (gelten als Tauschartikel)
e-sude 3 Hase
suduga breiig machen
suga Brei rühren
sugila bewirten, für jemand Essen bereiten
sugama knien
eki-sugamilo 4 Knie
suguja ⎫ furchtbar verhauen, daß
sugujanya ⎭ der Betreffende krank wird
sugula Land und Leute feien gegen Krankheit oder Feind durch Zaubermedizin
sugusula Mund ausspülen
sugusuta Blasebalg treten
sujilinanya zerknillen, verwirren
suka aufhäufen und mit Gras auf den Körben usw. befestigen; Rel. dasselbe
e-suka 3 Reisekost
ama-suke 6 p. t. Schweiß
ucu-sukesu 8 Wärme, Hitze; Adj. warm
eki-suku 4 Regenzeit

sukula im Feuer stochern, daß es brenne = *sukuguta*
sukula die aufgehäuften und mit Gras umwundenen Erbsen, Bohnen usw. vom Korbe abnehmen
eki-sukukuwu 6 Ellenbogen
sukumbe (Adj.) flaschenartig gestaltet
sukumbika Körben usw. eine flaschenartige Form geben, unten weit und oben eng
sukwa aufgetriebenen Leib haben vom vielen Essen
e-sula 3 Regen
sulinana ärgerlich sein (mit *gu̱* konstruiert)
suluguta im Feuer stochern, daß es brenne
eki-sulube 6 Wolke
suluwala traurig, betrübt sein = *susuwala*
sumbatila Faust machen, Hand schließen, etwas in die Hand nehmen, mit der Hand umschließen
ucu-sumbe 8 Verlegenheit, Not, Bedrängnis
u̱lu̱-sumbu 7 Schmiede
eki-sumbu 4 flache Schlafgrube (für die heißen Nächte)
sumbwa 1. beschäftigt sein, etwas vorhaben; 2. in Not oder Verlegenheit sein
sumuka entkommen, entschlüpfen, aus der Hand entgleiten, ausrücken, wenn gefaßt
sumusa etwas loslassen, das man gehalten
sunda vermodern, verfaulen (von Gras und Erdstücken, bei aufgehäuften Beeten, dann auch vom Fleisch, das zu faulen, zu verwesen beginnt), verderben
sundika zudecken, zupfropfen

sunikila zudecken
suna senden
sunga durch Medizin Tiere oder Feinde ohnmächtig machen, ihnen die Kraft nehmen
eli-sungu 6 Bezahlung für Medizin und Zauberei
eli-sungu 6 s. t. Raum unter Tisch, Bett usw.
supala stumpf sein
supi klein, kurz
susa Wasser aufrühren s. *suva*
e-susa 3 Fackel
ama-susa 6 p. t. Gicht
susuvala betrübt, traurig sein
ama-suta 6 p. t. Fett, Butter
suva aufgerührt sein (vom Wasser usw.), geschwärzt sein vom Feuer; Kaus. *susa*
suvala sich verweilen, verzögern
　suvatsa (trans.) verweilen, versäumen machen, jemand aufhalten
suvata 1. in die Backentaschen stecken; 2. sich etwas merken = hinter die Ohren schreiben
suvila = *suvala*
suvitsa = *suvatsa*
un-suvu 2 Blasebalggestell
eli-suga 6) Horn der Tiere,
ulu-suga 7) großes Zauberhorn
sukanwa vor dem Abschied sein Herz ausschütten, — gegenseitig sagen, was man auf dem Herzen hat
sukwa Sehnsucht haben nach jemand oder etwas
sula unsabwa auskleiden
sulama traurig, betrübt sein
suma einkaufen
e-sungu 3 Spaß
un-sungulo 2 großes Fangnetz, Tragnetz

eli-suve 6 Kürbishügelbeet
swa sterben, entzweigehen
eki-swa 4) Krankheit, Seuche
ulu-swa 7)
uku-swa 9 der Tod, das Sterben
uvu-swa 8 neben *uvu-aswa* 8 Nest
swaba ernten (Bohnen. Linsen usw.)
swala sich kleiden, anziehen = *eswka*
swaletsa jemand kleiden, anziehen = *sweka*
un-swambango 1 (mein) Sohn
swanga) übertönen, über-
swanganya) schreien
e-swava 3 Hamster
swavata unterm Arm, in der Achselhöhle tragen
swavula Gesicht waschen
sweka 1. jemand kleiden; 2. Dach decken
sweka einstecken (Schwert in die Scheide usw.)
swekula herausziehen
swima jagen, verjagen
eki-swiswi 4 großer Bambuskorb
uvu-swika 8 geschmolzenes Eisen
syata (*esava*) kleinen Lederschurz der Männer durch die Beine ziehen und von hinten im Lendengurt befestigen
syekela vergeben (Sünde, Schuld)
syoga geröstete Rizinuskerne zerreiben, um das Fett gebrauchsfähig zu machen (zum Einfetten von Hackenstielen usw.); Ocker oder Farben zerreiben
e-syogo 3 gelber Ocker
syombeka etwas im Grase verstecken, es in den Versteckplatz hineinschieben oder unterschieben unter etwas

syondomoka aufspringen aus dem Grase oder Versteck, in dem man verborgen war

syonotoka verrenkt, verstaucht sein

syula wetzen, schärfen, schleifen

eli-syulelo 6 Schleifstein

t

ta sagen, tun, machen = *etela*

taja wegwerfen, jemand verlassen auf dem Wege

taja pasi den Reiter abwerfen

eli-tajala 6 Kürbisart

tala beginnen, anfangen

emi-tala 2 p. t. Vielweiberei, Harem

talama grausam sein, verfolgen

talamu 1. grausam, schwierig; 2. teuer, schwer zu erlangen

talela zuvorkommen, bei jemand anfangen

taletsa etwas zuerst tun, auch veranlassen, daß etwas zuerst getan wird

tama sich setzen, sitzen bleiben

eli-tama 6 Wange, Backe

tambalala sich ausstrecken

tambalika (trans.) ausstrecken

tamu (Adj.) krank, schwach, elend

un-tamu 1 der Kranke, Schwache

uvu-tamu 8 Krankheit

tamwa krank sein

täna borgen

täna schelten

tananzi s. *tango* erst

ulu-tanatsi 7 Chamäleon

tandaluka ausgespannt, aufgerollt sein zur Länge (Decke, Matte)

tandalula ausspannen, aufrollen zur Länge

tandatsa ausspannen, ausbreiten (Decke, Matte)

tandeka ausbreiten, aufdecken, (Tücher usw. auf Tisch usw.)

tandela kundschaften

tanduka zusammengelegt, -gerollt sein (Decke, Matte)

tandula zusammenlegen, -rollen

tänela anfahren, schelten

tanzi s. *tango* erst

tanga helfen, beistehen

emi-tangetsa 2 pl. Söller, Boden

tango erst, zuerst, schließt auch den Begriff des Wartens in sich; *tango ikwitsa uju* zuerst kommt dieser; *itsaje tango* erst möge er kommen; wenn jemand etwas fortnehmen will, das noch nicht fertig, oder reden will, ehe der andere sein Gespräch beendet hat, so sagt man: *tango* = warte nur noch, erst will ich zu Ende reden; dieselbe Bedeutung haben *tanzi* und *tananzi*

tapa fangen, auffangen; *tapela* vgl. auch *tapulanya*

eki-tapavujale 4 Schlund

täpela unrecht beschuldigen = *säpela*

tapulanya schnell und gierig essen, die besten und größten Stücke nehmen, alles aufessen; auch *tapela*

enasi (Stamm *tasi*) 3 Spitze von hohen Gegenständen

tata Fuß fassen beim Ausrutschen, sich feststellen auf glatten Wegen = *etoteka*

tatavuka = *dadavuka*

uvu-tavangwa 8 Feindschaft, Krieg

un-tavangwa 1 Feind

tavula jemand entlassen, loslassen, freilassen, Erlaubnis geben zum Gehen; befriedigen durch Geben, daß der Betreffende dann geht; *etavula* sich abmelden

ulu-tembetsi 7 Rippe von Tieren
tēndēlēka schimmeln, beschlagen
tēndēlēsa schimmlig machen
enendili (Stamm *tendili*) 3 Kinder-
trommel von Bambus mit einem
Holz über der Öffnung
un-tetsi 2 ⎱
eki-tetsi 4 ⎰ Krippe, Trog
tedēsa vorsichtig sein
tega fangen mit Falle oder Schlinge,
auch in der Rede
tegela fangen mit Lockspeise
tegenana sich gegenüberstehen, -sein
tegenanya etwas gegenübersetzen,
-stellen usw.
enegitsuva (Stamm *tegitsuva*) 3 Fieber
tegola heiraten
uvu-tegolo 8 Hochzeit
teka lügen
ulu-teka 7 Hungersnot
tekela opfern
tekelesa flehentlich bitten, flehen
un-tela 2 Rührlöffel, -kelle
eli-tela 6 Ischias
un-tele 2 Ebene
teleka Topf aufs Feuer setzen
televala eben sein
teluka ausrücken, fliehen in der
Schlacht
telula geschlagen sein, besiegt
sein
telutsa besiegen
tema hauen mit dem Haumesser
oder der Hacke, schneiden mit
dem Messer, schlagen = schlachten (von Großvieh)
temeka unterwürfig, anhänglich,
dienstbereit sein, dienen
eli-tende 6 Schmelzofen, Hochofen
tenga 1. bauen (Gerüst, Brücke);
2. streiten, davon *untenzi* Sieger,
Überwinder

enengēla (Stamm *tengēla*) 3 Tanztrommel. Es gehören vier zu
einem Satz
tengelemuka trauern
tengula anfangen, beginnen; Rel.
tengulila, davon *-tengulilo* der Anfang
isi-tengutsi 4 p. t. Veitstanz
un-tengutsi 1 Vorfahre
tesejala flach sein (Korb, Teller,
Loch)
tesejeka flach machen (Korb usw.),
flach graben (Loch)
tētēla Gackern der Hühner
tetelanila etwas in Gemeinschaft
tun = *tangana*
tetenanya etwas vorsichtig, ordentlich tun, ohne es zu verderben;
sich alles bereitstellen, vorbe-
reiten
teva Krümmen von Hacken, daß
sie etwas hohl werden
tevama krumm sein (von Beinen)
uvu-teve 8 Krummheit von Beinen;
ali nuvuteve er hat krumme Beine
teveka gebogen sein von Hacken
tevula Fleisch zerschneiden, zerteilen
tevulanya Fleisch zerschneiden, zerteilen; von Tieren, Löwen usw.
zerreißen
ama-ti 6 p. t. Speichel, Speie
tielela 1. ausgleiten; 2. glatt sein
(von Wegen)
tieletsa glatt machen (von Wegen)
tika zerstreuen
tikanya 1. zerstreuen; 2. verschwenden
tikinyula ⎱ zerreiben (etwas
tikinyulanya ⎰ Festes), in der
Hand zerquet-
schen

ulu-tikitiki 7 Staub, Pulver
tina regnen
funba schlagen mit Stein, aufschlagen
timbula
timbulaniya } umrühren
tina mit der Hand winken, zu-
winken
un-tininga 2 Suppe
tinguka verrenken
tipula herausholen (Dorn, Sandflöhe)
ulu-titula 7 Kinnbacke
tiva flechten (Tabak, kleine Kinder-
schürzen)
uvu-tivu 8 breitgeflochtener Frauengurt
un-tima 2 Leber, Sitz der Gefühle,
Seele
toja steigen, klettern, hochstehen
(von der Sonne)
toja elijoja böse, ärgerlich werden
totsa hochheben, steigen machen
totsa elijoja böse, ärgerlich machen
un-tojelo 2 Leiter
eki-tojelo 4 Tritt
ulu-togo 7 Schmuck, Zierde; uniya-
lu-togo einer, der etwas auf
sich hält
toka matt werden, sich ergeben,
gebändigt werden, sich demütigen
tosa bändigen, untertan machen,
jemand ermüden, — demütigen
tola holen, nehmen
toloka 1. durchbohrt, durchlöchert
sein; 2. wund, blutig geschlagen
sein
tolola 1. durchbohren, durchlöchern; 2. wund schlagen
toma naß sein, feucht sein
tomya naß, feucht machen
tomboka sich weigern, widerstreben

toma 1. abschälen, abpellen mit den
Fingern; 2. kneipen mit den
Fingernägeln
tondola abpflücken
ulu-tondwe 7 pl. inondwe Stern
topola Schluckauf haben
eki-topotsi 4 Schluckauf
un-tote 1 Schwangere
uvu-tote 8 Schwangerschaft
totela nachforschen, wenn jemand
oder etwas verloren gegangen
ist; suchen, die Spur verfolgen
isi-totsi 4 p. t. schmackhaftes Essen
tova 1. schlagen; 2. tüchtig Bier
trinken
tovetsa aufschlagen mit —
eki-tovu 4 kleiner Graskorb
tsäba eintauchen
tsaga (ekitsago) Märchen, Geschichten erzählen
eki-tsago 4 Märchen, Rätsel
tsajaluka aufgeheddert sein (von
Schnur usw.), entwirrt sein
tsajalula aufheddern, entwirren
tsagelenana verheddert, verwirrt
sein
tsajarala 1. Hochstehen von Hörnern; 2. Hochstehen von Pfählen
tsambukila jemand scharf oder unausgesetzt ansehen, mit den
Augen fixieren
enzanga (Stamm tsanga) 3 Hanf
tsanga lügen, beschwindeln
uvu-tsange 8 Betrug, Lüge
tsatsama s. tsotsoma knistern
u-tsela 1. kleine Prinzessin
u-tsetsa 1. kleiner Prinz
ama-tsebele 6 Mais
eli-tsebeletsi 6 Maisstrunk und
-Hülse
tsemama schräg stehen, Kopf neigen
nach der Seite (intrans.)

tsémeka schräg stellen, Kopf nach der Seite neigen (trans.)

tsenga bauen (Häuser usw.)

uvu-tsenge 8 Dorf, Stadt, Wohnort

eli-tsengo 6 Mauer, Baustangen usw.

tsesa s. *sesa*

ulu-tsetse 7 Schläfe

tsiba ablecken, ablutschen

tsija anhalten, Perf. *tsije* (in Verbindung mit anderen Verben gebraucht, um diese zu verstärken: *atsije anünye* er schwieg dauernd, *atsije emile* er stand andauernd still)

tsijila zurückfordern = *hemba*

uvu-tsiho 8 Quaste am Kuhschwanz

un-tsiho 2 Kuhschwanz

tsila sich weigern zu essen

tsila ohne etwas sein; wie *vula* mit Nominalpräfix; *untsila umpoki* einer, der ohne Heiland ist; *umbula umpoki* desgl.

tsima (intrans.) auslöschen (Feuer, Licht)

tsimya (trans.) auslöschen

tsimu (Adj.) dumm, töricht

ulu-tsimu 7 Widerspruch

uvu-tsimu 8 Dummheit, Torheit

tsimbuka (intrans.) spritzen (vom Wasser, bei Schlag)

tsimbula (trans.) spritzen mit Wasser

tsimuka nicht aufpassen, träumen, dösen; von *tsimu* 1. dumm, geistesabwesend; 2. leicht, ungefährlich; *ekinu kitsimu* das ist eine leichte, ungefährliche Sache

tsimula 1. Wasser in den Breitopf gießen, nachdem der Brei daraus entfernt ist; 2. Bier verdünnen, wenn es sauer geworden

tsinga Grasring drehen, etwas einrahmen

un-tsinga 2 Bienenkorb, ausgehöhlter Baumstamm, der der Länge nach aufgeschnitten ist

tsingahetsa bedenken, überdenken, recht erkennen, nachdenken über

tsingerala gerade sein, aufrechtstehen (Korb, Topf)

tsingeveka geradestellen, aufrichten

tsingetela einen Kreis beschreiben

tsitsima kalt werden, abkühlen

un-tsitsimila 2 Schatten überhaupt

tsitsimya kalt machen durch Wasser; pusten, daß etwas kalt werde, das warm ist

tsitsimu kalt, still, ruhig

eli-tsiva 6 Milch

tsivala taub sein oder scheinen, nicht hören oder nicht hören wollen

tsivatsa übertäuben, in den Ohren liegen, taub machen durch Reden, Geräusch, oder taub machen überhaupt

tsogotsa mager machen (vom Bier, wenn man lange Zeit viel davon getrunken hat)

tsondokela schnell laufen, rennen

tsosa zum Reden bringen

tsosanya sich unterhalten (dadurch, daß man sich gegenseitig zum Reden bringt)

tsota bekannt, berühmt, berüchtigt sein

tsotsoma Knistern vom Feuer, Kreischen vom Fleisch, das gebraten wird, Quarren der Kinder = *tsatsama*

tsova reden, sprechen

tsovela 1. für jemand reden, sprechen; 2. sich gewöhnen, Relat. desgl.

enzovele (Stamm *tsovele*) 3 Sprache

enz̦ovelo̦ (Stamm *tso̦velo̦*) 3 desgl.
ulu-tso̦vo̦ 7 Dialekt
tsuǵa zum Munde führen
tsuǵumbana voll sein (vom Munde
  mit Speisen)
tsuǵumbańya sich den Mund vollstopfen, soviel nur irgend hin-
  eingeht
tsukwa! Aufforderung zum Voran-
  oder Vorwärtsgehen
tsula zuviel essen
tsuluńgala still schweben an einer
  Stelle (von Vögeln), stillstehen
  (von Menschen)
tsumba springen
eli-tsumbe̦ 6 Dorf, Ortschaft
enzusi (Stamm *tsusi*) 3 Floh
tsutsa füttern, jemand etwas zum
  Munde führen; Kaus. von *tsuǵa*
tsutsuvala verdorben sein (vom
  Essen, durch Zugießen kalten
  Wassers)
tsutsuvika kaltes Wasser auf gekochtes Essen gießen und es
  dadurch verderben
tsuva jäten
tsuvila jäten, auch behäufeln
tsuvula 1. Milch verdünnen; 2. kaltes Wasser in Warmes gießen,
  auch bei Bier; 3. Essen aus dem
  Kochtopf holen und das Wasser,
  in dem es gekocht ist, darin
  lassen
tsuvula! zum Kommen auffordern
tsuka auferstehen
    tsusa auferwecken
un-tsululu 2 kleiner Wasserfall
  und Leitung mit Fall
ulu-tsululu 7 Schelle
tsululu Herabfallen des Wassers bei
  kleinen Fällen, Tröpfeln der
  Traufe

tsuńgula wanken (von Betrunkenen),
  schwindlig sein, sich herumdrehen
tsuńgutsa wanken machen, schwindlig machen
tsuńgutela rund herumgehen
tsuńgutetsa umgeben, umzingeln,
  rundherumgehen machen
eli-tsuva (Stamm *tsuva*) 6 Sonne,
  Uhr, Tag
ulu-tsuva 7 Hitze, heiße Zeit
eli-tsua 6 Feder
tsweńgela schlüpfen (von Schlangen),
  leicht durch eine Öffnung gehen
tswiǵa 1. einweichen (von Kafferkorn, daß es keimt); 2. etwas
  ins Wasser werfen
tuǵuta Brennen, Kratzen im Halse
tuǵutila schwitzen
ṅuǵutila (Stamm *tuǵutila*) 3 Schweiß
un-tuǵuva 2 Medizin, Baum
tuja auf dem Wege unverrichteter
  Sache umkehren
enuje̦ (Stamm *tuje̦*) 3 Eule
tula drängen zu etwas
tulilila wiederholt zu etwas drängen
tuma feucht werden im Tau
tumbéka aufhängen
tumbéla hängen
ulu-tumbu 7 Nabel
uvu-tumbu 8 Gedärme
enumbula (Stamm *tumbula*) 3 Herz
tuna mit Relat. anfragen um, für jemand; davon *untuni* der Brautwerber
un-tunduvana 2 Kopfputz
tuńgutsima Perf. *ile̦* nachdenken
  über etwas, sich sorgen
tuńguvala } drängen, zwingen zu
tuńguveka } etwas
tuńguvekwa gedrängt sein, — werden
tunilila rauchen (vom Feuer)

tūpa stracks gehen, ohne Aufenthalt

tūpa viel werden, — sein

tupula Aufheben von Hütte oder schweren Dingen; Intrans. dazu

tupuka

   tuputsañya das Betreffende miteinander tragen

enuta (Stamm *tuta*) 3 Wildtaube

tūta schlagen (mit schwerem Stein usw., von oben herab mit beiden Händen)

tūta Herausquellen des *enoleko* (Harzes), mit dem die Haumesser (*inyengo*) in den Stielen befestigt werden

tutulila beim Fechten abwehren und dann den Feind ergreifen

tutuma überlaufen, überkochen, überschäumen

tuwa stechen, stoßen mit Speer oder so tun

tūvuka aufplatzen, zerbersten

tuvula stechen, stoßen mit Speer oder so tun

tūvula aufplatzen, zerbersten

emi-tūla 2 pl. Heckendorn

tūla (*enongwa*) sündigen

tūla eine Last niederlegen

tūla (*enongwa*) verkündigen, kundtun, berichten

tuleka etwas, jemand aufhängen

eki-tule 4 Stampfblock, Holztopf

tuma schöpfen mit der Hand

tumba den Rücken zudrehen

eki-tumba 4 Pacht

tumbañyuka den Rücken zudrehen, von welcher Seite man auch komme

tumbeka etwas anhängen

tumbuka hoch herabfallen

tumbula herabstürzen

tunda kleines Bedürfnis verrichten

un-tuñanya 1 Arzt

tuñga 1. aufreihen (von Perlen); 2. hintereinandergehen, eineReihe bilden

eki-tuñga 4 Ding, auf dessen Namen man nicht kommt

uvu-tuñga 8 Gegend, auf deren Namen man nicht kommt

tuñgula abpflücken

tunza in Reihe aufstellen

un-twa 1 Herr, kleiner Häuptling

twañga stampfen, zerstampfen in Mörser, Stampfblock usw.

tweka jemand etwas auf den Kopf legen, daß er es trage

un-twe 2 Kopf

twenyuka aufplatzen, zerbersten

twenyula es dazu bringen, daß es aufplatze usw.

twinyana gegenseitig mit Kopf oder Hörnern stoßen (Ochsen, Ziegen)

ulu-twitwi 7 großer Bambuskorb zum Aufbewahren von Nahrungsmittelu

twivilila untertauchen (intrans.)

twivilitsa untertauchen (trans.)

twiviluka auftauchen

tyasamula niesen

tyelevala eben sein

u

uḍe (Adj.) scharf, spitz

eky-ulu 4 der Tauschartikel

ely-ulu 6 Geschwür

eky-uma 4 Eisen, Reichtum

ulūmi (Stamm *umi*) 7 s. t. Tau

eky-undu 4 Schimmel

uñguka sich besonders sammeln, sich absondern, sich trennen vom Haufen

204

uńgula etwas absondern, trennen
upita es sagt = muß
eky-uve 4 kleines Zauberhorn

v

va sein, bestehen
ulu-vaja 7 Stall
vaha groß, dick, breit
eli-vaho 6 Nachgeburt
vajuka aufbrechen (von Geschwüren usw.)
vajula Geschwür zum Aufbrechen bringen
vala 1. scheinen (von Sonne und Mond); 2. heiß sein (von Sonnenhitze); 3. zählen; 4. beschuldigen
valala rein werden (vom Aussatz usw.)
uvu-valalo 8 Reinheit
valaluka 1. aussätzig sein; 2. offenbar werden, ans Licht kommen
valalula 1. aussätzig machen; 2. offenbar machen, ans Licht bringen
valatsa rein machen vom Aussatz usw.
valatse heilig, gefürchtet
valatse (Adj.) heilig, rein
uvu-valatse 8 Heiligtum, Opferstätte; Ort, der zu fürchten oder zu meiden ist
valeka 1. Erscheinen des Mondes; 2. worauf legen = *geleka*; *valeñana*, *valeñańya* = *geleñana*, *jeleñańya*
valuka abgenommen sein
valula eins vom andern abnehmen, blättern (im Buch)
valula ausbringen (von Küken); (*tsivalwilwe* sie sind ausgebrütet)
valula auseinanderbersten
vamba ausspannen (von Fellen usw.)
eli-vamba 6 Narbe

embambo (Stamm *vambo*) 3 Stelle, die zu fürchten ist, namentlich von schwangeren Frauen
vanda günstige Gelegenheit erspähen, etwas zu tun, zu stehlen usw.
umbanda (Stamm *vanda*) 1 Arbeiter, Untertan, Bürger
eki-vanda 4 Maisbrot
vandika vorsichtig sein, langsam, bedächtig sein = *evandela*
ulu-vanza 7 Hof
vanga 1. erlösen, befreien durch Loskauf; 2. ungebrauchten Platz einrichten zum Ackern oder Bebauen, urbar machen
eli-vanga 6 großer Bohrwurm im Rizinus
eli-vango 6 Lösegeld
ulu-vasi 7 Strauch, der bei Berührung Jucken verursacht
ulu-vasu 7 Rippe vom Menschen, Seite
vava schmerzen
ve der, welcher
veja einzäunen, Zaun machen (*uluvejo*)
ulu-vejo 7 Zaun
vejama hohles Kreuz haben
veka stellen, setzen, legen
veka Krähen des Hahnes
vekula betteln
velela Säumen der Matten
veli zwei
venga 1. verjagen, vertreiben, hinausstoßen; 2. decken (von Vieh)
vengelela jemand folgen wie Hund, gern haben, suchen
eli-vengo 6 Wolke
ve du
embeja (Stamm *veja*) schwarzer Affe mit weißem Mantel

212

eli-veǰa 6 Schulter

veǰala auf der Schulter tragen, auf die Schulter legen

veǰatsa jemand etwas auf die Schulter legen

veǰanika sich zerstreuen, sich trennen, auseinanderlaufen

veǰáṅga etwas verderben

veǰáṅgika verdorben sein

ulu-veǰáṅgiko 7 Verderben

veǰánya zerstreuen, scheiden, verschwinden

embeǰu (Stamm *veǰu*) 3 Same, Saat

embelavéla (Stamm *velavéla*) 3 Schwalbe

eli-vele 6 mamma

embeleǰe (Stamm *veleǰe*) 3 kleine Geschwüre am Gesäß und Lenden

eli-velesupa 6 Hüftknochen

veni wer

eli-veṅgi 6 Fruchtbaum

vesula reifen, reif sein

embija (Stamm *vija*) 3 s. t. Freundschaft

vika hell brennen, lodern (vom Feuer); brennen (vom Holz), im Gegensatz zu qualmen

vina (mit *gu* konstruiert) neiden
viniwa (regelmäßig) neiden
vinika neidisch sein

aka-vini 5 Neid

eki-vino 4 Hüfte

vipa (mit *gu*). 1. ärgerlich, böse, erregt sein, zornig sein; 2. nicht schön, nicht ordentlich sein

vivi schlecht

vo so, wie, sowie, wenn, als

vohwe es ist dunkel geworden

vo vule nun ists gut, nur, nur so, allein

vo vule vule gerade so, also, also so!

eki-voko 4 p. *ama-voko* Arm

vola schneiden, sägen

vola faulen

vomba 1. arbeiten; 2. Essen bereiten

vombela 1. arbeiten für jemand; 2. für jemand Essen bereiten, bewirten

umbombi (Stamm *vombi*) 1 Arbeiter

aka-vombo 5 Arbeit

umbombo (Stamm *vombo*) 2 Arbeit

vona 1. sehen, erblicken, erkennen; 2. finden

voneka sichtbar, erkennbar sein, erscheinen

vonekela jemand erscheinen, sich erzeigen

vonya zeigen

embondo 3 ⎫
eki-vondo 4 ⎬ Vogel- und Tierbeine
ulu-vondo 7 ⎭

vopa binden, zusammenbinden

vopoka aufgebunden, losgebunden, frei sein

vopola losbinden, aufbinden, befreien

vosu verfault, faul (vom Holz)

vuja 1. zurückkehren, bleiben; 2. mit einem anderen Verb verbunden = wiederholen, etwas noch einmal tun

vujanitsa am selben Tage zurückkehren

vujilila etwas immer wieder tun

vujitsa vergelten, rächen

ulu-vujitso 7 Rache

vula 1. Abhauen von Zweigen; 2. Abbrechen der *mapaǰalo* der Hütte nach verübtem Ehebruch, Haus einreißen

eli-vulatsi 6 Geschwür

embululu (Stamm *vululu*) 3 Schafdung

rund sein

rund

Abkörnen von Mais

Summen der Bienen,
brummen (vom Menschen)

1. vernieten; 2. niederbrechen
oder -treten (von Gras usw.)

Brocken

Haufe stillsitzender
Menschen

Pflanzloch

1. zurückführen, wieder-
geben, wiederbringen; 2. Sterbenden Mund und Augen
schließen

gehen, weggehen

anlaufen, darauf zugehen,
überfallen

Fledermaus

ohne — sein, nicht im Besitz
sein von — (mit Präf. des Subst.
verbunden)

jemand etwas sagen, erzählen

(Stamm) 2
Baumart

sagen für oder über je-
mand = verleumden

so, also, in der Weise, ver-
gleichend oder bezüglich des
Gesagten oder Geschehenen

(Stamm) 2 Baum-
art

(Stamm) 3
Schmetterling

formen

(Stamm) 3 Kloß,
Wespennest, großes Eisenstück

4 Nachkommenschaft,
Geschlecht

1. Nachkommenschaft ha-
ben; 2. rauben, stehlen, grausam
sein

1. grausam machen; 2. er-
neuern, ausflicken

strafen, zurechtweisen, einführen

abbröckeln, zerbröckeln

gehen machen, wegnehmen,
wegräumen

tragen

krank sein, der Pflege bedürfen

fächeln mit Blättern, Zweigen

jemand pflegen, der krank

6 Fliege

(Stamm) 3 Hund

6 pl. t. Hagel

zum zweiten Male schmieren
von Häusern, glätten, ausbessern
geschmierter Flächen

4 Topf

pflanzen

4 Gegengift

s. j und t

a

abbrechen, abbröckeln, vom Brot, trans. *menyula*; intrans. *menyuka*; — von Zweigen, intrans. *panyuka*; trans. *panyula*

abbürsten *pulusa*

abbröckeln, zerbröckeln *vungujuka*; — vom Brot usw. *menyuka*

abdämmen, vom Wasser, daß es steht *kelamika*; — vom Wasser *siva*

abdecken, Deckel usw. *gubakula, gubukula*; — Dach *kulula*

Abenddämmerung *ulu - nguvenguve* 7 s. t.; *ulu - navánava* 7 s. t.; *ulu - nguvesi* 7 s. t.

Abendessen *isinu sya kwegoneka*; *isya kwegoneka*

abfallen, abbrechen, abgehauen sein *dumuka*; — abbrechen machen, abhauen *dumula*; — zu fallen drohen *leguka*; — übrigbleiben *sigala*; — streiken *gilimbuka*

Abgrund, Abhang *uvo - eja* 8; *ulu-genge* 7

abhärmen *susuvala, vipa* (mit *ju* konstr.); — sorgen *enyanya*

abhärten, sich *edulusa, ekangatsa*

abhalten vom Gehen = fernhalten *dietsa*

Abhang *ulu - genge* 7; *eki - gima* 4; *ulu - gima* 7

abhauen = fällen, abschneiden vom Weg, eine Sache *dumula*; — (glatt), abschneiden *pyatula, myatula*; — von Zweigen *vula*

abkommen vom Wege *jaga*

abkörnen, vom Mais *vulutula*

abkratzen, den Rührlöffel *nyava*

ablecken, ablutschen *tsiva*

ablegen, Last *tula*

abmagern *sokoka*

abmelden, sich *etavula*

abmühen *egjatatsa, gagala*

abnehmen, eins vom andern *valula, alalula*; — vom Monde *sila*; — alle werden *sila*; — in Empfang nehmen *opa, opelela*; — Essen vom Feuer *simula*; — aufgehäufte Erbsen usw., die mit Gras auf einem Korbe befestigt waren *sukula*

abpellen, abschälen mit den Fingern *tona*

abpflücken *tondola, tungula*

abplastern, Borke, Eisenspäne *banduka*; — machen *bandula*

abplatzen, Putz *matuka*

abreißen, raufen von Ähren *hwenula*; — von Zeug *hwenula*; — (intrans.) *papuka*, (trans.) schon Eingerissenes *papula*

Abrutsch, Absturz *ulu - hemu* 7 s. t.

abschaben *keleta*

abschälen, Rinde *bandula*

abschließen, sich *esingela*

abschneiden *lenga*; — etwas *kegeta, dumula*

abschürfen, Haut *sejula*

abgeschürft sein *sejuka*

abschüssig, schräg sein *dulamuka*

absondern, sich; sich abseitsstellen vom Haufen *ejungula*

absondern, sich *patuka, elejeha*; — etwas *patula, patulanya*; — voneinander *patulana*; — sich, abtrennen, sich *unguka*; — abtrennen, etwas *ungula*

abstehen von einer Sache *elekehva*

absteigen *ika*

abstürzen, in Sprüngen, federn *diluka*; — herunterfallen vom Abhang *dima*; — etwas, jemand *dimya*; — herunterrollen *dinindika*

abstürzen, abrutschen *ḥemuka*
abteilen, abtrennen, Haus durch
Zwischenwand usw. *poḍola, poḍolańya*; abgeteilt sein, getrennt
(durch Wand) wohnen *poḍoluna*
abtreten = überlassen *lekela*
abtrünnig, untreu werden, sich abwenden vom Häuptling *pĕluka*;
abtrünnig, untreu machen *pĕlusa*
abwehren, etwas verneinen *enzeluka*; — schützen *paḍa*; — schützen
sich *epaḍa*
abwendig machen, die Braut *ḷuma*;
— Leute, Arbeiter usw. *ḍilimbuḷa*
abwerfen *ḥopoḷa*; — Reiter *taḍa pasi*
abwischen, reinigen *puḥusa*
achten *sana*; — auf *ḷoḷeḷa, ḷinda*
ächzen *eḍima*
Acker *eki-ḷimeḷa*
ackern *ḷima*; — noch einmal, schon
Geackertes *kĕsa*; — obenauf bei
schon geackertem Felde *sĕvuḷa*; —
rund herum um eine Stelle, auf
der eine Pflanze oder Baum usw.
geschont werden soll *sińgeḷetsa*
Adler großer, *eńgasimuḷa* 3 (Stamm
ḍasimuḷa), *eńgasińga* 3 (Stamm
ḍasińya), *eḷi-masińga* 6
ähneln, ähnlich sein, gleich sein
hwana, Perf. *iḷe*, *hwanana*, Perf.
ine
Ähre von kleiner Kafferhirse *uḷusotso* 7
ändern sich *ḥambuka*; — sich verändern *anduka*; — etwas *ḥambuḷa*,
anduḷa
ärgern sich *vipa* (mit *ḍu* konstr.);
— jemand *totsa eḷiḍoḍa*
ärgerlich sein *suḷinana* (mit *ḍu*); —
von jemand nichts wissen wollen
ḍuna, puna
Affe, großer silbergrauer *enĕḷe* 3

(Stamm *keḷe*), *eniḷiḷi* 3 (Stamm
kiḷiḷi); — großer schwarzer mit
weißem Mantel *embeḍa* 3 (Stamm
veḍa); Hundsaffe *enyani* 3 (Stamm
jani). *eḷi-jani* 6
afterreden *deḷeḷesa*
albern, dumm *tsimu*
alle werden *nīla*, — umkommen im
Wasser *ońgomeḷa*; alle machen,
umbringen *ońgometsa*
alle, ganz *oni*
Alleingehen, das Alleinsein *uḷupate* 7 s. t.
allein lassen *ḷeka-ene*, *siḍatsa*
alt, vom Menschen usw. *ḍoḍoḷo*,
von Zeugen und Gegenständen
ḷaḷa; alt sein, *ḷaḷapaḷa*; — werden, vom Menschen *ḍosipa*
Alter *uou-ḍoḍoḷo* 8
Ameise, weiße *um-meḥe* 2; —
schwarze *eḷi-dunuńgu* 6; — rote
eḷi-haḷasu 6
amüsieren, sich *kina*
anbeten *takeḷesa ku*
anbrennen, von Essen, intrans. *ḷaḷeka*; trans. *ḷaḷesa*
anfahren, schelten *täneḷa*
anfangen mit etwas, beginnen *taḷa*;
= zuerst sein *taḷetsa*; = zuvorkommen *taḷeḷa*
anfangen, beginnen *teńguḷa*, *ema na*;
— beim Ackern auch *amuḷa*
anflehen *pyeḷa*, *takeḷesa*
anfragen, für jemand anhalten um
tuna
angenehm, süß *posu*; — sein *noḍa*;
— machen *notsa*
angewachsen sein, treiben von frisch
Gepflanztem *oḍama*
angreifen *ibata*
angrenzen, nebeneinander sein *badeńana*

anhaben, Zeug *swala*
anhalten (aufhalten) *siga*; — um,
bei Mädchen *kova*; — für jemand
kovela
anhaltend, mit Anstrengung etwas
tun *ǰimba*
anhangen, anhaften, nebeneinander
sein *badama*
anhängen usw. *tumbeka*
anklagen *vulela*, *vala*; — falsch
kwa, *kuvela*, *dedeletsa*
ankleiden, sich *swala*; — jemand
sweka, *swaletsa*
ankommen, anlangen *sūka*
anlehnen, intrans. *egama*, trans.
egamitsa, *edeka*; — sich *eǰega-
mitsa*
anmachen, Feuer *kotsa*
annehmen *opelela*
anrühren *abasa*, *avasa*
Anschlag machen *ǰoka*, *ǰokana*,
pepa; — anschlagen an, gegen
etwas *tovela*
anschweißen *kuñga*
anschwellen *sīmba*; — vom Fluß
ǰūmba, *jumbāluka*, *dēǰa*
ansehen, scharf, unausgesetzt *tsambukila*
ansetzen, von Kartoffeln usw. *pamba*;
— Topf ans Feuer *teleka*
anstaunen etwas, das man zum
ersten Male sieht *kaǰahala*
anstecken, jemand; von Krankheit,
sich übertragen auf *ambukela*; —
übertragen von Mensch zu Mensch
ambuhetsa; — ansteckend sein,
von Krankheit *ambuka*
anstoßen mit Kopf *ǰumbitsa*
antworten *anda*; — auf Ruf *edeka*
anzünden, Feuer, Licht *pamba nu-
muoto*, *kotsa*; — Gras, Haus
ñyañya

Arbeit *akavombo* 5, *umbombo* 2
(Stamm *vombo*)
arbeiten *vomba*; — für jemand
vombela; = ackern *lima*
Arbeiter *umbombi* 1 (Stamm *vombi*),
umbanda 1 (Stamm *vanda*)
Arm *eki-voko* 4, pl. *ama-voko* 6
arm sein *ǰatsupa*; — werden *juo-
luka*
Armer *uñ-gatsu* 1, *u-ñyanzala* 1, Armut *uvu-gatsu* 8
Armring, kleiner *eki-puǰuhilo* 4; —
(Reif) *eki-senete* 4, *ulu-senete* 7
Arzt *un-tuñañya* 1
Asche *ely-ela* 6 s. t.
atmen *keka*; — schwer, japsen *keka-
ǰela*
aufbinden, -lösen *vopola*, *dātula*,
dātulañya; — auf etwas *vopela*;
— jemand etwas = lügen *teka*
aufbrechen, von Geschwüren *vajuka*;
— dazu bringen *vajula*; — aufbrechen = abreisen *luta*, *vuka*
aufdecken, Decke auf Tisch, ausbreiten *tandeka*
aufeinandergelegt, -gestellt sein
ǰelenana
aufeinanderlegen, -stellen *ǰeleka*,
ǰelenañya
auferstehen *tsuka*
Auferstehung *uvu-tsuko*
auffangen mit der Hand *tapa*; —
Tier *teǰa*; — Mensch *opelela*; —
Flüssigkeit *amba*
auffordern jemand, etwas zu nehmen
kota; — zu gehen *tsukwa!* —
zu kommen *tsuvula!*
aufgehäuft sein *lundeka*
aufgehen von Sonne und Mond
huma
aufgerichtet, erhoben sein *eñemuka*;
aufgerichtet sein = stehen *simama*

aufgerührt sein, vom Wasser *suva*; Kaus. *susa*

aufgetriebenen Leib haben, vom vielen Essen *sukwa*; aufgetrieben sein, vom Leib *lunduvala*

aufhalten, sich; verspäten *keletsa*

aufhängen, jemand, etwas *tuleka*, *tumbéka*; — sich *etuleka*

aufhäufen und mit Gras verbinden bei Körben *dula*; — aufbauen, von Brennholz usw. *panga*; aufgehäuft sein *pangeka*; Aufgehäuftes abbauen, niederreißen *pangula*; Einfallen von Aufgehäuftem *panguka*

aufhäufen *sota*; aufgehäuft sein *sotama*; aufhäufen, von Erbsen, Bohnen usw. auf einen Korb und das Aufgehäufte mit Gras befestigen *suka*, *sukila*

Aufhäufung von Essen auf Körben *endulu* 3 (Stamm *dulu*)

aufheben, aufsuchen von der Erde *hala*, *hola*; — Essen usw. = aufbewahren *limba*, *evekela*

aufheitern, jemand *hesa*; — hell werden *kya*

aufhören, nicht mehr, nicht wieder tun wollen *pela*; — = nach Hause gehen *godoka*, *vuja*; — = fertig sein *mala*; — = alle sein *sila*

aufklären, sich (Himmel) *kya*, *dana* (mit *ki* konstruiert = *kidanile kukyanya*, der Himmel hat sich aufgeklärt); — eine Sache *voneka*; — offenbar werden *valalula*

auflauern *jonela*, *jonda*

aufmuntern, beaufsichtigen *kalatelela*, *kolatelela*, *ibatelela*; — = erheitern *hesa*

aufpassen = hören *pulehetsa*; nicht aufpassen = träumen, geistesabwesend sein *tsimuka*

aufplatzen, zerquetscht werden, daß sich der Inhalt entleert *ditsuka*; Kaus. *ditsula*

aufplatzen, zerbersten *titula*, *twenyuka*; — machen *twenyula*

aufreihen, von Perlen, von Menschen eine Reihe bilden *tunga*; — von Menschen, in eine Reihe bringen *tunza*

aufreizen zum Kampf *honola*, *hooÍa*

aufrichten, erheben, in die Höhe richten *enemula*; — stellen, Pfahl usw. *simika*, *emya*, *emeka*; — von Vogelscheuchen *hulikila*; — sich *sisimuka*; — jemand, der traurig *dulusa*, *nyweletsa*

aufrollen, ausbreiten, Matte, Decke *gonzola*, *tandalula*; aufgerollt, ausgespannt sein *tandaluka*

aufschlagen *tovela*; — = zerschellen *bametsa*; — Buch, = blättern *alalula*

Aufseher *u-nyakulolela* (Stamm *lolela*) 1, *u-ndindeletsi* (Stamm *lindeletsi*) 1

aufspringen aus dem Grase oder dem Versteck, in dem man verborgen war, *syondomoka*

aufstehen, schnell *jangamuka*; — = stehen *ema*; — vom Tod *tsuka*; — vom Lager, Schlaf, erwachen, sich aufrichten *sisimuka*

aufsteigen, vom Rauch, rauchen *hebeluka*

aufsuchen *londa*; — Gefallenes *hola*; — nachforschen *toteka*

auftauchen aus dem Wasser *tviviluka*

auftischen *sugila*

auftragen, Essen *leta*; — jemand etwas *lagela*

auftrennen *londula*

aufwachen *sisimuka*

aufwärmen, warm machen *piusa*
aufwecken *sisimula*
aufzehren *lya, mala*; — die Morgengabe *lela*
aufziehen auf Schnur *tunga, tunza*; — ernähren *kutsa, hotsa*
Auge, Ohr *el-iho* 6
Augenlid *ulu-sifi* 7
Augenwimper *enope* 3 (Stamm *kope*)
ausbessern = flicken *honela, pabeka, pabekela*; — = stopfen *hona ululembo*
ausbreiten, aushängen *ala*; — sich = ranken *landala*; — sich = zerstreuen *hamba*; — sich = viel werden *oloka*; — Zeug, Matten *gonzola, tandatsa, tandalula, tandeka*
ausbringen (von Küken) *valula, alula*
ausbrüten, ausbringen junger Vögel *panza*; Perf. *ile*
ausdehnen, Draht ziehen *külula*
ausdrücken, Geschwür *minya*; — = pressen *hutsa*
auseinanderbringen, Streitende *lamula*; — wenn viele *dadalula*; — auseinandersein *dadaluka*
auseinanderfalten *gonzola*; -gehen, wenn schlecht *mamuka*; -gehen, sich trennen *lekenana*
auseinandernehmen *kovokola*; —was zusammengesteckt war, Körbe usw., *omokola, omokolanya*
auseinanderpflanzen, -stellen, -legen *dātula, dātulanya*
auseinanderrollen, von Matten usw. *gonzola*
auseinanderspalten, intrans. *batsuka, vāluka*; trans. *batsula*
auseinandertreiben *hasa, véjanya, palananya*

ausforschen, -fragen *vutsa, gonda, hotsa*
ausführen (tun) *gaha*
ausfüllen, Haus usw. *bamila*
ausgefegt sein, leer, alle sein *künika*
ausgehen Licht, Feuer *tsima*; — spazieren *beha nkugenda, gendagenda*; — alle werden *sila*
ausgerenkt, eingebrochen sein *lefela*
ausgestreckt sein *lambalala*; ausstrecken *lambalika*
ausgewachsen sein *duluka*
ausgießen *duda*
ausgleiten *telela*
ausgraben *selula*; —Kartoffeln usw. *hembula*; — mit Wurzeln *ogola*
aushöhlen *goha*
auskehren *kuna*
auskleiden *sula unsabwa*
ausklopfen *pumuna*; — reinigen *kununa*; ausgeklopft, rein sein *kununika*
auskratzen, der Kalabassen (Flaschenkürbisse) *puluguta*
auskriechen, aus Eiern, auch von Bienen *valulwa, aluka*
auskundschaften *tandéla, sepa, gonda*
auslachen *hoka*
auslassen, Vieh usw. *humya*; — überspringen *tsumba*
ausleeren, Kasten, Sack *hwangula*; — reinigen *kununa*
auslegen, ausbreiten, aufrollen, Decke, Matte *tandatsa*
auslöschen, ausgehen, intrans. von Feuer, Licht *tsima*; — ausmachen. trans. *tsimya*
auslösen, loskaufen *vanga*
auspacken *pakula*; ausgepackt sein, herausfallen *pakuka*
ausplantschen *lāvuka*
auspressen *hutsa*

ausraufen *kŭta*, *hwęnula*
Ausrede suchen, wenn unlustig
etwas zu tun *lęǵa*
ausreichen, zureichen, auslangen,
langen, auskommen *kwęla*
ausreißen, von Haar usw., abreißen *ńyumula*; ausgerissen sein
ńyumuka
ausreißen, von Bäumen, Pfählen
simula
ausrenken *kǫlǫǵǫka*
ausrotten *ǫ̀ngǫmętsa*
Ausruf des Erstaunens *ka!* *kę́!*
kwǫ!
ausruhen *ǵataluka*
ausrupfen, jäten *ńyapa*
außer sich sein über ein Geschehnis *ēhéva*, *ēkuǵa*
Aussatz *ebōba* 3 (Stamm *bōba*)
aussätzig sein *valaluka*; — machen
valalula
ausschlachten, zerlegen *hēnza*
ausschlagen der Bäume *lęmba*,
nwęka; — Pferd usw. *hǫnda*
ausschütten, aufgehäuftes Essen
dŭlŭla; — sein Herz vorm Abschied *sukanwa*
aussenden *suńa*
aussöhnen, sich miteinander *sajana*,
trans. *sajańya*
ausspannen, von Fellen usw. *vamba*,
daǵalika; — ausbreiten *tandatsa*
aussprechen, sich gegenseitig,
gegenseitig etwas auftragen *similitsańya*; — etwas *tsǫva*, *lǫnga*
ausspülen (Mund) *sujusula*; — ausreißen, aushöhlen, von Wegen
kwęmula; ausgespült usw. sein
kwęmuka
ausstrecken, sich *tambalala*; — Hand
usw. *ǵǫlǫla*; — trans. *tambalika*
aussuchen *sęhula*; — -lesen *sāvŭla*,

sāvŭlańya; — von Erbsen usw.
kuŋgulula
austauschen *ananana*
austeilen *ǵava*, *ǵavańya*
austreiben *humya*, *swima*
austrinken *ńywa*
austrocknen *oma*
auswachsen zur vollen Größe *duluka*
auswählen, erwählen *hála*, *hǫ́la*
ausweichen *hę̆na*, *heǵa*, *ekwęǵa*; —
Schlag usw. *paǵa*
ausweiden *henza*
ausziehen, Dorn usw. *hǫmǫla*
ausziehen, Pfahl, Zahn *kŭla*; —
simula (von Frauen gebraucht);
— Kleider usw. *sula*; — aus der
Scheide(Messer usw.) *swękula*; —
= verziehen *hama*
Axt *enzunu* 3 (Stamm *tsunu*)

b

baden, sich *oǵa*; — jemand *otsa*
sich Bahn bereiten, Platz machen,
durch Umhauen von Unkraut
und Gestrüpp im Walde usw.
pęnza
ballen, zur Kugel *vumba*; — die
Hand, um 5 zu zeigen = Faust
machen *budisa*; — Faust *sumbata*,
sumbatila
Bambus *elį-lanzi* 6; Bambuswein
uvu-lanzi 8; — junger *eńgǫsi*;
— alter *endāla*; = Weinbambus
uvu-lanzi 8
Banane zum Essen *eńǫvǫ* 3 (Stamm
kǫvǫ), *elį-kǫvǫ* 6; — wilde *elį-vaṅgalala* 6
Bandwurm *elį-pelętę* 6
bändigen *tǫsa*, *lęsa*
Bart *ulu-lęsu* 7
Batate = Süßkartoffel *elį-javǫ* 6;
— Hügel = Beet *ekį-javǫ* 4

Batatenhügel, großer _ulu_-_kimba_ 7; pl. _inimba_

bauen, Nest _hona_ _uvuswa_; — Haus usw. _tsenga_; — Brücke, Gerüst _tenga_

Baum _um_-_beki_ 2, _eli_-_beki_ 6, _untujuwa_ 2; Baumknorren _ekinonolo_ 4; Baumstamm _eki_-_sina_ 4; Baumstumpf _eki_-_heki_ 4

Baumart _umbulamono_ 2 (Stamm _vulamono_), _undela_ 2 (Stamm _lela_), _umbulugu_ 2 (Stamm _vulugu_), _ulugosu_ 7

Baumwolle _ulu_-_sapa_ 7

beabsichtigen _ta_, _nojwa_

beackern, ackern _lima_

beanspruchen _londa_, _nogwa_

beaufsichtigen _lolela_, _linda_, _dema_

Beben der Erde _lindima_, _sipuka_; — = zittern _detema_, _kililika_

bedauern = bemitleiden _lilela ekesa_, _sajela_; — = bereuen _susuvala_

bedecken Haus, Körper _sweka_

bedenken, nachdenken über _tsingahetsa_

bedrängen _nyanyamika_; — umzingeln _nyengelela_

Bedrängnis, Not, Verlegenheit _uvusumbe_ 8

bedrängt, in die Enge getrieben sein _nyanyamala_

beeilen _angupa_, trans. _angusa_

beendigen, schnell etwas _jesa_, _mala_

beerdigen _sela_

Beet der Batate _eki_-_javo_ 4; — der Kingakartoffel _eki_-_dovela_ 4; — der Kürbisse _eli_-_suve_ 6

befallen = fallen auf _elekela_, _gwela_

befehlen _lajela_

befestigen _nywilitsa_; — feststampfen _domela_

befeuchten _tomya_, _mitsila_

befreien _poka_, _vanga_, _vopola_

Befreiung _uvupoki_

begegnen _ajanila_; — einander _ajana_

begehren _nogwa_, _kenza_

begießen _oha_, _ohela_

beginnen, anfangen _tala_, _tengula_

begleiten, auf den Weg bringen _domelela_

begraben, vergraben _sela_

begrüßen sich _esamusa_, _samusa_; — Höhere _pembetsa_

begünstigen _jana_

behalten _va na_

behäufeln, bewerfen mit Erde, von Kafferkornbeeten _sajala_; — von Bataten _selulela_, _tsuvila_

beherzt sein, sich beherrschen _sindamala_

behüten _dema_, _linda_, _lolela_

Beine von Menschen _eki_-_lunde_ 4, pl. _ama_-_lunde_ 6; — von Tieren _imbondo_ 7, _isi_-_vondo_ 4, _ni_-_gaga_ 7, _ama_-_jaja_ 6

beißen _luma_

bekämpfen _lwa na_

bekannt sein miteinander _manyana_; — machen _manyanya_; — = gekannt sein _manyika_; — -machen, lehren, unterweisen _manyisa_

bekehren sich _kilivuka_; — jemand _kilivula_

bekennen, Sünde _epala_; — es zugeben _edeka_

bekommen _pevwa_

beladen, jemand _tweka_; — sich _etweka_

belagern _nyengelela_, _banyilitsa_

belästigen _jatatsa_, _omeletsa_

beleidigen, beschimpfen _saka_, _lija_, _duka_

Bellen der Hunde _hwaja_ (_u_); — der Schakale _hwega_ (_u_)

belohnen *homba*, *okela*
bemalen *lāva*, *dola*
bemerken *vona*
bemerkbar werden *vonoka*
beimitleiden *sagela*, *lilela ekesa*
benachrichtigen *tsova*, *vula*, *ḡula*
engngwa; — warnen *pova*
beneiden *vinika*
beobachten, jemand, aufpassen
ḡonda, *lola*, *vona*
beraten, ratschlagen *ḡoka*, *ḡokana*
berauben *poka*, *puma*, *ḡoma*
berauschen *ḡatsa*
berauscht sein *ḡala*
Berg, hoher *eki-duḡala* 4; — niedriger = Hügel *ulu-nyika* 7
berühmt, berüchtigt, bekannt sein *tsota*
beschädigen *vejanga*
beschäftigt sein, etwas vorhaben *sumbwa*
beschämen *julusa*, *jululeka*; beschämt sein *julula*, *jululala*
beschatten, im Lichte sein *seka*
beschimpfen. einander *dukana*
beschmutzen *ḡidusa*, *lamya*; — sich *elamya*; — mit Dreck *dabela*; — sich *edabela*
beschützen *avata*
beschuldigen, Schuld zurechnen *vala*, *valela*; — sich gegenseitig *valana*; unrecht *sapela*, *tāpela*
besiegen *telutsa*; besiegt werden, sein *telula*
Besitzer (von) *umwogne* 1
bestäuben, abfärben, beschmutzen *nelusa*
bestaubt, weiß, schmutzig sein *neluka*
besteigen *toḡa*, *toḡela*
bestrafen *vunya*
bestreiten, leugnen *kanika*

besuchen *lola*
betasten *avasa*
beten *esaja*
betrunken, berauscht sein. auch vom Tabak *ḡala*: — machen, berauschen *ḡatsa*
betrüben *suswatsa*
betrügen *teka*, *nwana*, *tsanga*
Betrug *uru-nwasi* 8. *uru-tsange*
betteln *vekula*
beugen. Kopf nach vorn *inama*: — sich, vor Menschen *ḡundama*; — etwas *ḡundamika*
Beutel *um-pako* 2
bewegen *husa*, *husanya*; — sich *husána*
bewirten, beköstigen *lela*; — für jemand Essen bereiten *suḡila*
bewölkt sein, vom Himmel *didivala*
bezahlen *homba*; — belohnen *okela*
biegen *ḡonda*
Biene *ulu-juke* 7. pl. *in-uke*
Bienenkorb *un-tsinga* 2
Bier *uru-ḡembe* 8; — frisch gebrautes, dickes *uru-baḡa* 8
Biertopf, großer *eli-simike* 6, *elijungu* 6, *ulw-engo* 7; auch zum Aufbewahren von Nahrungsmitteln
Bild *eki-hwani* 4
bilden, formen *vumba*; — schaffen *pela*
binden *vopa*, *data*; auf — *vopola*, *dátula*
Binsen *ama-lulu* 6; Binsenmatte *eli-tesu* 6
bitten, erbitten *dova*; — dringend *tekelesa*; — flehen *tekelesa*, *pyela*; — jemand, etwas zu tun, jemand dingen *ḡobeka*, *ḡongola*
bitter *kali*

Blasebalg, großer *eṅgma* 3 (Stamm *kǫma*); — kleiner *um-pakǫ* 2

blasen, anblasen, von Feuer, pusten *pula*

Blatt *elyani* 6 (Stamm *ani*)

blenden, blind machen *bǫsǫtsa*

blind *bǫsu*; — sein *bǫsǫla*; — machen *bǫsǫtsa*

Blinder *umbǫsu* 1 (Stamm *bǫsu*), *umbǫsu amihǫ*

Blitz *enzasi* 3 (Stamm *jasi*)

blitzen *ṅiluka*

blühen, von Bäumen und Sträuchern *dāla*

Blume, Blüte *uvu-luva* 8

Blut *uṅ-kisa* 2

bluten *huma uṅkisa*

Boden, Söller *emi-taṅgetsa* 2 pl. t., *e-kanu* 3, *eli-tala* 6

böse, ärgerlich werden *tǫga elidǫga*; — machen *tǫtsa elidǫga*

böse, erregt, zornig sein *vipa* (mit *gu* konstruiert), *umunu uju gu-vipile* dieser Mensch ist zornig; *gu* Pronominalstamm von *untima*, Sitz der Gefühle

Bogen *ulu-gǫndǫ* 7

Bohne *eli-lulima* 6, pl. *ama-lulima*

Bohrwurm, großer, im Rizinus *eli-vaṅga* 6; — gewöhnlicher *eli-sukutsi* 6

borgen, leihen (nur von jemand) *tāna*

Bosheit *uvu-galagala*

Bote *unsuṅwa* 1 (Stamm *suṅwa*)

Botschaft *undǫmǫ* 2 (Stamm *lǫmǫ*)

braten *hutsula*, Perf. *ile* = *hutsulile*

brauen *eṅga*

Brausen des Sturmes *ulu-kuvelelǫ* 7

Braut, Verlobte *uṅyavutegǫhwa*; Bräutigam *uṅkuvapo*; Brautwerber *untuni*

brechen, knicken *deṅya*, intrans. *deṅyeka*

zum Brechen neigen *didivala*; — reizen *dēsa*

Brei *uvu-gala* 8, *uvu-pita* 8

breiig machen *suduga*

Brei rühren *dyǫga*, *vǫmba*

Brenneisen *umw-embǫ* 2

brennen, hell = lodern *vīka*; — im Feuer, heiß sein *pia*

Brennholz *iṅyagala* 7, sing. *ulu-hagala*; — sammeln *hagala*

bringen, tragen, führen *gega*; — von mehreren zusammen *gegelǫtsa*; her-, herzu- *leta*, *lęta*

Brocken, Brosamen, Überbleibsel *aka-vuṅgujukelǫ* 5, *aka-lagalela* 5, *aka-meṅyukela* 5, *aka-sigalela* 5

brüllen *kuluma*

brüten *ovata*

Brust *eki-pambaga* 4, weibl. *eli-velę* 6

Brustbein *eky-amembę* 4

Buckel, vom Menschen *eky-ombę* 4; vom Rind *eki-pasǫ* 4

bücken, sich *gundama*

Büffel *em-bǫgǫ* 3

Bulle, Ochse *eṅambaku* 3 (Stamm *kambaku*)

Bündel, Gras, Lianen usw. *eṅgǫsa* 3 (Stamm *gǫsa*); — Erbsengarben *ulu-kusu* 7, pl. *iṅusu*

Bursche *undumę* 1 (Stamm *lumę*)

Buschlaus *eli-kaṅgalambwa* 6

Butter *eky-ebakǫ* 4

c

Chamäleon *ulu-tanatsi* 7

d

Dach *imagalǫ* 3 pl.

Dach abdecken *kūlula*

Dachsparren und -verzierung *ama-paḍalǫ* 6

davonlaufen, wenn geschlagen, verziehen *hẹma*

decken, Dach *sweka*; — von Tieren *tanda*, *veṅga*; — Tisch *tandeka*

dehnen, sich, dehnbar sein *duḷúmbuka*; — etwas *duḷumbula* trans.

denken, nachdenken *saḍa*; — an jemand, jemanden bedenken, bemitleiden *saḍela*; — = nachdenken, überlegen *saḍaṅya, saḍaṅyuka*

dichten *aḍuḷa*

dick, fett *dutu*; — werden *dutuba* — sauer werden, von Milch, Bier *ḷuḷa*; — aufgetrieben sein, von Leib *ḷunḍuvaḷa*

Dieb *ǫmetsi* (Stamm *hetsi*), *ǫndyasi* (Stamm *ḷyasi*)

dienstbereit, anhänglich sein *temẹka*

Ding *ekị-nu* 4, *ekị-tuṅga* 4

donnern, brüllen *kuḷuma*

Dorf *isi-jumba* 4 p. t., *eḷị-tsumbẹ* 6

Dornen *emị-tuḷa* 2 pl., *ama-tuḷa* 6, *emị-twiṅyo* 2, *ama-twiṅyo* 6

Draht ziehen *küḷüḷa*

drängen, jemand zu etwas *tūḷa, tūḷiḷila*; — schieben, stoßen *kuḷuḍa*; — einander *kuḷuḍana*; — zwingen, zu etwas *tuṅguvaḷa*; — *tuṅguveka*

drehen, etwas herumdrehen *ṅyǫ-ṅgǫla*; — Grasring *tsiṅga*; — Seil *bǫta*

dreschen *kuvata*

Dreschstock *ekị-kuvatelǫ* 4

drohen, bedrohen, verbieten *sīṅga*; — mit Finger oder Stock *sǫsǫḷa*

drücken, etwas *dida*

dumm, töricht *tsimu*

Dummheit, Torheit *ǫvǫ-tsimu* 8

Dung von Kühen usw. *endakamba* 3 (Stamm *dakamba*); — von Ziegen usw. *imbuḷuḷu* 3 (Stamm *vuḷuḷu*)

durchlöchern, durchbohren *tǫlǫḷa, peḷeḍeta, düḷüḷa*

durchregnen, beim Hause, durchtropfen, -laufen vom Gefäß *huḷuḷa*

durchstoßen mit Speer (Tür oder Wand) *hǫlǫḍota*; — der Knoten im Bambus, Rohr usw. *puḷuḍuta*

durstig sein, dursten *omeḷva*

e

eben sein *teḷevaḷa, tyẹḷevaḷa*

Ebene *ụn-tẹḷẹ* 2

ehebrechen *ḷiḍupa*

Ehebruch *ǫvǫ-ḷiḍu* 8

Ei *eḷị-kana* 6

einengen, bedrängen *baṅyilitsa*

einfordern, immerwährend Schuld, mahnen *jümba*

eingehen *iṅgiḷa*

einkaufen *sụma*

einladen *iḷaṅga*

einreißen *paṅguḷa*

einschlafen, einnicken *sinziḷa*

einschläfern, niederlegen, zum Schlafen bringen *ḍǫṅya*

einstampfen, in Korb usw. *sǫkẹḷa*

einstecken, Schwert in die Scheide usw. *swẹka*

eintauchen *saba, tsāba, sāsa*

einweichen *ḷǫvẹka*; — Kafferkorn *tswija*

einwickeln *ṅyeṅgeḷeḷa*

einziehen, Leib *ẹna, eneḷẹḷa*

Eisen (wie es gegraben wird) *ụn-dapǫ* 2 (Stamm *dapǫ*); — (überhaupt) *eky-ụma* 4; — geschmolzenes *ǫvụ-swịka* 8

Eisengrube *eṅǫḷǫkǫḷǫ* 3 (Stamm *kǫḷǫkǫḷǫ*)

Eisenstücke, geschmiedet *e-sqva* 3
Eiter (in den Augen) *un-dododa* 2
ekeln intrans. *nyalapwa*
Elefant *etsungwa* (ohne Nasal) 3
Ellenbogen *eli-sukulunu* 6
Eltern *ava-vaha*, *ava-dada*, *avajuva*
emporheben *pemba*, *inula*
eng *siviye*; — zulaufend nach oben
sukumbe Adj.; — zulaufen lassen,
Körbe also flechten usw., daß
sie flaschenartig gestaltet sind
sukumbika
Engerling *eli-mbenga* 6
entdecken, etwas, es offenbaren
lovolela
entgegengehen, mit Erfrischung
oder Essen *henanitsa*
entgehen, einer Gefahr *pqna*, *sumuka*; — entschlüpfen lassen
sumusa, *lusa*
entlassen, jemand, freilassen, Erlaubnis zum Gehen geben *tavula*
entsagen, vermeiden *jungula*
entschlüpfen, entkommen, aus der
Hand entgleiten *sumuka*; —
lassen *sumusa*
entweichen, sich heimlich entfernen
nyemeluka
entwenden, etwas im Vorübergehen
kwalavatula
entwirren, aufheddern *tsagalula*
entwirrt, aufgeheddert sein *tsajaluka*
entwöhnen trans. *lesa*
entwöhnt sein *lesivva*
Entwöhnung *uvu-lesivva* 8
entwurzeln, Fällen von Bäumen
konya
entwurzelt sein, von Bäumen *konyeka*
entzwei reißen, machen *mamula*;
— gehen, dünn, fadenscheinig
sein *mamuka*

Erbarmen *e-kesa* 3 s. t.
erbarmen, sich, Mitleid haben *lilela*
ekesa = *esajela*
Erbe, das, *unyakuhala pa nyumba*
erben *hala pa*
Erbsen *ama-vwolo*
Erde, Land, Welt *eki-lunga* 4;
— auch *eni* (Stamm *ki*) 3
erfragen, etwas genau *simanza*; —
erforschen, nachfragen *singutsa*,
singutsanya
ergeben, sich *toka*, *leva*
ergreifen *ibata*
erhängen, jemand *tuleka*; — sich
etuleka
erhöhen, ehren, aufrichten *emeka*;
— durch Unterlagen *hajula*, *ha-
julila*, *hajusa*
erhöht sein durch Unterlegen *ha-
juka*
erhöhen, etwas, hochheben *husa*
erinnern trans. u. intrans. *kumbuhetsa*
erlassen, Sünde *syekela*
erlösen, durch Loskauf *vanga*; —
befreien, losbinden *vqpola*; —
erretten *pqka*
ermatten, verschmachten *jetuka*;
— *toka*
ermüden = müde sein *jatala*; —
jemanden *jatatsa*
ernähren, erziehen *hotsa*, *kutsa*
Ernährer *unyakukutsa*, *unyakuhotsa*
Ernte des Kafferkorns *em-bene* 3.
ernten, von kleiner Kafferhirse *bena*;
— von Mais, großer Kafferhirse
jonza; — von Erbsen, Bohnen
kovata; — von kleiner Bohnen-
und Linsenart *swaba*
Erretter *umpoki*, *umbangi* (Stamm
vangi)
errettet sein *pqna*; — vom Tode *hoka*

erscheinen, vom Monde *vaḷeka*; — sichtbar werden *oṇeka*

erschrecken, zusammenfahren *ġinzamuka*

erschrecken *keṅyemuka*; — jemand *keṅyemusa*, *dwatsa*

erspähen, günstige Gelegenheit *vanda*

ersticken, überwuchern *hoḷoġotetsa*, *hopotsa*

erwachen *sisimuḷa*

erwachsen, mannbar sein *hodekeḷa*

Erwachsener *umbaha* (Stamm *vaha*)

erwerben *kava*

erwürgen *ġoġa*; — durch Drücken mit Daumen am Halse *dǫda*

erzählen, sagen *paṅga*

erzählen (Märchen, Geschichten) *tsaġa* (*ekitsaġo*)

Esel *eḷi-ġodǫwe* 6; — auch *emuṇda* (Stamm *puṇda*)

Essen, Nahrungsmittel *isi-nu* 4 pl. t.; — schmackhaftes *isi-totsi* 4 pl. t. und *isinu isitǫtsi*; — vom Feuer nehmen *simuḷa*; — vom Feuer nehmen und auftun *ipuḷa*

essen *lya*, *eḷelwa*; — am Tage, sich stärken zur Arbeit usw. *ḷāvuka*; — zur Nacht *lya isya kweḷoṇeka*; — zuviel *tsuḷa*

Eule *enuḷe* 3 (Stamm *tuḷe*)

Europäer *un-suṅgu*

Euter *eḷi-saṅguḷa* 6

f

Faden (Zwirn, Wolle) *uḷu-savuḷwa* 7

fächeln mit Blättern oder Zweig *vuvuṣa*

Fackel *eḷi-ḷaṅgamuḷi* 6 = *e-susa* 3

Falle zum lebend fangen *eki-ṅkoṅgoḷo* 4; — Schlag- *eḷi-kēnza* 6; — kleine Schlag- *eḷi-ḷēva* 6

fallen *ġwa*; — auf etwas, es erdrücken, bedecken *eḷekeḷa*; — lassen, fällen *ġwesa*

fangen, auffangen *tapa*; — mit Falle usw. *teġa*; — mit Lockspeise *teġeḷa*

Farren, große *ama-keṭe* 6; — kleine *utu-ṅeteṇeṭe* 5

Färse *endama* 3 (Stamm *ḷama*)

fassen, halten *ibata* s. d.

faul (Holz) *vǫsu*; — (Mensch usw.) *oḷo*

faulen, verderben (Holz usw.) *vǫla*; — (Gras, Erdstücke bei Beeten, Fleisch) *sünda*

Faulheit *uḷu-duḷuḷu* 7

Faust *eṇoṇde* 3 (Stamm *kǫnde*)

Feder *eḷi-buḍe* 6, *eḷi-tswa* 6, *eḷi-ġaḷa* 6

Federbusch *un-tuṇdwana* 2; — großer *en-dukuta* 3

fegen, reinigen *kuna*; — gut, sauber *ḷaṅguḷa*; gefegt sein, gut, sauber *ḷaṅguka*

Fehler, Krüppelhaftigkeit *uvu-ḷema* 8

feien, Land und Leute gegen Krankheit oder Feinde, durch Zaubermedizin *suḍuḷa*

Feige, wild *uṅ-kujo* 2

Feigling *uṅdwatsi* (Stamm *dwatsi*) 1

fein, weich, kostbar, von Zeug *ṅyoḍotasu*

Feind *un-tavaṅgwa* 1; *eṅ-gǫsǫ* 3 (mit *ḷi*) z. B. *tuḷi ṅgoṣǫ* wir sind Feinde

Feindschaft *uvu-tavaṅgwa* 8, *eṅgoṣǫ* 3 (Stamm *ġoṣǫ*)

Fell abziehen *ovuḷa*

Fels *uḷu-naḷavwe* 7 s. t.

Ferse, Hacken *ekị-sevġja* 4

fertigstellen, beendigen *maḷa* s. d.

festen Fuß fassen, sich feststellen
auf glatten Wegen usw. *tata* ==
ętǫęka
Festgewachsenes *ekį-męla* 4
feststampfen *dǫmęla*
feststehen *ńyoilįla*
feststellen *ńyoilitsa*
Fett, Butter *ama-suta* 6 p. t.
feucht, beschlagen sein *ńyęka*; adj.
ńyęsu
Feuer *umw-ǫtǫ* 2; -herd, -stelle
ekį-kǫtsǫ 4; — anlegen *ńyańya*
feuern, Feuer anzünden, heizen
kǫtsa
Feuerschein *ulu-ńalǫ* 7 s. t.
Feuerprobe anwenden *pugutsa*; —
erdulden *pugula*
Fieber *enędítsuva* 3 (Stamm *tędítsuva*), *emuńgu* (Stamm *puńgu*)
finden *vǫna*; — was vor langer
Zeit verloren war *sakula*
Finger und Zehe, auch Fingernagel
ulu-kǫnzę 7, pl. *ińǫnzę*
finster sein, blicken *sįsa*, *sįsivala*,
sįsilińana; adj. dunkel *titu*
Finsternis *uvu-titu* 8
Fisch *e-sǫmba* 3
fischen *lǫva*
Fischer *undǫvi* 1 (Stamm *lǫvi*)
flach *badębadę*; — machen *bada*;
— durch Abhauen von Holz usw.
banda
flach *pabatę*; — machen, abflachen
pabateka
flach sein, Korb, Teller, Loch
tęsędala; — machen, Korb,Teller;
— graben, Loch *tęsędeka*
Flasche *ekį-bakę* 4
Fledermaus *ekį-vukǫdǫta* 4
flechten *hǫna*, *luka*; — Tabak,
Schürzen für kleine Kinder *tiva*
flehen, flehentlich bitten *tękęlęsa*

Fleisch *e-ńyama* 3
Flicken *ekį-pavekęlǫ* 4
flicken *pabeka*; aufflicken *pabekęla*
Fliege *ęlį-ryrусi* 6
fliegen *guluka*
fliehen, davonlaufen *kįmbęla*; — ausrücken, geschlagen sein *kunuka*
Floh *undumi* 2 (Stamm *lumi*), *enzusi*
3 (Stamm *tsusi*); Sand- *ęlį-tękęńya* 6
Flöte *ulu-kęlęma* 7
Fluch, Verdammnis *ulu-kǫtǫ* 7 s. t.
Flügel *ama-papatęlǫ* 6
flüstern, leise reden *nǫńǫna*; —
dauernd *hęhęlęla*; in die Ohren
blasen *hęha*
Fluß *ulu-dasi*, pl. *ińgasi*; -tal *ekį-hulu* 4; -übergang *ekį-lǫvǫkǫ* 4;
— überschreiten *lǫvǫka*; — hin
und zurück überschreiten *lǫvǫ-ńańya*
folgen, nachfolgen *kǫńga*, *kǫńgana*;
verfolgen *kunda*
Fontanelle *ulw-odǫsi* 7 s. t.
fordern, bitten, etwas im voraus
pęńga
formen *vumba*
fortgehen *vuka*
fortreißen, mitfortschwemmen, vom
Fluß *pępa*; — mitfortreißen, vom
Fluß = schleifen *kulunula*
fortstoßen, -schleudern mit Fuß
oder Stock *ńyalula*; fortgestoßen
sein mit Fuß *ńyaluka*
fragen *vutsa*; — immerzu, als ob
man eine Sache nicht recht gehört hätte *hǫtsa*
Frau *un-dala* 1
Frauengurt, feingeflochtener *uvu-duńga* 8; — grobgeflochtener
uvu-tivu 8; -schürze *emį-kendo* 2
Freigebiger *um-pę*

Freigebigkeit _uvu-pe_ 8
Fremder _un-genzi_, _umenza_ (Stamm _henza_)
Freude _ulu-hekelu_ 7 s. t.
freuen, sich _kela_
Freundschaft _ulu-kolo_ 7 = _embija_ 3 (Stamm _vija_)
Friede _ulu-notschetso_ 7
frieren, zittern vor Kälte oder Nässe _helela_
frisch, grün, unreif, naß _igu_
frösteln, beben vor Kälte _kovakova_
Fruchtbaum _eli-vengi_ 6
Fruchttragen, -bringen _hopa_ (_iseke_)
früh aufsein, früh aufbrechen _lava_
führen _longolela_; — leiten, Kranke, Blinde _kodosa_; — etwas zum Munde _tsuga_
Führer _undongotsi_ (Stamm _longotsi_)
Furcht _ulu-dwado_ 7; in Furcht versetzen durch Vorhaltung einer Schuld _jujuvatsa_
fürchten _dwada_; — machen, Furcht einjagen _dwatsa_; — sich, zittern vor Furcht _detema_; — sich, wenn verschuldet _jujuvala_
Fuß _ulw-ajo_ 7, pl. _inzajo_; — von Bergen usw. _ulw-etseni_ 7
füttern, jemand _punza_, _tsutsa_

G

Gabe, erbetene _eki-dovano_ 4, _eki-pevwa_ 4, _uvu-pevwa_ 8
gackern _tetela_
Galle _enyongo_ 3 (Stamm _hongo_)
Garten _un-gunda_ 2; — kleiner, für Kafferkorn _eli-levutsi_ 6
Gatte _un-gosi_
Gattin _yn-däla_
Gaumen _uvu-lega_ 8
gebären, Menschen _hola_; — Vieh _papa_

geben _pa_; — wenig _koiya_
Gebet _ulw-esajo_ 7
gebogen sein _bedama_, _gondama_
Geburt _uvu-holwe_ 8
Geburtshaus _ely-eve_ 6
Gebüsch _eli-hanzi_ 6
Gedanken, das Denken _ama-sajo_ 6 p., _ulw-esagelo_ 7
Gedärme _uvu-tumbu_ 8
gefangen haben, etwas, Fische, Wild _onza_
Gefangener _un-kunge_
Gefäß _eki-hava_ 4; halbe Kürbis-flasche _eki-hela_ 4, _eli-hela_ 6; — zum Schöpfen _ulu-natsi_ 7; — von Holz _eki-tule_ 4; — zum Trinken _eki-nywelo_ 4, _aka-nywelo_ 5
gegenüberstehen, -sein usw. _tegenana_; — -stellen usw. _tegenanya_
gehen, irgendwohin _beha_, _vuka_; — vorüber _luta_; — (überhaupt) _genda_; — machen _genza_; — nach Hause, — von der Arbeit nach Hause _godoka_; — weit _levalgva_; — schnell _kwavuka_; — stracks, ohne Aufenthalt _tupa_; — aus dem Wege _hega_, _hena_; — nicht aus dem Wege _däda_; — ohne Aufenthalt, ohne sich umzusehen _pola_, _polapola_, _polanika_; — aus dem Licht, aus der Sonne _sekula_
gehört, ruchbar, bekannt sein _pulo-keka_
Geist _um-pepo_ 1
geizen _ima_
Geizhals _umwimi_ 1 (Stamm _imi_)
geizig sein _konyeka_
Gekauftes _uvu-gule_ 8
gekrümmt sein, von Hacken _teveka_; — sein, von Beinen _tgvama_
Gelächter _ulu-heko_ 7 s. t.

Gemeinschaft, Stamm _uṅ-kulu_ 2; Gemeinde _um-pelela_ 2

Gemüse _ulu-boḍa_ 7

Genick _eṅ-goṣi_ 3, _uṅ-goṣi_ 2

Gepard _eli-bwi_ 6

gerade, gerecht, richtig _doloṣu_; — gerecht, richtig sein _doloka_; — richten _dolola_; — richten, recht handeln, ausstrecken _dolosa_; — sein, aufrecht stehen. Korb, Topf _tsiṅgevala_; — stellen, aufrichten _tsiṅgeveka_

gerben _ṅyuka_ s. d.

Gerechtigkeit _uvu-doloṣu_ 8

gerinnen _ḍaḍa_

gern haben, Verlangen haben nach, wollen _noḍwa_

Gesandter _un-suṅwa_

Gesäß, Hintere _eli-dako_ 6, pl. _amadako_

Geschichte, Erzählung _e-noṅgwa_ 3

Geschlecht, Nachkommenschaft _eki-vumbuko_ 4; — Familie _eki-papo_ 4

Geschwulst, große, an Kopf und Ellenbogen _eṅ-geleka_ 3 (Stamm _ḍeleka_); — große, an Stirn und Genick _endundulima_ 3 (Stamm _hundulima_); — überhaupt _e-noni_ 3

Geschwür _eli-vulatsi_ 6, _ely-ulu_ 6; — an Gesäß und Lenden _embelede_ 3 (Stamm _velede_)

Gesetz _ulu-ladelo_ 7

Gestell vom Blasebalg _un-suvu_ 2; — um etwas daraufzustellen _eki-sanza_ 4

Gesträuch _eli-sasi_ 6, pl. _amasasi_

getreten sein, von Wegen _konda_; dieselben treten _konza_

gewöhnen, sich _tsovela_, _tsovelela_

Gicht _ama-susa_ 6 p. t.

Gift _uṅ-kali_ 2; Gegengift _eki-vyuka_ 4

glänzen, blank sein _leṅgaleṅga_

glatt machen, durch Betreten _kula_; — sein. betreten sein. Fläche bilden _kulika_

glatt sein, von Wegen _tielela_; — machen, von Wegen _tieletsa_

Glätte (der Wege bei Regen) _ulu-ṅyeti_ 7 s. t.

glätten, gespaltenen Bambus _eha_

Glatze _ulu-pala_ 7

Glaube _ulwedēko_ 7 (Stamm _edeko_)

glauben _edeka_

gleichen, aussehen wie _hwana_

gleich sein, ähnlich sein _hwanana_

gleich machen, ähnlich machen _hwanaṅya_

gleich machen, ausgleichen _liṅga_. _liṅaṅya_

gleich sein _liṅana_

Gleichnis _eki-hwaṅihitso_ 4

Glocke _eli-vaṅgala_ 6

Gluckern des Wassers _duduma_; — beim Schöpfen mit Flasche _dudumya_

glücklich, zufrieden, selig sein _saṅgaluka_; — zufrieden, selig machen _saṅgalusa_; — froh usw. sein _hoṅgela_

Glückwunsch der Wöchnerin aussprechen, nach der Geburt eines Kindes _sonesa_ _ulusoṇo_; — nach Geburt _ulu-soṇo_ 7

Gnade _ulu-huṅgo_ 7 s. t.

Gott _Uṅguluve_ (Stamm _ṅguluve_)

Götzen, Ahnen, der Untertanen _emi-luṅgu_; — der Häuptlinge _ama-ṅguluve_

Grab _eli-ḍuli_ 6 = _emombwe_ 3 (Stamm _pombwe_)

Graben _un-sinzi_ 2

graben _java_; — tief _holoṅga_

Gras _eli-ṅyasi_ 6

grausam _talamu_

grausam sein *talama*, *säsa*
Grausamkeit *ulu-kana* 7 s. t.
Greis, Greisin *uṅ-gogolo*; — Grau-
kopf *unyanyamboka*
Grenze (zwischen Äckern) *uṅ-kusu*
2;— *emaka* 3 (Stamm *paka*)
groß, dick, breit *vaha*
Großmutter (meine) *upapa* (ohne
Nasal); Großvater (mein) *ukuku*,
(ohne Nasal s. Verwandtschafts-
namen)
Gummi *um-pela* 2
Gummiliane *ulu-kanaña* 7
Gurgel *uṅ-koṅgomela* 2
gut, schön usw. sein *noga* s. d.;
— schön usw. machen *notsa* s. d.;
— schön Adj. *nonu*; — schön
Adv. *vunonu*, *kanonu*
Güte *uvu-nonu* 8

h

Haar *ulu-jwili* 7 s. t.; — der Tiere
ulw-aje 7 s. t.; Haar = Mähne
ulu-segele 7 s. t.
Haare ausreißen *külula*
Habicht *eli-ṅgaleṅga* 6
Hagel *ama-vwe* 6 pl. t.
Hahn *enongobe* (Stamm *koṅgobe*)
Halm, Stengel des kleinen Kaffer-
korns *ulu-belede* 7
Hals *un-siṅgo* 2
halten, erfassen am Handgelenk
komba
Hammer *emondelo* 3 (Stamm *po-*
ndelo)
hämmern, meißeln *koṅona*
Hamster *e-swava* 3
Hand s. auch Arm *eki-voko* 4, pl.
amavoko
Handfläche *eki-ganza* 4
Händler *unyavugutsi*
Hanf *enzaṅga* 3 (Stamm *tsaṅga*)

hängen intrans. *tumbéla*
Harem, Vielweiberei *emi-tala* 2 p. t.
harren *pulekela*, *linda*
hart *omu*, *kaṅgasu*; — werden *oma*,
kaṅgala, *gilimbala*; — machen
kaṅgatsa, *gilimbatsa*; — fest,
mutig sein *kaṅgala*, *ekaṅgatsa*,
Adj. *kaṅgasu*; — fest, mutig
machen *kaṅgatsa*
Hase *e-sude* 3
hassen *sola*
Hauch *umw-oja* 2
hauen = einhauen mit Haumesser
oder Hacke *tema*
Haufe, großer *eki-puga* 4, *eli-*
puga 6; — kleiner *eki-hope* 4;
— stillsitzender Menschen *eki-*
vusila 4
Haumesser zur Arbeit *enyeṅgo* 3
(Stamm *heṅgo*); — zur Zierde
e-hula 3 (ohne Nasal)
Haupt *un-twe* 2
Häuptling, großer *uṅkuludeva* 1;
— kleiner *untwa* (Stamm *twa*) 1
Häuptlingsfrau *umwehe* (Stamm
ehe) 1
Häuptlingssitz, -schaft *ulu-deva* 7
Haus *enyumba* 3 (Stamm *jumba*),
e-saka 3, *eli-heve* 6; Geburtshaus
ely-eve 6; Wochenhaus *eky-ale* 4;
Frauenhaus *eli-mali* 6
heben *pemba*
hebeln *piga*
Hebestange *eki-pigelo* 4
Hecke, Zaun *ulu-vego* 7
heil werden *pona*
heilen *ponya*, Perf. *itse*, Rel. *ponehetsa*
Heiland *umpoki*, *umbaṅgi* 1 (Stamm
vaṅgi)
heilig, gefürchtet *valatse*
Heiligtum *uvu-valatse* 8
heiraten *tegola*

heiser sein, reden, überspringen der Stimme *lalela elimeńyu*

heiß sein, von Sonnenhitze *vala*; — Speise usw., Mensch im Fieber *piopa*

Heißes essen, es im Munde hin und her drehen *lyulyusa*

heiter, helle werden, von Himmel und Mensch *penzéluka*; — machen, erfreuen *penzélula*

helfen, beistehen *tanga*; — machen, durch Nachfragen, Nachforschen nach einem Diebe usw. *tanza*

Helle, Helligkeit *uvu-valasu* 8

helle werden, sich aufklären *kya*

hemmen, aufhalten, nicht durchlassen *sija, ibata*; — hindern *pēnza*

Hemmnis beseitigen *vusa, hetsa*, — beseitigen im Walde *penza*

Henne *engmba* (Stamm *temba*)

herabfallen, von hoch *tumbuka*; — machen *tumbula*; — von kleinen Wasserfällen *tsulula*

herabstürzen, von Wasserfall *salala, salama*; — *dima, tumbuka*

herausfordernde Stellung einnehmen *daleka*

herausgehen, herkommen von, aus *huma*

herausbringen *humya*

herausholen, Dorn, Sandflöhe *tipula*

herauskommen *huma*

herausnehmen, auspacken aus Sack usw. *hwangula*

herausquellen von *enoleko* aus dem Stiel *tuta*

herausreden, jemand, daß er unschuldig erscheint *kupa*

herausziehen, Schwert aus der Scheide, Nagel aus der Wand usw. *swekula*

Herde *eki-demo* 4

Herr, kleiner Häuptling *un-koa* 1

herumgehen, rund herum *tsungutela*; — machen, umzingeln *tsungutetsa*

herumstehen, herumlungern *deda, dedama*

heruntergehen, -kommen, -steigen, -klettern *ika*

herunterlassen, erniedrigen, demütigen *isa*; — sich, erniedrigen, demütigen *ejisa*

hervorquellen *dcibuka*

hervorstehen der Zähne *sása*

Herz *enumbula* 3 (Stamm *tumbula*)

Heuschrecke *eli-kevale* 6

heute *elelo*

Himmel *kukyańya*

hinaufsteigen, aufsteigen *toja*

hinausgehen *huma*

hinbringen, übergeben, jemand *haleka*

hindern, hinderlich sein, fallen machen *pēnza*

hineingehen *ingila*; — lassen, hineinbringen *ingitsa*

hineinlegen, -stecken in Sack, Tasche, Kasten *hwanga*

hineinsehen, hinausspähen *hungelela*

hinken *kundiajila*

hinlegen, etwas *gonya*

hinten *mbele* mit Lok.

hinter *nkongo* mit Lok.

Hinterkopf *en-gano* 3 (Stamm *gano*)

hin und her fliegen von Vögeln *jungula*

hin und her reden, suchen *haja*

hinweghehen, über etwas *gelusa*

hinweisen, jemand, etwas zeigen *lungekela*

224

hinwerfen, mit Gewalt, daß etwas zerschellt *bametsa*; — säen *laha*, *sopa*; — werfen überhaupt *laha*; — wegwerfen, verwerfen *taja*

hinzufügen *ongela*, *ongeletsa*

Hirn *uvw-ongo* 8

Hirt *un-demi* 1

Hitze, heiße Zeit *ulu-tsuva* 7 s.

hobeln, glätten, abschaben *pulula*

hochrichten, den Kopf *inámuka*; — die Augen *inámuka amiho*; — jemand den Kopf *inámula*

hocken *honyama*

Hof *ulu-vanza* 7

hoffen, vertrauen *huvela*; — machen = Hoffnung machen *huvetsa*

Hoffnung *uluhuvelo*

Höhle *emanga* 3 (Stamm *panga*)

holen, nehmen *tola*

Holz = Balken, Bretter usw. *eki-beki* 4; — Brennholz *inyajala* 7 pl. t. (Stamm *hagala*), s. *uluhagala* 7

Holzkohle *eli-kala* 6

Holzstuhl, kleiner *eki-nyalwangula* 4, *eki-tamelo* 4

Honig *uvw-oke* 8

Horn, geniales *eli-palasa* 6; — von Tieren, großes Zauberhorn *ulusuja* 7, kleines Zauberhorn *ekyuve* 4

hören *puleka*; —, genau, gehorchen, horchen *pulehetsa*

Hüfte *eki-vino* 4

Hüftknochen *eli-velesupa* 6

Huhn *enuku* 3 (Stamm *kuku*); Rebhuhn *enwale* 3 (Stamm *kwale*)

Hund *embwa* 3 (Stamm *vwa*)

Hunger *enzala* 3 (Stamm *jala*); Hungersnot *ulu-koje* 7 s. t., *uluteka* 7

huren *lijupa*

Hure, Hurer *undiju* 1 (Stamm *liju*)

Hurerei *uvu-liju* 8

Husten *ulu-kohomolo* 7

husten *kohomola*

hüten, gut, daß sich das Vieh vermehrt *pasa*; —, weiden, schauen *dema*

Hüter *undemi*

i j

immer *sikutsoni*

in *mu*

innen *mu*, *jati* mit Lok.

inmitten *jati najati* mit *pa*

irren *jaja*

irreführen *jatsa*

Ischias *eli-bejetsi* 6; *eli-tela* 6

ja, Zustimmung *ena*, *eheju*, *eju*, *vweju*, *jweju*

jagen, verjagen, fortjagen *swina*

Jäger *un-swimi*

Jahr *umw-aka* 2

jäten *tsuva*, *tsuvila*; — mit der Hacke, oberflächlich ackern *kweta*

jemand *umunu*

jetzt *lino*

jucken trans. *nyejesa*; intrans. *nyejela*

Juckstrauch *ulu-vasi* 7

Junge *undume* 1 (Stamm *lume*)

Jüngling *un-sala* 1

k

Kafferhirse, eingeweichte *un-dujudiko* 2, — kleine *uvu-letsi* 8. — große *uvu-pemba* 8

Kaiser *kesale* eingef.

Kalb *engwada* 3 (Stamm *jwada*), — = Färse *endama* 3 (Stamm *lama*)

kalt *tsitsimu*

kalt sein (es ist kalt, es friert) *hēpa* (*eme po*); — werden, ab-kühlen, intrans. *tsitsima*; — machen, trans. *tsitsimya*

Kälte, Frost *eṅala* 3 (Stamm *kala*)

kämpfen, streiten *lwa*, — für jemand oder eine Sache *lwela*

Kantschu, Klopfpeitsche *uvu-jambáⁱla* 8

Katze *e-ṅyavu* 3

kauen *dakula*

kaufen *ǵula*

Kauf *uvu-ǵutsi* 8

Kaufmann *u-ṅyavu-ǵutsi* 1

kehren *kuna*

Kehricht, Schmutz, Müll *ama-kakala* 6 p. t.

Kelch, Schale *ulu-saje* 7

Kern, Same, Frucht *ulu-seke*

Kette *ama-ṅyo lolo*

Kerze *e-ṅyale* 3 Fremdwort

Kies *un-sekelevwe*

Kind *umw-ana* (Stamm *ana*) 1; — kleines *um-menza* 1, *eki-menza* 4

Kindheit *uvw-ana* 8

Kinn *eki-lesu* 4

Kinnlade *endakalaka* 3 (Stamm *lakalaka*)

Kinnbacke *ulu-titula* 7

klagen, jammern *kūta*

Kleid = Überwurf *eki-lundo* 4, — = hemdartiges *uǵw-aṅyiṅgilitsa*

kleiden, sich *esweka, swala*; — jemand *sweka, swaletsa*; — sich gut *lēsuka*

klein, wenig, gering *debe*

Kleinheit *uvu-debe* 8

klein machen, zerkleinern *hǎva, havaṅya, dütsaṅya, ṅeṅya, ṅeṅyaṅya*

klopfen *tova*

Kloß *embumbe* 3 (Stamm *vumbe*); — Kugel *eki-puli* 4

kneifen mit den Fingern *siṅiṅya, tona*

kneten mit den Beinen *kada*; — Brotteig *suǵa*

knieen *suǵama*

Knie *eki-suǵamilo* 4

Kniescheibe *eṅata* 3 (Stamm *kata*)

knirschen, knittern *babadala*; — mit Zähnen *ǵadutsa*

knistern, rauschen, Stroh usw. *sakala*; — machen *sakatsa*; — vom Feuer, auch Kreischen von gebratenem Fleisch im Topf, Kreischen der Kinder *tsotsoma, tsatsama*

Knochen *eki-tsege* 4

Knöchel, Gelenk *eki-butsu* 4

Knoten in Bambus und Rohr *eli-pumbu*

knoten, knüpfen *hodeka*; — zusammen, verknüpfen *hodeṅaṅya, hodeleṅaṅya*

Knüttel *e-sonzo* 3

Koch *un-telesi* 1

kochen *teleka*; — Wellen schlagen *jevula*

Kohle = Holz-, auch glühende Kohle *eli-kala* 6

kommen *itsa*

König *uṅ-kuludeva* 1, s. Häuptling

Königreich *ulu-deva* 7

Königtum desgl.

Kopf *un-twe* 2

Kopfende vom Schiff *eki-pula* 4

Kopfputz *un-tunduvana* 2

Kopfring von Borsten usw. *eṅgela* 3 (Stamm *ǵela*)

köpfen M. *vuluǵula*; — bei Hühnern *buduⁱla*

Korb. kleiner, flacher *eki-helo* 4: —
weitmaschiger *eki-isu* 4; — kleiner
hoher *eki-toou* 4; — großer hoher
eki-doto 4; — großer von Bambus *eki-enienzi* 4; — ganz hoher
von Bambus zum Aufbewahren
von Nahrungsmitteln *ulu-twikwi* 7
Kot *ama-kutu* 6 p. t.: — = Morast
ama-daba 6. *ulu-daba* 7
Kraft. Macht. Gewalt *ama-ka* 6 p. t.
Krähe *eli-hove* 6
krähen *nöka*
krank. schwach *tamu*: — sein
tamwa; —. der Pflege bedürfen
rurula
Krankseiende pflegen *rurutsa*
Krankenkost *eli-pembelo* 6 s.
Krankheit *uru-tamu* 8. *eki-swa* 4.
ulu-swa 7. *emuingu* 3 (Stamm
puingu)
kratzen sich. wenn's juckt *jweda*:
— trans. *hata*; —. reißen.
schrammen *beemba*; —. kratzen.
scharren *pala*; —. brennen. im
Halse *tuguta*
Kreis beschreiben *tuingetela*
Kreisel *ulu-dilu* 7. *en-dilu* 3
Arme kreuzen *ekumbata*
Krieg. Feindschaft *uru-toraingwa* 8
Krieger *u-nyaligoha* 1. *u-nyaingoha* 1
Kriegsbotschaft *um-poro* 2
Kriegsgeschrei = -ruf *en-golo* 3
(Stamm *golo*)
Kriegshorn *en-galape* 3 (Stamm
galape)
Kriegsruf ausstoßen *hulutila*. *kola*
engolo
Krippe. Trog *un-tetsi* 2; *eki-tetsi* 4
Kronprinz *u-nyakiroja* 1
krumm sein von Gliedern. einen
Buckel haben *dudumbala*: —
geneigt, gebeugt *golovonde*

Baum. Mensch usw.; — sein
go lovondala. *go gondala*; — sein,
Buckel haben *juingulyuka*
krümmen von Hacken *teva*
Küche *eki-siinye* 4
Kugel = Geschoß *eki-gwwaghwa* 4
Kuh *e-senga* 3; —. die gekalbt
em-bughama 3
Kuhschwanz *un-tsiko* 2
kundschaften *tandela*. *sepa*
Kundschafter *un-tandetsi* 1. *un-sesi* 1
Künstler *u-nyahcotsi* 1
Kupfer *eki-manga* *eki-dunu* 4
küssen *nonela* (Kibena); — gegen-
seitig *nonelana* (Kib.)
Kuß *ulu-nonelo* 7 (Kib.)
Kürbis *ely-uingo* 6; — Art *eli-
denge* 6. *eli-kela* 6; — kleiner
runder *eli-tagala* 6; — Flaschen-
kürbis *eli-tondwe* 6; — = Flasche
eki-deli 4. *eki-denge* 4
Kürbisflasche, abgeschnittene *eli-
hela* 6
Kürbiskern. Same *ulu-juingo* 7
Kürbisranke, flache *ulu-nyantrou* 7
kurz, klein *supi*

l

lachen. auslachen *heka*; — machen,
freundlich sein *hesa*
lächeln *kenrula*
lächerlich machen jemand *hepula*;
— gemacht werden *hepuluca*.
Perf. *hepuikwe*
Land *eki-hunga* 4. auch *eni* 3 gebräuchlich (Stamm *ki*); — =
Acker *eki-limela* 4
lang *tale*
Länge *uru-tale* 8
lange Stiche machen *landatsa*
langsam. leise *sn kamola*
langen Zug bilden *nguna*

lärmen, Geräusch verursachen
pwata, pwatelela
Lärm machen ova
lassen, unterlassen, zurücklassen
leka; — jemand etwas lekela,
lekelanila
Laub, trocknes inakala 3 (Stamm
kakala); — grünes am-ani 6
laufen, schnell kuja; —, schnell,
auch von Feuer bei Grasbränden
lipuka; —, rennen nyila; — auf
etwas zu, Zuflucht suchen nyilila;
— schnell, rennen tsondokela
Laus e-sosolo 3
laut reden, von Menschenmenge
jweta, jwetelela
läuten (Glocke) tova elivangala
Leben uvw-omi 8
lebendig omi
Lebensmittel isinu sya kulya, isinu 4
(Stamm nu) pl. t., esya kulya
Leber un-tima 2 (auch als Sitz der
Gefühle)
lecken myanga; — lassen myanza
Leder ulu-kova 7
Lederschurz, kleiner, der Männer
eki-sava 4
leer ngalavana
legen, sich etwas auf den Kopf
etweka; — sich etwas auf die
Schulter vedala; — jemand etwas
auf den Kopf tweka; — jemand
etwas auf die Schulter vedatsa;
— worauf valeka, deleka; —
überhaupt veka; — Eier laha
Lehrer um-manyisi(Stamm manyisi)1
Leib, Körper umana 2 (Stamm hana)
Leibschmerz, Mittel dagegen, kleine
runde Wurzel eki-lago
Leiche un-simba 2
leicht ebépe
leicht werden ebépuka

Leiter un-todelo 2
lesen emba
leuchten, vom Feuer nala
Leute ava-nu 1
Licht, Leuchte ulu-muli 7; —
Lampe e-nyale 3; — Helligkeit
uvu-valasu 8
Liebe uvu-dane 8
lieben, gern haben dana 8
Liebling un-dane 1
liegen, ruhen dona; — auf dem
Rücken dona enzanza; — auf
der Seite dona lukedi; — auf
dem Bauche ovama
liegen im Sterben puda, levalova
(mit du); umunu dulevalova der
Mensch liegt im Sterben
Lippe undomo 2 (Stamm lomo)
List uvu-dalagala 8
Loch, Grube eli-duli 6; Pflanzloch
eki-vuta 4; — im Zeug eli-duli 6;
großes Wasserloch eki-sidava-
lunge 4, eki-milavademi; Schöpfloch, Brunnenloch eki-sima 4
locken, rufen, die Henne ihre
Küchlein dosolela
Lohe = Feuer ulu-limbo 7
Lohn eky-okelo 4, ama-hombo 6,
ulu-hombo 7; — für Zauberei
und Medizin eli-sungu 6
Löffel ulw-iko 7, pl. inziko, akalelo 5
Lösegeld eli-vango 6, eli-hombo 6
loskaufen, befreien, erlösen vanga,
poka
Löwe eli-bonzu 6
Lüge, Betrug uvu-tsange 8, uvu-
teko 8, uvu-nwasi 8
lügen tsanga, teka, nwana
Lügner un-nwasi 1, un-tsangi 1
Lunge ama-haswa 6 p. t.
Lust uvu-nodwe 8
lüstern sein nodwa

15*

m

machen, tun *gaha*
Macht *ama-ka* 6
Maden *e-sinyo* 3
Madenart *e-somi* 3
Mädchen *umenza* (Stamm *henza*) 1
Magen *eli-tumbu* 6
mager *sokosu*
mager sein, werden *sokoka*
mager machen (vom Bier, wenn man
es lange ausschließlich trinkt)
tsogotsa
mähen, umhauen *henga*
mahlen, fein *dika*; — grob *batsa,
hena*
Mahlstein, großer *ulu-ala* 7; —
kleiner *enyevetelo* 3 (Stamm
hevetelo)
Mähne *ulu-segele* 7
Mais *ama-tsebele* 6
Maisstrunk *eki-tsebeletsi* 4
Malvenart *ulu-hanano* 7
Mann, männlich *un-gosi* 1
Märchen, Rätsel *eki-tsago* 4
Mark *uvu-ondu* 8
markieren, zeichnen *ola*
Maß *eki-gelelo* 4
matt werden, gebändigt werden
toka; matt machen, bändigen *tosa*
Mauer *eli-tsengo* 6
Medizin *un-tuguva* 2
Schmiedemedizin *enanzo* 3 (Stamm
kanzo)
Mehl *uvu-hevete* 8
melken *kama*
Menge *uvwo-olosu* 8
Mensch *umu-nu* 1
messen, versuchen *gela*
Messer *um-mage* 2
Milch *eli-tsiva* 6, *ulu-kamo* 7
Milz *ulu-dengu* 7, *ulu-deniu* 7
Mitleid *e-kesa* 3 ohne Nasal

Monat *umw-etsi* 2
Mond *umw-etsi* 2
morden *buda*
Mörder *um-budi* 1
morgen *kilavo*
morgens, am Morgen *pa-vusiku*
Mörser *eki-tule* 4; -keule *un-
twangela* 2, kleine — *eki-twangela* 4
Mund, Lippe *undomo* 2 (Stamm
lomo)
Mut, Furchtlosigkeit *uvu-sinda-
masu* 8
mutig, beherzt *kisu*; — sein *kiva*;
— machen *kisa*
Mutter (meine) *u-juva* 1 (s. Verwandtschaftsnamen)

n

Nabel *ulu-tumbu* 7
Nadel *ulu-honelo* 7
nachahmen, nachäffen *eja*
nachdenken über etwas, sich sorgen
tungutsima; Perf. *ile*
Nachfolger *un-kongi* 1, *um-pya-
nitsi* 1
nachforschen nach Verlorenem, die
Spur verfolgen, suchen *totela*
Nachgeburt *eli-vaho* 6, *eli-papelo* 6
Nachlese halten *banga, hongla*
Nachricht *undomo* 2 (Stamm *lomo*)
nachsuchen, durchsuchen vom
Feind *penda*
Nacht *eki-lo* s. t. 4, *e-kilo* 3 ohne
Nasal; = Finsternis, Dunkelheit
uvu-titu 8
nackt *lukengele*
Nagel *ely-uma* 6
nähen *hona*
nähern, sich *hegelela*; näherbringen,
-stellen, -legen *hegeletsa*
Name *eli-tavwa* 6
Narbe *eli-vamba* 6

Nase *emeṇọ* 3 (Stamm *peṇọ*)

naß, feucht sein *tọma*; — werden im Tau *tuma*; — machen *tọmya*

Nebel *ulu-kuṅguḍo* 7 s. t.

nebeneinander setzen, stellen, legen, *badeka*, *badenáṅya*

nehmen, in Empfang, von Lohn oder Geschenk 1. *dapa*, Kaus.*dasa*; 2. *dapula*

nehmen = abnehmen usw. -*opa*; — in Empfang, annehmen *opelela*

Neid *aka-vini* 5

neiden, neidisch sein *vina* (mit *ḍu* konstruiert), *viniwa*, *vinika*

neigen, beugen, krümmen etwas *dẹsa*; — biegen *ḍọnda*

neigen, Kopf seitwärts *tsẹmana*; trans. *tsẹmẹka*

neigen, sich, krümmen *ḍọlọvọndala*, *ḍọḍódala*

nein, Verneinung *bakọ*, *baḷi*

nennen *tambula*

Nest *uvw-aswa* 8, *uvu-swa* 8

Nest herstellen zum Brüten (von Menschen) *panza*, Perf. *itsẹ*

Netz, großes, zum Tierfangen und Kürbisflaschentragen *eki-suṅgulo* 4

niederfallen, rollen *beluka*; — machen *belusa*

niederhauen, Gras strichweise *pọla*, *pọlanika*

niederlegen, eine Last *tῡla*

niederwerfen, beim Ringen *hoáṅguletsa*

niemand *si munu* = es ist kein Mensch; im Satz: *nakuḷi ujuṅge uve atuvulẹ* es ist niemand da, der es uns sage

Niere *uvw-aṅyasyalẹ* 8, auch *uvw-anasyalẹ* 8

niesen *tyasámula*

Nilpferdpeitsche *ekị-ṅgọti* 4

Not *uvu-sumbẹ* 8; in Not, in Verlegenheit sein *sumbwa*

neu *pya*

o

oben *kyaṅya* mit Lok.

oberhalb *nẹna* mit Lok.

Ocker, gelber *e-syọḍọ* 3 weißer *eṅ-gusi* 3 (Stamm *ḍusi*) roter *eṅ-gulẹ* 3 (Stamm *ḍulẹ*)

offen sein, auf sein *denduka*

offenbar werden, ans Licht kommen *valaluka*; — machen, ans Licht bringen *valalula*

öffnen, auftun *dendula*

ohne — sein, nicht im Besitz sein von *vula*, *tsila* (mit Präfix des Substantivs verbunden)

Ohr *embulukutu* 3 (Stamm *vulukutu*)

Ohrfeige *eḷi-pi* 6

Ohrwurm *eḷi-lumiḷakaveli* 6

Opfer *ekị-tẹkẹlọ* 4

opfern *tẹkẹla*

Opferstätte *uvu-valatsẹ* 8, *uvu-pẹsọ* 8

Ort, verlassen *eḷi-ḷavwa* 6

P

Pacht *ekị-tumba* 4

Paket *ulu-bina* 7; — machen, in Gras oder Zeug einwickeln *bina*

Panther *eḷi-duma* 6

Papier, Buch usw. *u-kaḷata* 1, pl. *avakaḷata*; *e-kaḷati* 3 (Fremdwörter)

Perlen *ulw-ambọ* 7; Messingperlen *ulu-ḍando* 7

pfänden *ḍọma* s. d.

pflanzen *vyala*

pflanzen, einstecken, von Stecklingen *ọḍẹka*

Pfeil _undaso_ 2 (Stamm _laso_)
Pfeiler _eki-kotsi_ 4; Grundpfeiler
  enundelo 3 (Stamm _kundelo_)
pflegen, Kranken gut zu essen
  geben _kinga_
Pfütze _eli-pululu_ 6
Pilze, nicht eßbare _ama-nyasenga_ 6;
  eßbare _ulu-nuvalya_ 7
plagen, anhaften, von Krankheit
  usw. _gaga_; — jemand ermüden
  gatatsa
Pocken _enduve_ 3 (Stamm _luve_)
Prinz _u-nyakivaga_ 1, _um-papwa_ 1;
  — kleiner _u-tsētsa_ 1 (ohne Nasal)
Prinzessin _ulu-kengele_ 7 (wird aber
  immer als Person behandelt,
  z. B.: _ulukengele avukile_ die Prinzessin ist fortgegangen);— kleine
  eki-lu-kengele 4, _u-tsēla_ (ohne
  Nasal) 1
Prophet, Weissager _u-nyamalago_ 1
prüfen _gela_
pusten _pula_

q

Quaste am Kuhschwanz _uvu-tsiho_ 8
Queckengras _ulu-dīlu_ 7
Quelle _eki-dwibudwibu_ 4, _ulu-
  dwibudwibu_ 7
quer _lukegi_
quer gehen, — sein von Wegen = ab-
  weichen von der Richtung
  pengama

r

Rache _ulu-vujitso_ 7
rächen _vujitsa_
Rächer _u-nyaluvujitso_
rasieren, scheren _keta_
Rasiermesser _ulu-keto_ 7
rasten, von Karawanen _lala_
Rat, Minister _u-nyiwaha_ 1; — Ge-
  richtsrat _u-nyasaga_ 1

ratlos, sprachlos sein _jegama_
Ratschluß, Beschluß, Gedanke _ulu-
  saganyo_ 7 s. t.
Rätsel _eki-tsago_
Rätsel raten _saga isitsago_
Ratte _em-beva_ 3, _enenze_ 3 (Stamm
  kenze), _eli-kenze_ 6
Raub, Geraubtes _eki-pokano_ 4,
  eki-pupano 4
rauben, plündern, Hütten ausräumen _puma_, _pupa_, _goma_
rauben, wieder, wenn man beraubt
  worden _lumbela_
Rauch _ely-osi_ 6
rauchen, Tabak, Hanf _pepa_; —
  vom Feuer usw. _tunilila_
Rauheit des Körpers, Behaarung
  ulu-honza 7; Mensch mit rauhem
  Körper _u-nyalu-honza_ 1
Raum unter Tisch, Bett usw. _eli-
  sungu_ 6 s. t.
räumen, aus dem Wege _lusa_, _hetsa_
Raupe, kleine _eki-hanyasi_ 4; —
  die Jucken verursacht _eli-
  nyekesi_ 6
rauschen, vom Regen usw. _ova_
rechnen, zählen _vala_
recht, gerecht, richtig sein _goloka_;
  — machen _golosa_; adj. _golosu_
reden, sprechen _tsova_, _ta_; — bestellen _longa_; — mit Fistelstimme _nenela_; — leise, flüstern
  pwepa; — etwas, das man nicht
  weiß = schwindeln _pujuka_
Redner _un-tsosi_
Regen _s-sula_ 3
Regenbogen _ulu-kangikulu_ 7
Regen machen _loveka esula_; — vertreiben durch Zauberstock oder
  -horn _sona_
Regenmacher _umotsi_ 1 (Stamm _hotsi_)
Regenzeit _eki-suku_ 4

regnen *tima*; — sanft *ńyulańyula·*
— wenig *jejéma*
Reh, kleines *eńyalutsi* 3 (Stamm *halutsi*)
reich sein *mọta*; — machen *mọsa*
Reicher *ụm-mọsu*, *ụ-ńyamasina* 1, *ụ-ńyavulịmẹ* 1
reiche Ernte haben *mọta*
reichen, bis wohin, grenzen, aufhören *dudja*; — jemand etwas geben *pa*; — jemand etwas zureichen *pẹlẹletsa*
Reichtum *eky-ụma* 4, *ụvụ-mọsu* 8, *ụvụ-lịmẹ* 8
Reif, Frost *eńala* 3 (Stamm *kala*)
reif *vẹsu*
reifen, reif sein *vẹsula*; nicht reif werden, nicht viel Frucht tragen *jejepala*
Reiherart *elị-dẹnzu* 6
rein, weiß, hell *valasu*
rein werden *valala*; — machen *valatsa*
Reinheit *ụvu-valalọ* 8
reinigen, Getreide *pẹtula*; —Sachen *pulusa*; — waschen *husudja*; — ausklopfen *kuńúna*, *pumúna*
Reisekost *e-suka* 3
rennen *ńyila*, *kịmbela*
retten, erretten *pọka*
Retter *ụm-pọki* 1, *ụmbańgi* 1 (Stamm *vańgi*)
richten *heḍja*
Richtplatz *ụlu-ḍjanda* 7
riechen, stinken (intrans.) *nūńa*; — schnüffeln *nūsa*
Riemen *ụlu-kọva* 7
Rind *e-sẹńga* 3; — Ochs, Bulle *eńambaku* 3 (Stamm *kambakụ*); — weibliches, das gekalbt *embuḍuma* 3; — Färse *endama* 3

(Stamm *lama*); — Kalb *eńgwada*
(Stamm *ḍwada*) 3
Rippe von Tieren *ụlu-kembetsi* 7; von Menschen *ụlu-vasu* 7
Rizinusstaude *ụlu-vọno* 7 s.; -öl und -kern 7 pl. *imọno*; -traube und -strunk *ụn-sọḍẹ* 2; -schale *ụvu-kọna* 8; -frucht *ụlu-sēḍẹlẹ* 7
Rohr, Schilf *elị-ḍuḍu* 6
Rohrklapper *ekị-neńgẹlẹ* 4
rösten, Bataten usw. *ńyańya*
rot *duńu*
rot werden *duńupala*
rötlich *ńyańgẹmusi*
Rost *inusu* 3 pl. (Stamm *kusu*)
Rücken *ụń-ḍọńgo* 2; — zudrehen *tumba*, *tụmbańyuka*; Rückgrat *ụlu-delelị* 7
rühmen *lumba*, *ḍińya*, *emika*
rühren, Brei *suḍja*
Rührlöffel *ụn-tẹla* 2
rufen, schreien *ịlańga*, *kuta*; Zusammenrufen vieler *jenza*
Ruhe *ụlu-ḍatalukọ* 7
ruhen *ḍataluka*; — lassen, zur Ruhe bringen *ḍatalusa*
rund *vulụńgẹ*; — sein *vulụńgala*
rund herum umgeben *ńyẹńgẹtẹla*
rupfen, vom Huhn *puńyula*; gerupft sein *puńyuka*
Ruß an Töpfen usw. *ama-ketsi* 6 pl. t.
Rute *ụlu-tuḍuva* 7, *ụlu-bekị* 7
Sack, Beutel *ụm-pakọ* 2
säen *laha*, *sọpa*, *vyala*
Saite *ụlu-ḍi* 7, pl. *ińgi*
Saiteninstrument *elị-ḍombu* 6
sagen, reden, sprechen *tsọva*, *ta*; — jemand etwas = erzählen *vụla*; —, was nicht wahr *dẹlẹlẹsa*
sagen, jemand etwas, überreden *kịta*

sagen, genau, eingehend *simiḷitsa*
salben, einschmieren *baka*
Salz *umwo - iṅyo* 2
salzen, würzen *hďta*
Sand, Erde *umaṅga* 2 (Stamm *haṅga*)
Sandalen *indatu* 3 pl. (Stamm *ḷatu*)
sanft *deḳe*
Sanftmut *uvu - deḳe* 8
Same, Saat *embeju* 3 (Stamm *veju*)
sammeln, aufhäufen *ḷunda*
satt sein *iḍuta*; — machen, sättigen *iḍusa*
sauer *kaḷi*
saugen *nūna*; — mit Zauberhorn *oveka*; durch Strohhalm, Rohr usw., Bier usw. *pemba*; —, vom Säugling *oṅa*
säugen *osa*
Säugling *uḷu - ḍeka* 7, *u - ṅyeḥe* 1
Saugwarzen *iṅy - oṇeḷo* 3
säumen, der Matten *veḷela*; — = zaudern *hāva* (mit Neg. gebraucht *nihāva uḳwitsa* er säumt nicht mit dem Kommen, kommt, ehe man sich es denkt), *kandáma*, *keḷetsa*
sausen, brausen, vom Winde, wehen *kuveḷela*, *kuḍuta*
schaben *keḷeta*
Schaf *eṇoḷo* 3 (Stamm *koḷo*)
schaffen, erschaffen *péḷa*, *hula*
Schakal *eṅeve* 3 (Stamm *keve*), *eḷi-keve* 6
Schale, Pelle *ama-koṇa* 6; —, Rinde *ama - banze* 6
Scham *i - soṇi* 3 p. t.
scharf, spitz *uḍe* (adj.)
schärfen, schleifen, wetzen *syuḷa*
scharren, schrammen, kratzen *dǎna*
Schatten, von Menschen *umw-esesi* 2, *umw-itsitsi* 2; — überhaupt *un - tsitsimiḷa* 2
Schatz (Reichtum) *eky-uma* 4

Schaum *eḷi- huve* 6
scheinen (von Sonne und Mond) *vaḷa*; — = leuchten (von Feuer) *ṅaḷa*
schelten *tǎna*; — (beim Geben) *ḳuḍuḷa*
Scherben *uḷu - sēpo* 7
Scherz, Spaß *e - suṅgu* 3
Scheune der Leute *eki-bana* 4; — der Herren *eky - aṅga* 4
Schießpulver *uvu - huṅga* 8
Schild, der *eṅ - gwembe* 3 (Stamm *gwembe*)
schimpfen, schmähen *duka*, *saka*, *ḷiga*
Schimmel *eky - uṇdu* 4
schimmeln, beschlagen *tēndēḷeka*
schimmelig machen *tēndēḷēsa*
schlachten (von Großvieh) *tema*
Schlaf *e - tuḷo* 3
schlafen *ḍoṇeḷela*, *ḍona etuḷo*
Schlafloch, tiefes (für Mädchen) *eṅ - gumbwe* 3 (Stamm *ḍumbwe*); — flaches (für heiße Nächte) *eki - sumbu* 4
Schläfe *uḷu - tsetse* 7
schlaff, hängend sein (von Schnur) *hoḍóṇa*; — machen, nachlassen. wenn zu straff *hoḍósa*
schlagen *bitsula*, *tova*, *póṅya*; — blutig = geißeln *doḷoḷa*; — Kopf blutig, — (mit Stock, Knüttel), tüchtig verhauen *ḷika*, Pass. *ḷikwa*; — (mit Stein), aufschlagen *tumba*; — (mit der Faust) *ḍumba neṅoṇde*; —, rammen (mit beiden Händen) *tūta*; — (des Donners) *babaduka*
Schlange *eḷi-laḷwe* 6, *e-ṅyandaḷwe* 3, (dialektisch) *uḷu-joka* 7, pl. *inzoka*; Riesenschlange *eṅyato* 3 (Stamm *hato*)
schlau, listig sein *kaḷaḍaḷa*

schlecht *vivi*

schlecht machen. etwas schlecht ausrichten *ǵaha sivi*; — etwas herabsetzen, um es später selbst zu erwerben usw. *pēṅgesana*; — = faul, stinkend sein *napanza*

schlechte Reden führen *seṅyeluka*

schleichen auf den Zehen *ṅyaduka*; schleichen im Verborgenen (sich nicht ans Licht wagen) *jẹjẹla*

schleifen *syula*

Schleifstein *eli-syulelo* 6

schleudern, spritzen mit der Hand *mitsa*; — (auf etwas sprengen) *mitsila*

schließen (Tür usw.) *denda*; — (Sterbenden Mund und Augen) *vutsa*; — (Hand, Faust machen) *sumbatila*

schlingen, ranken *landála*

schlucken, schlingen *mila*

Schluckauf haben *topola*

Schluckauf *eki-topotsi* 4

Schlund *eki-tapavuḡalẹ* 4

schlüpfen (von Schlangen) *tswẹ-ṅgela*

schmeicheln, rühmen *lumba*

schmelzen (Eisen) *pẹla ekyuma*

Schmelzofen, Hochofen *eli-tendẹ* 6

schmerzen *vava*; — (im Leibe, kneifen) *bīda*

schmerzen, durchgehend, ziehend *sẹlẹma*

Schmetterling *embuluḡusu* 3 (Stamm *vuluḡusu*)

Schmied *um-poṇzi* 1.

Schmiede *ulu-sumbu* 7

schmieden *poṇda*; — = Griff an Hacken *hovela*

Schmuckmuschel, weiße *ulu-patsi* 7 pl. *imatsi*

Schmutzfink *u-ṅyamijuḡulu* 1

schmutzig sein, — werden *lama*, *ǵiduka*; — machen *lamya*; — sein, nichts auf sich geben (von Frauen) *lẹjalẹja*

Schnabelvogel *eli-ṅoṅgo* 6

schnalzen, wenn ärgerlich, — beim Locken der Ziegen *dakulẹla*; — (mit geschlossenen Lippen) *ǵu-dula*

schnarchen *hoṇoṇa*

schnauben, die Nase, sich schnauben) *pẹṅa*

Schnecke *eli-ṅoṅyo* 6

Schneeballstrauch *eli-dẹhani* 6

schneiden, sägen *voḷa*; — ab-, durch-, be- *kẹḡeta*; — Kürbis in Scheiben *kẹ̄ka*; — = einschneiden) *tẹma*

schnitzen *puṇza*

Schnupfen *eli-puṅgu* 6

schöpfen mit der Hand *tuma*; — Wasser *neḡa*, *neḡelela*

Schoten von Erbsen und Bohnen *amakovẹ* 6 pl.

schräg sein, stehen *heṅgama*, *hẹnama*, *sẹnama*, *tsẹ̄mama*; — stellen *heṅgamika*, *heṅgeka*, *seṇẹka*, *tsẹmẹka*

Schuh *eki-kato* 4

Schulter *eli-veḡa* 6

schütteln im Korbe, Getreide wannen *pẹta*

Schütteln der Milch, daß sie zu Butter wird, — überhaupt *huka*

schützen, sich, decken *paǵa*; — beschirmen, jemand *ovata*

Schützer gegen Feuer *eki-seko* 4

Schutzmauer *eli-boma* 5

Schwabe *eli-kulutu* 6, *eli-kavata* 6

Schwager, mein *un-dambaṅgo* 1 usw.; s. Verwandtschaftsnamen

Schwägerin desgl.

234

Schwalbe *embelarela* 3 (Stamm *vg-larela*)

Schwangere *un-tete* 1, *u-nyunigueo* 1, *u-nyimali* 1

Schwangerschaft *uru-tete* 8

schwanken (vom Rohr) *depasuka, kusana*; — (von langen. dünnen Gegenständen) *dopa*; — (von Lianenbrücken *dopa-dopa*; — = wackeln. zu fallen drohen *dungadunga, geja*; — (auf der Kippe stehen) *dungamuka*

Schwanz *un-kila* 2

schwappen (von halbgefüllten Gefäßen beim Tragen) *jugela*

schweben an einer Stelle (von Vögeln) *tsulunigala*

schweig *pole* } alleinstehender
schweigt *poli* } Imperativ

schweigen *nunala*; — machen *nunatsa*

Schwein. wildes *enguehe* 3 (Stamm *guehe*); — gewöhnliches *engube* 3 (Stamm *gube*)

Schweiß *enujutila* 3 (Stamm *tujutila*). *ama-suke* 6

schwellen. anschwellen *simba*

schwer *tsito, nwasi*

Schwester (vom Bruder) *umatsa* 1 (Stamm *hatsa*); — jüngere *unnuna* 1; — ältere *um-mama* 1

Schwiegersohn *uniku* (s. Verwandtschaftsbezeichnungen)

Schwiegertochter desgl.

Schwiegermutter desgl.

Schwiegervater desgl.

Schwiele in der Hand *eli-kosi* 6

schwierig *talamu*

schwimmen *selela*

schwindeln, falsche Klage führen *kuva*; —, von jemand, jemand falsch anklagen *kuvela*

schwindelig sein. sich herumdrehen *tsunigula*; — machen *tsunigutsa*

schwitzen *kebuka, tujutila*

See. Tümpel *eli-lamba* 6
  Nyassa *E-nyanza* 3

Seele *un-tima* 3, als Sitz der Gefühle usw.

Segen *ulu-sajo* 7

segnen *saja*

sehen. erblicken. erkennen *vona, lola*

Sehnsucht haben nach jemand oder nach etwas *sukwa*

sehr *sitso*

Seite. Rippe *ulu-casu* 7

an der Seite *mana*, mit *mu* und *pa*

sein *ca. li*

senden. schicken *suna, omola*

Sendling. Gesandter *un-sunwa* 1

setzen. stellen. legen *veka*; —, sich *tama*; — jemand *tamya*

sichten *ela*

sichtbar sein *voneka*

singen *emba*; — der Gottesgesandten *hweja* (*u*)

sinken, der Sonne *lambalika* s. d.. *levalexa*

sitzen. sich setzen *tama*; — beieinander *tamanya*, nicht *tamana*, da dies keine gute Bedeutung hat; —, krumm wie ein Hund *konombala*

sofort *lino vovulevule*

Sohn. mein *un-swambango* 1 (s. Verwandtschaftsnamen)

Sonne, Uhr, Tag *eli-tsuva* 6

sorgen, sich um etwas, —, daß man krank wird *enyanya enzasi*; —, nachdenken über etwas *tunigutsima*

Spalt, Kluft *ulu-kwoma* 7

spalten, Bambus in schmale Streifen *hāta, hwenula*; — Holz usw. *sanya*
   gespalten sein *sanyika*
Späne, Schnitzel usw. *inakala* 3 (Stamm *kakala*)
spannen, Saite, Bogen *penda, penda ulugonde*
spazieren *gendagenda*
Speer *eli-goha* 6; — zum Stoßen *enduvulwa* 3 (Stamm *luvulwa*). *enguniko* 3 (Stamm *guniko*)
Speichel, Speie *ama-ti* 6 p. t.
speien *beha*
Speise *ésinusya kulya* oder *ésyakulya*
spielen, Instrument *kuva*; —, sich amüsieren *kina*
Spinne *e-sugatsi* 3
Spion *un-tandetsi* 1, *un-sesi* 1
Spitze, von hohen Gegenständen *enasi* 3 (Stamm *tasi*); — beim Boot *eki-pula* 4; — (sonst) *uvūge* 8 (Stamm *uge*)
Sprache *enzovele* 3, *enzovelo* 3 (Stamm *tsovele* und *tsovelo*)
Spreu *umw-elela* 2
springen *tsūmba*; — auf *tsūmbila*
spritzen, vom Wasser beim Schlag usw. intrans. *tsimbuka*; — mit Wasser trans. *tsimbula*
Stadt *uvu-tsenge* 8
Stall *ulu-vaga* 7
Stampfblock *eki-tule* 4
stampfen, zerstampfen, im Mörser usw. *twanga*
stark, fest, reif sein *dülüka*; — machen, trösten *dülüsa*
Stärke *ama-ka* 6
Staub, Pulver *ulu-tikitiki* 7
staunen über etwas, das man zum erstenmal hört *gangdluka*
stechen, speeren *homa*; — stoßen mit Speer oder so tun *tuva, tuvula*

Stechfliege *enyenyenge* 3 (Stamm *henyenge*)
stecken, in die Backentaschen *surata*; —, in einander-, zusammen-. Körbe usw. *omeka, omenanya, omelenanya*
stehen *ema*; — machen = stellen *emya, simika*; —, vom Wasser *kelama*; —, still, unbeweglich. von Menschen *tsulungala*; — hoch, von Hörnern *tsagavala*
stehlen *hetsa*; —, immerwährend. und so die Hütte ausräumen *sävüla*; — auf den Feldern *sela*; — Vieh *komba*
steigen, klettern *toga*; — machen, hochheben *totsa*
Stein *eli-ganga* 6, *enanga* 3
Steine, zum Kochen *ama-suga* 6
Steiß *eki-duku* 4
sterben *swa*; —, plötzlich *ninuka*
Sterben, der Tod *uku-swa* 9
Stern *ulu-tondwe* 7, pl. *inondwe*
Stiel *eky-aka* 4
stillsitzen, nichts tun *jēla, jēlama*
still, ruhig, friedsam sein *litama*
Stimme *eli-menyu* 6
Stirn *eki-bake* 4
stochern in den Zähnen *dokola*; — im Feuer *sukula, suluguta*
Stock mit Knopf *e-sonzo* 3, *ulu-sonzo* 7; — der Frauen *un-saga* 2, *ulu-saga* 7; — (überhaupt) *ulu-tuguva* 7
stöhnen, krächzen, auch mit Baßstimme reden *egima*
Stopfe *ulu-lembo* 7
stopfen *hona ululembe*
stoßen, gegenseitig mit Kopf oder Hörnern, bei Ziegen, Ochsen *twinyana*
stoßen, sich den Fuß *kuvala*

sich stoßen, Kopf *ejumbitsa* (*nuntwe*), wenn betrunken *ekubetsa*

Stößer *engama* 3 (Stamm *gama*), *eki-luvaka* 4

strafen, zurechtweisen *vunga*

Strauch *eli-sasi* 6

streifen trans. *kwasa*

streiten, bestreiten *kanana*; —, kämpfen *lwa*, *tanga*

Streitsache *e-nongwa* 3; —, ausfechten *solenana*

Streitsucht *e-nani* 3 (Stamm *kani*)

Streitsüchtiger *u-nyanani* 1

streuen, hinwerfen, von Samen usw. *sopa*, *laha*; —, bestreuen, bedecken, belegen *landa*, *landelela*, *lagatsa*; —, intrans. herunterfallen, Samen von Blumen usw. *lagala*

Strick *ulu-ledehe* 7

Stuhl *eki-tamelo* 4

stumm, still, schweigsam *kinunu*, *mie* (mit *li*)

Stummer *un-kitatsova* 1, *un-kinunu* 1

stumpf, flach sein *dunungala*; —, flach machen *dunungitsa*; — sein *supala*

Sturm *eli-kuguta* 6

suchen *londa*; —, aufsuchen, aufheben *hala*, *hola*; — zusammenholenanya; —, durch Fühlen mit Stock oder Fuß im Fluß usw. *hanya*; —, nachforschen *totela*

summen der Bienen *vuluvuta*

Sünde, das Böse *ingngwa* 3 (Stamm *nongwa*), *imbivi* 3 (Stamm *vivi*), —, Vergehen *uvu-galo* 8

Sünder *umbivi* 1 (Stamm *vivi*), *un-tulanongwa*, von *tula enongwa*, *un-galo* 1

Suppe *un-tininga* 2

suppig sein, statt fest *lavata*; — machen *lavasa*

süß, angenehm, nicht scharf *posu*

t

Tabak *e-sajo* 3

Tabakspfeife *eki-nyiko* 4, *eki-pelo* 4

Tag *eli-tsuva* 6, Sonntag *elitsuva lya Nguluve*, am Tage *pa munyi*; Tag, an dem nicht gearbeitet werden darf *enywabaho* 3 (Stamm *jwabaho*)

Tagelöhner *un-gongolano* 1, *un-govekwa* 1

Tal *eki-hulu* 4

tanzen, um Geschenke zu erhalten *kumbéla*, *kumbélela*; — Kriegstanz *kima*

tätowieren, impfen, schröpfen *haga* (*imago*)

Tau *ulumi* 7 s. t. (Stamm *umi*)

Taubsein der Ähren *lulala*

taub sein *tsivala*; — machen *tsivatsa*

Taube, wilde *enuta* 3 (Stamm *tuta*); Haus— *engundya* 3 (Stamm *gundya*)

Tauber *un-tsivatsi* 1, *un-kitapuleka* 1

taufen *otsa*

taumeln hin und her *leledeka*

Tauschartikel *eky-ulu* 4

tauschen *ananana*

teilen, abteilen *gava*; — untereinander *gavana*; — austeilen *gavanya*

Testament machen *leka ululeko*

teuer *talamu*

Tochter (meine) *umw-alevango* 1 (Verwandtschaftsnamen)

Tod, das Sterben *eki-swa* 4, *ulu-swa* 7, *uku-swa* 9; tot sein, sterben *swa*

Toller, Verrückter *u - ńyalukwale* 1
Topf *eki-vya* 4; — für Wasser
enzelo 3 (Stamm *jelo*)
Tor, der *un-tsimu* 1, *um-pelwa* 1;
Torheit *uou-tsimu* 8; — *uou-pelwa* 8
töten, entzwei machen *buda*
Totenschädel *eli-ńala lyantwe* 6
tragen auf Schulter *vegala*; — auf
Kopf *etweka*; — (überhaupt)
pemba; — Frucht *hopa*; — auf
dem Arm *pagata*; — auf dem
Rücken *papa*; — unterm Arm,
in der Achselhöhle *swavata*
trampeln, stampfen *gidula*; — kneten
kada; — dreschen von Kafferkorn im Korbe *segedya*
tränken *ńywesa*
Träne *ulw-ihotsi* 7
trauern *tengelemuka*; — machen
tengelemusa
Traum *ama-gonasivi* 6 p. t.; träumen
gona amagonasivi
traurig, betrübt sein *sulama*, *sulu-vala*, *susuvala*, *pupuvala*
treiben, wegtreiben, Vieh usw.
hwaga
treibjagen *haka*
trennen, sich, auseinandergehen
lekeńana; —, auseinanderbringen
lekeńańya
treten *dadeka*; — auf etwas *dade-kela*; — = kneten *kada*; —, Blasebalg *suguta*
trinken *ńywa*; — bückend *inámila*;
— Bier *hopa*; — tüchtig Bier.
viel *tova*
trocken *lagasu*; — *omu* adj.
Trockenheit *uvw-omu*
trocknen, etwas, das vorher naß
war *kińinika* intrans.; — intrans.
lagaluka; — trans. *lagalusa*

Trommel, Kriegstrommel *eli-kule*;
—, Tanztrommel *inengela* (4 Stück
bilden einen Satz) 3 (Stamm
tengela); —, Tanztrommel große
engatinga 3 (Stamm *gatinga*)
tröpfeln, Regen, Tränen *dońyola*;
—, durchregnen, Laufen von
Gefäßen *hulula*
trunken sein *gala*
tun, machen *gaha*; —, etwas ohne
Grund oder Zweck *namańyuka*;
—, etwas in Gemeinschaft *tete-lanila*; —, sich gegenseitig helfen
tangana; —, etwas vorsichtig,
ordentlich *teteńańya*
Tunke *un-gasi* 2, *umotsi* 2 (Stamm
hotsi)
Tür, Tor, Öffnung *undyańgo* 2
(Stamm *lyańgo*); *ulw-itsi* 7; — im
Dorf *eki-beto* 4; — am Tor von
aufgereihten Bambusstangen *uvu-mongolo* 8; —, kleine *eli-bama-ndila* 6; Türpfosten *eki-sigo* 4
Tyrann *u-ńyalu-kana* 1, *um-pala* 1,
um-bańga 1, *un-kali* 1, *un-ta-lamu* 1

u

üben *etsove letsa*
überbleiben, zurückbleiben *sigala*;
— -lassen, zurücklassen *sigatsa*
überbrücken, Brücke schlagen
laleka
überfallen, darauf zugehen *vukela*
überführen, etwas bezeugen *oleka*,
olela
übergeben, sich erbrechen *deka*
sich überheben *egińya*, *ekutsa*,
ehusa
Überhebung *ulw-ehuso* 7
über Kreuz legen *koveka*, *koveńańya*;
— sein *koveńana*

überlaufen, verschüttet sein *dudika*;
— wenn zu voll *lesuka*

übermorgen *ntondo*

überschäumen, überkochen *tutuma*

übersetzen, über Fluß *lovosa*

übersteigen *deluka*

übertönen, überschreien *swanga*, *swanganya*

übertreffen *luta*

übertreten, widerstreben *mena*

Übertreter *unyambeda*, *unyalumeno*. *unyalutsimu*

Übertretung, Widerspenstigkeit *ulumeno* 7 s. t., *ulu-tsimu* 7

überwachsen trans. *kololetsa*; — sein von Wegen *kololelwa*

überwinden, innerlich Schmerz, Hunger usw. *sipa*; — besiegen *lema*, *telutsa*; überwunden werden, sein, nicht vermögen *lemwa*; — sein, geschlagen sein *telula*

Ufer *umw-ambo* 2

umarmen *kumbata*; — sich gegenseitig *kumbatana*

Umgebung des Häuptlings, sein Stab *ulu-lindo* 7

umgefallen sein *seneluka*

umkehren, sich umwenden, sich bekehren *kilivuka*; — jem. umwenden, jem. bekehren *kilivula*; —, unverrichteter Sache auf dem Wege *tuja*

umnähen, umsäumen, einfassen von Stoffen, Körben usw. *siva*

umrühren *kilija*; — herumrühren *timbula*, *timbulanya*

umsonst *vo vule*

umwickeln *nyenga*

umzäunen *veja uluvejo*

umzingeln, einschließen *gomba*

Unfruchtbarer, (e) *un-gumba* 1;

unfruchtbares Tier *endata* 3 (Stamm *lata*)

ungehorsam sein *punilitsa*

unhöflich sein = nicht grüßen beim Kommen usw. *dundumala*

Unkrauthaufen *eki-singa* 4

unrecht tun *galagddeka*; — sündigen gegen Herren *galuka*

unreif, klein, verkümmert von Früchten *jeje*; — verkümmert sein von Früchten *jejelwa*

unschlüssig sein, zögern, sich nicht zum Fortgehen entschließen können *singitsa*

unstät, unbeständig sein *hojahoja*, *hojánika*, — machen *hojanitsa*

unterbringen, anders wo *palula*

unterfassen, um etwas abzuheben *petula*

Untergang der Sonne, Westen *uvu-semo* 8

unterhalten sich *tsosanya*

Unterschenkel *un-soni* 2

Untertan, Bürger *umbanda* 1 (Stamm *vanda*)

untertauchen intrans. *twivilila*; — trans. *twivilitsa*

unterwerfen, sich, sich ergeben *leva*, *nena*; — jemand *lesa*, *neriya*

unterwürfig, gehorsam, dankbar sein *sána*

Unverheiratete *umenza* 1 (Stamm *henza*); Unverheirateter *un-sala* 1

Urenkel *un-tengutsi*

Urenkelin •

Urgroßmutter •

Urgroßvater •

urbar machen *vanga*

v

Vater (mein) *ulada* 1, s. Verwandtschaftsnamen

Veitstanz *isi-teṅgutsi* p. t. 4

verachten *hē̠lula*

veranlassen zum Schreien, Rufen *kūsa*

verändern sich *saluka*; — etwas, es unkenntlich machen, verschlechtern, verderben *salusa*

verbergen *siha*; — etwas im Grase, in der Erde *dikila*; im Grase *sọ̈teka*; — von Essen vor den Gästen *sesa*

verbieten, untersagen *lapa*

verborgen sein *sihama*

Verbrecher *uṅ-ǵalo̠* 1, *un-tūlanoṅgwa* 1, *uṅ-ǵalaǵala* 1

Verderben *ulu-veȷaṅgiko̠* 7; Verb. *vēȷáṅga*, *vujaṅya*, *enaṅga*; —, Essen durch Zugießen von kaltem Wasser *tsutsuvika*; — intrans., von Essen, das gekocht war, und auf welches dann kaltes Wasser gegossen wurde = verdorben sein *tsutsuvala*

verdienen, erwerben *kava*

verdorben sein *vēȷáṅgika*, *vujaṅyeka*

verdünnen mit Wasser *havaǵula*; — Bier, wenn es sauer geworden *tsimula*; — Milch *tsuvula*

verdunkeln *seka*

verfaulen, von Fischen usw. *dibiduka*

verfluchen, fluchen, verdammen *kō̠tō̠la*; — verwünschen *lapelela*

verführen, überreden *hǵva*, *lusa*. *lusaṅya*, *soṅga*, *hoṅga*

vergeben', Sünde, Schuld *syekela*

vergelten, rächen *vujitsa*

vergessen *samwa*; Vergeßlichkeit *eki-samwa* 4; vergeßlicher Mensch *u-ṅyakisamwa* 1

verharren, bei etwas, sich vergeb-

lich mühen *ǵaǵala*; — bei einer Sache, an einem Orte *lindekelela*

verhauen, so daß der Betreffende krank wird *suȷuȷa*, *suȷuȷaṅya*

verjagen, vertreiben *veṅga*

verkaufen *ǵutsa*

verkleinern, verringern = Schuld usw. *jāla*

verknotet. verheddert sein *hodeṅana*, *hodeleṅana*

verkündigen, berichten *tūla(enoṅgwa)*

verlassen jemand, davon gehen. streiken *ǵilimbuka*; — lassen *leka*

verleugnen *leǵuka*; — jemand *leǵukila*

verleumden. verklatschen *heṅdama*

Verleumder *u-ṅyakuheṅdama* 1. *umeṅdami* (Stamm *heṅdami*)

verlöschen *sima*

Vermächtnis *ulu-leko̠* 7

vermischen *hanza*, *haṅyaṅya*, *saṅganitsa*; — sich, sich vereinigen *haṅga*; — oṅaṅya; vermischt sein *oṅana*

verneinen, untersagen *be̠la*; — bestreiten, nicht glauben wollen *betsa*

Verneinung, Streitsucht *iṅani* 7 p. t. (Stamm *kani*)

vernieten *vunda*

Verrat durch Einschläfern *eli-ǵoṅyo̠* 6; — durch Zeigen aus der Ferne oder Zeichen *doda*, *soka*; — mit Worten *vulela*

Verräter *umbu̠leli* 1 (Stamm *vu̠leli*); — durch Einschläfern *u-ṅyali̠ǵoṅyo̠* 1

verrenken *tiṅguka*

verrenkt, verstaucht sein *syoṅoto̠ka*

Verrückter *u-ṅyalukwale̠* 1

Verschlagenheit *uvu-ǵalaȷala* 8

verschneiden, kastrieren *keǵeta*, *ǵida*
verschwenden, alle machen *malańya*
Verschwender *u - ńyakiveja* 1
Verschwendung *ekį - veja* 4
verschwinden, verloren gehen *jaǵa* s. d.; — lassen, etwas verlieren *jatsa* s. d.; — lassen etwas *eveletsa*
versammeln intrans. *lundamana*; — trans. *lundamańya*
versehen mit Stiel *pasa*
versöhnen, sich *sajana*; — jemand *sajańya*
versprochen sein vom Mädchen *lavelwa*; — vom Mann *lavela*
Verstand *ulu - hala* 7
verstecken, sich *ova*; — jemand *ovetsa*; — etwas *siha*; — etwas verbergen im Grase usw. *syombeka*
Versuch *ama-ǵelo* 6 p. t.
Versucher *u - ńy - ama - ǵelo* 1
vertrauen auf *huvela*
verunreinigen, sich durch Essen oder Tun von Unerlaubtem *ēhōvela*; — jemand, durch Zwang von Unerlaubtem *hovela*; — durch Abfälle usw. *kakaletsa*
verwandeln, sich *hambuka*; — etwas *hambula*
Verwandter *u - ńyalukolo* 1, *ulu-kolo* 7
verweigern etwas *lwela* (ohne Objekt)
verwesen von Früchten *ōja*
verwirrt, verheddert sein von Schnur usw. *tsaǵeleñana*
verwunden, sich *lemala*; — jemand *lematsa*
verwundern, sich *deǵa*
verzaubern, verhexen *hāva*

verziehen, Wohnort wechseln *hama*, *ńyańyamuka*
verzieren der Häuser, streichen, zeichnen *lāva*
verzögern, sich *suvala*, *kandāma*, *suvila, keletsa*; — etwas = jemand aufhalten *suvatsa*, *suvitsa*
Vieh, Wild *eñanu* 3 (Stamm *kanu*)
viel werden, sich vermehren *oloka*; — machen, vermehren trans. *olosa*; Adj. *olosu*, *oñgosu* (dial.), *oñgesu*; — sein, werden von Dingen *tüpa*
Vogel *ekį - deǵe* 4
Vogelnest *uvw - aswa* 8, *uvu - swa* 8
Volk *ava - nu* p. t. 1
voll sein, gefüllt sein *dēja*; — machen = füllen *dētsa*; — sein, vom Mond *kuluṅgala*
vollstopfen den Mund *tsuǵumbańya*; vollgestopft sein, vom Mund *tsuǵumbana*
vorangehen, führen *loṅgola*; — jemand, jemand führen *loṅgolela*; — lassen *loṅgotsa*
Vorfahre *un - teṅgutsi* 1
Vorhang, Zwischenwand *ulu - poǵolańyo* 7
vorhersagen, weissagen *lota*
vorreden jemand etwas, nicht halten. was man versprochen *künika*
vorsichtig sein, langsam, bedächtig sein *vandika*, *evandela*; — *tedesa*
vorsingen *pāla*
vorübergehen *luta*, *luteñańya*; — lassen *lusa* s. d.

w

Wabe *ely - ajaha* 6
wachen *va miho*, *avye miho* er war wach
Wachs *e - sinda* 3

wachsen *kŭla*, Bäume usw. *mẹla*;
— lassen, erziehen, ernälıren,
groß ziehen *kŭtsa*; — Bäume
usw. *mẹtsa*
wählen, erwählen, auswählen *hăla*
Wahnsinniger *uńyaluknale*
wahr, wahrhaftig, wahrlich *hrẹli*
wahrsagen, zaubern, mit Becher
laḏula; — mit Stäben *puḏula*
Wahrsager *u-ńyamalaḏọ* 1
Waise *ųm-pēna* 1
wälzen, etwas rollen *beḷusa*; —
sich *beḷuka*
Wand *ekị-simike* 4; — von Stein
elị-tsẹngọ 6
Wände mit Lehm bewerfen, verputzen *mata* s. d.
Wange *elị-tama* 6
Wanze *eńavata* 3 (Stamm *kavata*),
eń-guńguni 3 (Stamm *ḏuńguni*)
Wärme *uvụ-sukẹsu* 8; sich wärmen
am Feuer *ọta, ejotẹlıca*; — == sich
sonnen *otẹla*; — trocknen *ńyasa*;
— aufwärmen. Speisen usw.
piụsa
warnen *pava*
warten, bewahren *ḷinḍa*; — *puḷekẹla*
waschen, sich Gesicht *eswavụla*,
jem. — *swavula*; — Hände *puḏuha*;
— etwas *husuḏa*
Waschschüssel *ekị-puḏuhilọ* 4
Wasser *ama-ḏasi* 6 p. t.
Wasserfall, kleiner *ųn-tsuḷulụ* 2;
— großer *ulụ-salala* 7
Wasserquelle *ulụ-dwibudwibu* 7
Wasserschöpfloch *ekị-sima* 4
Wassertopf *enzẹlọ* 3 (Stamm *jẹlọ*)
Weg *enzịla* 3 (Stamm *jịla*); — der
Karawanen *elị-kuvaḷelọ* 6
wegnehmen, entreißen *pọka*; —
wegräumen *vụsa, hẹtsa*; —stehlen
hẹtsa

wegspülen, mitnehmen, vom Regen,
Regenlauf *kụka*
wegräumen, aus dem Weg nehmen
hẹtsa
wegreißen etwas *ńyaḏa*
Weib *ųn-dăla* 1
weich, milde, schwach *dẹ̆kẹ*; —
machen *dẹ̆kẹsa*; — werden *dẹ̆-
kẹpa*
Weide, Feld, Grasfläche *ulụ-dasi*
7 s. t.
weigern, sich *sita, ńata*; — wohin
zu gehen *diẹḏa, duḷa*; — zu
essen *tsila*; — etwas anzunehmen, weil zu klein usw. *ịḷa*;
— widerstreben *tọmbọka*
weil *namańga*
weinen *ịḷa*; — über *ḷịleḷa*
Weisheit, Verstand, Klugheit *ulụ-
haḷa* 7 s. t.
weiß *valasu*; -glühend sein *nọ̆na*
welk, dürr werden, von Pflanzen,
Kartoffeln usw. *ńyaḷa*
weniger werden, = fallen vom
Wasser *kẹpa*; — von Nahrungsmitteln *kẹpa, jẹluka*; — machen,
Wasser zum Fallen, Sinken
bringen *kẹsa*; — machen, verringern, verschwenden *jẹluḷa*
werfen *ḷaha*; —, säen *ḷaha, sọpa*;
— = wegwerfen *taḏa*; — nach
etwas, nach jemand = jemand
etwas zuwerfen *kụmba*
Wespenart *elị-dẹde* 6
widerstreben, übertreten *bẹ̆da*; —
nicht glauben *bẹ̆da, beḷa, bẹtsa*
Widerspruch *ulụ-menọ* 7, *ulụ-
tsimu* 7
wie oft? *kaḷịngi?*
wiedergeben, wiederbringen, zurückführen *vutsa*
wiederkäuen *hẹ̆luḷa*

Archiv f. d. Stud. deutscher Kolonialsprachen. Bd. III.   16

249

242

Wildkatze *e-mavo* 3, *e-ńyǫmbę* 3;
— kleine (ohne Nas.) *e-ļęmbę* 3
Wind *emępǫ* 3 s. t. (Stamm *pępǫ*);
— starker = Sturm *eļi-kuǧuta*
6 s. t.; — = Wirbel *ekį-sola* 4
winken mit den Augen *kúlisa, ļia*;
— der Hand *tina, pęlęsęla*
wissen, erkennen *mańya*; — auch
denken: *ndevumańyilę uļį nasyǫ*,
ich dachte, du hast sie (Stühle)
Witwe, Witwer *un-swelę* 1
wohl anstehen *nǫǧęla* s. d.
Wolke *eļi-veǹgǫ* 6, *eļi-suluke* 6
Wort, Rede *eļi-meńyu* 6
Wunde *eǹǭnǫ* 3 (Stamm *kǭnǫ*), *ekį-laḥǫ* 4
wundern *dada* (von Frauen gebraucht); — *juva* (von Männern gebraucht); — sich *dęǧa*
Wunsch, Wille, Verlangen *uvu-nǫǧwę* 8
wünschen, wollen *kenza, nǫǧwa*
würgen, jemand, erdrosseln *ǧǫǧa*
Wurzel *undęla* 2 (Stamm *ļęla*);
—, Fuß fassen, festwurzeln *etǫtęka*
Wüste *um-pumbwę* 2, *uļu-kuǹgǫ* 7

z

zählen *vala*
Zahn *eļinǫ* 6 (Stamm *inǫ*)
Zanįę *uǹ-kǫmbę* 2, *umw-ibatǫ* 2, auch *umw-ibatiļǫ* 2
Zauberer *umavi* 1 (Stamm *havi*); Zauberei *uvu-havi* 8; Zaubernägel *eńumba* 3 (Stamm *kumba*)
Zaun *uļu-vēǧǫ* 7; — machen, einzäunen *veǧa* (*uļuvęǧǫ*)
Zehe *uļu-kǫnzę* 7 pl. *iǹǫnzę*
Zehn, Zehner *undęvulu* 2 (Stamm *ļęvulu*), auch *kįtsiǰǫ*
zeichnen, malen, schreiben *dǫla*

zeigen, weisen, weissagen *ļaǧa*;
— vorzeigen *vǫńya*
zerbrechen, knicken etwas *dęńya*;
— entzwei sein *dęńyęka*
zerkauen, zerknacken mit den Zähnen *memęna*
zerkleinern, Holz, Knochen *dü-tsańya*; — klein machen *hańya*, *ńeńya*, *ńeńyańya*
zerknillen, verwirren von Zwirn usw. *sujiļińańya*
zerreiben *ńyuka* s. d.; — mit der Hand etwas Festes *tikińyuļańya*;
— = zerquetschen *tikińyula*;
— von Rizinuskernen, Ocker usw. *syǫǧa*; — mit den Händen, Kafferkorn *siǧidya*, Perf. *siǧidyę*, auch *siǧiha*, Perf. *siǧihę*
zerreißen, intrans. zerrissen sein *ļęnduka*; — trans. *ļęndula*; — (von wilden Tieren) *tęvula*, *tęvulańya*
zerschlagen sein *oļuļala*; — von Menschen *oļuļika*
zerschneiden, zerteilen *tęvula*, *tęvuļańya*
Zerstörer *uńyakuvęjáǹga*
zerstreuen, sich, auseinandergehen *hamba*, *vęjanika*, *pasaniļa*, *paļanana*; — auseinandertreiben *hasa*, *vęjańya*, *paļańańya*; — *tika*; — = verschwenden *tikańya*; — zerstreut sein *pasanika*, *pasáļuka*
zertreten, dreschen von Kafferkorn in Körben *sęǧędya*
Zeug, Stoff, Kleid *un-sabwa* 2
Ziege *emęnę* 3 (Stamm *pęnę* 3);
—, die schon gelammt *embu-ǧuma* 3; — = Bock *emǫǹgǫ* 3 (Stamm *pǫǹgǫ*), verschnittener *e-suļę* 3
ziehen *kvęǧa*; — aus dem Wasser *ļǫvǫļa*

zieren sich *néma*
zittern *kililika*
Zoll. Steuer. Abgabe *eli-sango* 6:
Zöllner *un-sangutsi* 1
Zorn, Wut. Ärger (eigentlich
Würgung, etwas. das die Kehle
zuschnürt) *eli-goga* 6 s. L: zornig
werden *kalala*
Zuckerrohr *un-gwoa* 2
zudecken *tunga, saukila*: — aufeinanderdecken *gubeka. gubekela.
gubelenanya. gubenanya*: — = zupfropfen *sundika*
zuerst. erst *tango. tanzi. tananzi*
zu fallen drohen *sengemuka*: — Falle
bringen *sengemuda*
zugedeckt sein *gubenana*
zugießen. Wasser an Speise usw.
hänya
Zunge *ulu-lemi* 7
zurückfordern *lemba. sumila*
zurückhalten. aufhalten. zurücktreiben *sega*
zurückkehren. umkehren *ouyo*:
am selben Tage *oujaukwa*
zurückstehen vom Kauf *lepa*
zusammen. miteinander *pamo. ba-
hanwe*

zusammengefaltet, -gebogen sein
gujana. gujilinana
zusammengekommen sein *jengama*
zusammenhängen. eins bilden *lug-
jana, lugelenana*
zusammenkommen *lundamana*
zusammenkriechen in sich *kona-
tala*
zusammenlegen. -falten *guja. gujanya. gujilinanya*
zusammenrollen. zusammenlegen
Matte. Decke *tandula. gonza*: zu-
sammengerollt. -gelegt sein *ta-
nanuka*
zusammenrufen. versammeln *lunda-
manya*
zusammensetzen. verbinden zwei
oder mehrere Dinge zu einem
lenga. lengelananya: *lunga*:
aneinandersetzen *lyinyenanya*
zusammentreffen *aguno*
zustimmen. glauben *sekhu*:
Kehl... singen *sekhulu* darau
eingenen *sekhulu*
Zweig. ast *eli pangeko* 1
Zwilling *engudi pano engu vala*
... *g-engu unyu unyu u va
mugipano*.

Berlin, gedruckt in der Reichsdruckerei.